Collection « ORBI-XXI »
dirigée par Julien Béliveau

L'Attentat
de Michel Auger
est le premier titre
de cette collection.

Du même auteur

Mastantuono, éditions de l'Homme, Montréal, 1976.
Un siècle à Montréal (collectif), éditions du Trécarré, Outremont, 1999.

L'Attentat

Michel Auger

L'Attentat

ÉDITIONS TRAIT D'UNION
428, rue Rachel Est
Montréal (Québec)
H2J 2G7
Tél. : (514) 985-0136
Téléc. : (514) 985-0344
Courriel : traitdunion@pierreturgeon.net

Mise en pages : Édiscript enr.
Maquette de la couverture : Olivier Lasser
Photographie de la couverture : Marc Jutras

Sauf indication contraire, les photographies intérieures proviennent
de la collection de l'auteur.

Données de catalogage avant publication (Canada)
Auger, Michel, 1944-

    L'attentat

    (ORBI-XXI)

    Comprend un index.

    ISBN 2-922572-33-1

    1. Auger, Michel, 1944-   . 2. Crime organisé – Enquêtes – Québec
(Province). 3. Crime organisé. 4. Victimes d'actes criminels – Québec
(Province) – Montréal – Biographies. 5. Journalistes – Québec (Province) –
Montréal – Biographies. I. Titre. II. Collection.
HV6439.C32Q8 2001a   362.88'092   C-2001-940929-X

DISTRIBUTEURS EXCLUSIFS

POUR LE QUÉBEC ET LE CANADA
Édipresse inc.
945, avenue Beaumont
Montréal (Québec)
H3N 1W3
Tél. : (514) 273-6141
Téléc. : (514) 273-7021

POUR LA FRANCE ET LA BELGIQUE
D.E.Q.
30, rue Gay-Lussac
75005 Paris
Tél. : 01 43 54 49 02
Téléc. : 01 43 54 39 15

Nous remercions le Conseil des Arts
du Canada de l'aide accordée à notre
programme de publication.

Nous bénéficions d'une subvention
d'aide à l'édition de la SODEC.

THE CANADA COUNCIL | LE CONSEIL DES ARTS
FOR THE ARTS | DU CANADA

SODEC
Québec ::

Pour en savoir davantage sur nos publications,
visitez notre site www.traitdunion.net

*À ma fille Guylaine,
à mon petit-fils Nicolas
et à ma petite-fille Amélie.*

Préface

Un grand journaliste et homme d'État québécois, René Lévesque, a souvent dit qu'il n'y a pas de véritable liberté sans information.

Informer la population adéquatement pour lui permettre de comprendre, de choisir et d'agir, est donc une tâche importante. Elle requiert une curiosité quasi obsessive, une passion particulière pour la connaissance et la recherche des faits ainsi qu'un engagement sans équivoque envers la vérité et l'exactitude.

Dans ce livre qu'il nous offre, Michel Auger nous raconte comment et pourquoi il est devenu un très bon journaliste et surtout comment et pourquoi il est devenu, au fil du temps, la meilleure source d'information du public québécois sur les activités des petits et des grands truands de notre société.

Il ne s'agit pas d'un exercice d'autogratification mais plutôt du récit palpitant d'une carrière et des événements qui lui ont donné l'occasion de se déployer jusqu'au point où l'homme est devenu le personnage, hors du monde interlope et de l'appareil de justice, le plus craint et le plus détesté des barons de la pègre.

Il n'est pas facile de débusquer et de mettre au jour les activités des criminels professionnels et des diverses organisations qui les regroupent, pour la simple et bonne raison qu'il s'agit d'actions illégales et clandestines.

Pour bien comprendre le milieu et surtout pour bien savoir ce qui s'y trame, les journalistes n'ont pas grand choix s'ils veulent faire leur travail correctement et efficacement. Ils doivent composer et frayer avec un autre monde particulier, celui des forces de l'ordre public. Cela enrage les criminels, qui bêtement voudraient que les journalistes ne prennent pas parti et qu'en plus ils ne disent rien d'eux ou, tout au moins, rien d'offensant. Quelle arrogance!

Ils tuent ou font tuer; ils volent ou font voler; ils menacent et intimident directement ou par fiers-à-bras interposés; ils abusent, ils exploitent, ils corrompent nos amis, nos parents, nos enfants, et ils voudraient en plus qu'on se taise, qu'on les laisse faire et qu'on les présente comme des héros et des « bons gars ».

Michel Auger a toujours refusé de jouer le jeu des caïds et d'être copain-copain avec eux. Il a choisi le droit du public à savoir et à comprendre. Et, pour que cela soit possible, il a choisi de fréquenter les policiers, ceux qui, payés avec nos taxes et nos impôts, sont chargés de recueillir des renseignements, de savoir ce qui se passe au sein de la pègre et d'empêcher que des gangs deviennent des empires de l'ombre indélogeables en prenant trop de pouvoir dans une société où la protection des droits est parfois conjuguée jusqu'à la bêtise, du moins si l'on prend en compte le point de vue des victimes.

Michel Auger a, bien sûr, choisi son camp en privilégiant les sources policières plutôt que les sources interlopes mais cela ne l'a pas empêché de garder son indépendance et son intégrité.

Dans les heures qui ont suivi la tentative de meurtre dont il a été l'objet, certains, dont des journalistes, ont prétendu que Michel Auger était fautif parce qu'il ne s'était pas contenté de rapporter des faits. Il avait osé établir des liens! Pourtant, il n'avait fait que son travail, lequel nécessite – si on veut l'effectuer adéquatement – que les citoyens comprennent et réalisent l'ampleur de certaines réalités occultes et occultées.

Comme citoyen et élu politique, je suis comblé par le travail accompli par le journaliste Michel Auger. Son journalisme d'enquête agressif et engagé nous a permis d'éviter de nous laisser endormir par des statistiques rassurantes sur la criminalité connue. Il nous a régulièrement rappelé l'ampleur du monde interlope qui s'agite dans la cale.

Comme ami, je suis fier de lui, fier que ce soit lui qui m'ait enseigné mon métier de journaliste. Grâce à lui, je crois avoir fait du bon boulot pendant les six ans où j'ai pratiqué le même type de journalisme que lui.

Quand je pense qu'il exerce ce métier avec efficacité et passion depuis trente-sept ans! Je suis admiratif. Je lui lève mon chapeau.

Jean-Pierre CHARBONNEAU
journaliste et député
Président de
l'Assemblée nationale du Québec

1

Une très belle journée de septembre

Il y a dans la vie des journées particulièrement belles, où on semble au-dessus de tout et où rien ne peut nous contrarier. Le 13 septembre 2000 était pour moi une telle journée. Je revenais d'agréables vacances, il faisait un soleil radieux à Montréal et j'avais prévu une semaine de travail sans stress. Même que je pensais aussi au prochain week-end dans la nature avec ma famille et des amis.

Depuis quelques semaines, j'avais décidé de commencer à préparer réellement une retraite qui débuterait dans quatre ou cinq ans. Je croyais, en ce premier été du nouveau millénaire, que je devais désormais jouer un rôle plus effacé. Je cesserais d'accorder des entrevues à mes collègues de la radio et de la télévision d'ici et d'ailleurs qui me sollicitaient chaque fois qu'un événement lié aux activités du crime organisé venait perturber la quiétude de notre société. J'espérais qu'on oublierait mon visage et que je pourrais passer inaperçu dans la ville. J'étais loin de me douter que le destin ou la colère de certains individus allait bouleverser mes rêves de tranquillité.

Avec les années, j'étais devenu un spécialiste du monde interlope. La pègre n'avait plus de secret pour moi. J'étais celui qui, avec une bonne mémoire, pouvait expliquer les dessous d'un attentat, les ramifications des gangs. Les mafias canadienne, américaine et italienne m'étaient familières depuis fort longtemps. Mais depuis 1995 c'étaient les

Hells Angels qui m'occupaient le plus. La bande d'amateurs de motocyclette formée à la fin des années 40 en Californie par des vétérans désabusés de la Deuxième Guerre mondiale avait fortement évolué. Elle faisait maintenant partie du crime organisé. Ce n'était plus seulement une bande de motards, mais des criminels ultrasophistiqués, riches et à la fine pointe des technologies modernes.

C'est de cela qu'était fait mon quotidien au travail. J'aimais le défi. Ma satisfaction professionnelle était de constamment trouver et dévoiler des détails des activités de ces gens vivant en marge de la société. J'étais heureux lorsque je pouvais démontrer comment ces criminels qui se croyaient au-dessus des lois et plus intelligents que le travailleur honnête s'y prenaient pour exploiter le public.

Le 13 septembre 2000 était donc une belle journée paisible. J'avais prévu un lunch avec un policier spécialisé dans la lutte contre le crime organisé. Un policier ayant toujours des projets d'enquête compliqués. Un gars facilement ennuyé par la routine et constamment à la recherche d'informateurs pour obtenir de bons tuyaux. Si j'avais été policier, c'est un peu comme lui que j'aurais voulu être. Mais, bien que j'aie pensé, dans mon enfance passée à Shawinigan, à devenir policier ou peut-être pompier, ce n'étaient là que des rêves.

En ce temps-là, la ville de l'électricité, comme on l'appelait fièrement, abritait plusieurs jeunes qui ne se doutaient pas que, quelques années plus tard, la population du patelin, alors de cinquante mille habitants environ, allait diminuer de moitié. Son plus célèbre fils, Jean Chrétien, allait faire une longue carrière politique pour ensuite devenir Premier ministre du Canada. Tout comme lui, les autres jeunes du coin iraient chercher du travail ailleurs, plusieurs à Montréal. C'était une belle ville pour un jeune homme, pleine d'action, de divertissements et, surtout, d'emplois.

Je n'avais jamais imaginé ce que serait ma vie, mais un emploi occasionnel allait être révélateur. J'ai goûté à dix-neuf ans à l'atmosphère d'une salle de rédaction et décou-

vert que le métier de reporter était formidable. J'étais en-
voûté, conquis par ce monde où rien n'est jamais prévu. Ce
monde où se côtoient des hurluberlus du plus beau genre,
des intellectuels rêveurs, des gens de divers milieux et de
diverses options politiques. Des gens unis autour d'un
même besoin, d'une même obsession : l'information.

Issu d'une famille modeste, j'allais devenir journaliste
dans un domaine qui à l'époque n'était pas tellement bien
vu par mes collègues des divers médias : les faits divers. La
chronique des chiens écrasés, des « écrapoux » comme on
dit aujourd'hui dans nos salles de rédaction.

Le journalisme routinier n'a jamais été mon fort.
Comme je l'ai écrit plus haut, j'ai toujours aimé les défis.
Mais les grands dossiers, les grandes enquêtes journalisti-
ques ne se font pas dans les bureaux des journaux, des stations de radio ou de télévision. C'est dans la rue qu'on dé-
couvre les bons filons. Bien sûr, les gens nous appellent
pour dénoncer un scandale, pour nous mettre sur une
bonne piste, mais la quantité des informateurs est souvent
inutile et le filon de qualité est l'exception. Donc, la plupart
du temps, c'est le journaliste qui fera la différence. C'est lui
qui pourra distinguer, à même le flot des rumeurs, des nouvelles en apparence anodines, le dossier chaud, l'information qui fera du bruit.

C'est mon style de journalisme.

*

Le centre commercial de Place-Versailles, dans l'est de
Montréal, comporte, en plus de ses magasins, une tour à bureaux où sont installées les brigades spécialisées de la police de la Communauté urbaine de Montréal (CUM). C'est là
que travaillent quotidiennement les enquêteurs en matière
de stupéfiants, de fraudes, de vols de banque et d'homicides. On y trouve aussi les as du renseignement criminel,
ceux qui fouillent les dossiers, qui scrutent toutes les ave-
nues afin d'aider les détectives qui sont sur la ligne de feu.

Les gars et les filles de la brigade antigang sont aussi installés rue Sherbrooke Est.

J'étais souvent dans les bureaux de ces brigades spécialisées. J'y rencontrais aussi bien les gradés qui supervisent les dossiers que les simples agents ou les sous-officiers qui recherchent et accumulent des preuves qui seront éventuellement présentées à un juge. C'est aussi à Place-Versailles que, depuis plusieurs mois, je croisais régulièrement la haute direction des Hells Angels. Maurice « Mom » Boucher et ses proches collaborateurs avaient pris l'habitude de se pointer dans les restaurants de ce centre commercial pour y narguer les policiers et aussi… le journaliste du *Journal de Montréal* qui fréquentait le vaste immeuble à l'occasion.

Le populaire quotidien du matin est la lecture préférée des motards. Tous les lecteurs du *Journal de Montréal* sont loin d'être des criminels, mais tous les bandits sont parmi ses plus fidèles lecteurs. C'est pourquoi Mom et ses amis avaient souvent des commentaires et des suggestions à me faire sur ma façon de rapporter les nouvelles. Ils auraient aimé, par exemple, qu'il y ait moins d'informations négatives sur la guerre des motards et sur le rôle joué par eux et leurs nombreux employés. Après tout, les responsables d'organisations rapportant des milliards de dollars au Québec uniquement n'avaient-ils pas droit à une image un peu plus positive ?

Cependant, avec une guerre de motards déclenchée par les Hells qui a fait près de cent soixante victimes dont dix-sept personnes totalement innocentes, incluant le petit Daniel Desrochers, onze ans, une publicité positive est non seulement difficile mais impossible.

Boucher a toujours refusé les demandes d'entrevue, comme d'ailleurs tous les autres membres de la bande à qui j'avais offert la possibilité d'écrire leur version des événements. Depuis à peu près vingt-cinq ans que je fais cette demande répétée aux patrons des Hells, la réponse a toujours été négative. En quelques occasions, quelques membres de la bande, de leur propre initiative, sans probablement en parler à leurs acolytes, ont accepté de discuter avec moi de certaines questions, à la condition que leur identité ne soit jamais divulguée. Mais pour Boucher et son état-major, il n'était pas question de grandes conversations. Le droit du public à une information complète n'était pas dans les vues de la direction de la bande.

En ce matin du 13 septembre, j'avais donc rendez-vous avec l'un des deux coordonnateurs des enquêtes de la brigade des homicides, le lieutenant détective Jean-François Martin. Ce policier partage avec son collègue Stephen Roberts la supervision d'une cinquantaine de cas d'enquête sur les homicides annuellement.

Il semble qu'il y ait aujourd'hui moins de victimes de meurtre au Québec. Ce serait dû, en partie du moins, au fait que les médecins réussissent à sauver la vie de plusieurs personnes qui sont blessées plus ou moins gravement après un attentat. C'est sur ce genre de sujet que portaient les conversations que j'avais avec les policiers de temps à autre.

Ce matin-là, le sujet était d'actualité car, moins de vingt-quatre heures auparavant, j'avais publié deux pages d'informations sur la guerre des motards et sur ses victimes qui étaient jusque-là réputées intouchables, comme certains individus liés au milieu criminel qui avaient la réputation d'être au mieux avec les gros bonnets de la Mafia.

Le lieutenant Martin était particulièrement intéressé à connaître les détails d'un coup de téléphone de menaces que j'avais reçu la veille, des menaces de mort de la part de l'épouse de François Gagnon, un petit criminel de peu d'envergure qui pesait plus de cent soixante kilos et qui avait été abattu dans le cadre de la guerre des gangs. Bien que peu impliqué dans les affaires de motards, Gagnon, qui aimait bien jaser, racontait comment, et c'était bel et bien vrai, il était un bon copain de Salvatore Cazetta, le grand patron des Rock Machine, les ennemis jurés des Hells Angels.

Ce matin-là, j'ai aussi discuté avec le patron de la division des enquêtes sur le crime organisé, le commandant

Serge Frenette. La brigade antigang, qui relève de cet officier, menait plusieurs enquêtes liées à la sanglante querelle des motards. Comme toujours, cette matinée fut ponctuée de coups de téléphone et de vérifications diverses. Bien qu'un journaliste au travail n'ait jamais le loisir de savourer les instants qui passent, j'avais pris le temps de confirmer à ma fille Guylaine que je m'occuperais de mon petit-fils Nicolas en soirée car elle et son mari, Carl Bourcier, avaient rendez-vous pour visiter la salle d'accouchement où, un mois plus tard, elle devait mettre au monde son deuxième enfant, Amélie.

La vie d'un reporter est mouvementée. On doit constamment être prêt à tout laisser tomber pour s'occuper d'un événement important qui vient de se produire ou, ce qui est encore mieux, qui va se produire. En début de matinée, j'avais aussi brièvement discuté avec un de mes patrons, Serge Labrosse, l'adjoint au directeur de l'information chargé des activités judiciaires et des nouvelles locales en particulier. Comme je n'avais rien de précis en préparation pour la journée, ma conversation avec lui avait été plutôt brève.

Je me souviens du beau temps qu'il faisait ce jour-là et du fait que les automobilistes et les gens en général me semblaient calmes. La vie était belle, quoi! Il y a des jours où les gens qu'on croise dans la rue nous apparaissent belliqueux ou nerveux, mais ce n'était nullement le cas ce matin-là.

Il ne faut que quelques minutes pour se rendre des bureaux de la police à ceux du *Journal de Montréal,* rue Frontenac, à la croisée des quartiers d'Hochelaga-Maisonneuve, du Plateau-Mont-Royal et de Rosemont. La rue Sherbrooke est une belle voie qui passe devant le magnifique Jardin botanique, une des merveilles de Montréal, situé juste en face d'une catastrophe, le fameux Stade olympique, un des fantasmes de grandeur du maire Jean Drapeau, qui avait confié à son ami Roger Taillibert, le grand architecte français, le soin de réaliser la fameuse tour dont il avait tant rêvé. Chaque fois que je vois ce gigantesque éléphant blanc qu'est devenu le stade, je me dis qu'il aurait été sûrement génial de faire s'exercer les forces armées sur cette montagne de béton armé pour la jeter par terre et en faire un mont qui pourrait servir aux enfants du quartier pour les sports d'hiver. Les centaines de millions ainsi économisés auraient pu être consacrés à la lutte contre le crime organisé.

Mais ces considérations ne venaient pas noircir mes pensées en cette matinée agréable.

*

En entrant dans le parc de stationnement des employés du *Journal de Montréal*, un peu avant onze heures, je n'ai pas remarqué qu'une jeune femme avec des écouteurs sur les oreilles était en train d'y prendre sa pause-café en fumant une cigarette. Comme j'allais repartir quelques minutes plus tard, j'avais décidé de me garer en plein centre du parking, entre les vastes espaces réservés et bien délimités pour les voitures. Un endroit où normalement il nous est interdit de stationner.

Aussi, je n'ai jamais vu une voiture blanche qui se trouvait dans le parking voisin, celui d'une entreprise qui venait de fermer ses portes. Pas plus que je n'avais remarqué des individus louches qui effectuaient une surveillance étroite dans les rues avoisinantes. Pas plus que je n'ai aperçu cet individu qui, un grand parapluie bleu à la main, se dirigeait vers le centre du parking.

Au moment où j'allais prendre mon ordinateur portable déposé dans le coffre arrière, j'ai cru que quelqu'un venait de me lancer une balle de base-ball dans le dos, à la hauteur de l'omoplate droite.

Ce fut un coup terrible.

En un millième de seconde, j'ai entendu des coups de feu. Des bruits épouvantables. Je me souviens plus des sons que de la douleur ressentie lors de l'impact des balles dans mon dos. C'étaient des coups à répétition, en succession rapide. Je savais que j'avais été touché par des projectiles d'arme à feu. Je n'ai pas compté les coups, je n'y ai d'ailleurs jamais pensé, mais je savais que j'avais été atteint par plusieurs balles.

Le tueur, car c'en était véritablement un, a tiré sur moi à sept reprises.

J'ai été atteint par six coups.

Le tout a duré à peine deux secondes.

Les deux plus horribles secondes de ma vie.

J'ai su plus tard que l'arme du crime était munie d'un silencieux. Toutefois, mes oreilles ont perçu un bruit fort et sourd. Si, pour moi, les coups de feu étaient bruyants, il n'en était rien en réalité puisque la jeune femme qui se trouvait tout près n'a rien entendu ni même rien vu.

Avant même la fin des coups de feu, je me suis retourné sur ma droite pour apercevoir derrière moi, à environ trois mètres, un individu à l'allure plutôt jeune, vêtu d'un pantalon noir, d'un polo noir et blanc, et portant une casquette noire. J'ai vu une boule de fumée grise d'environ quinze centimètres de diamètre à la hauteur de sa ceinture, vers sa gauche.

Je n'ai absolument aucun souvenir du visage de ce tueur.

Il n'a pas dit un mot. Il me regardait constamment, puis il est reparti vers l'est, vers le fameux véhicule blanc garé tout près. Pourquoi a-t-il quitté les lieux alors que j'étais toujours debout ? A-t-il aperçu au dernier instant la jeune femme qui se trouvait à quelques mètres de lui ? Je me pose souvent ces questions sans y trouver de réponse.

Immédiatement après avoir été touché, je me suis demandé si ce tireur était quelqu'un que je connaissais. J'avais déjà un doute sur l'identité de mon agresseur. Un être extrêmement vil qui est devenu, après une première carrière, un homme de main des motards. Mais l'apparence physique du tireur ne correspondait absolument pas à celle de l'homme que j'avais en tête, un personnage plutôt rondouillard et bedonnant.

Aussitôt, j'ai compris que la situation était d'une extrême gravité. Je n'ai jamais perdu conscience. J'ai estimé que je devais immédiatement communiquer avec le service d'urgence 911 car, en cette fin de matinée, la partie du parking que j'utilisais était très peu achalandée.

Plutôt que de prendre mon téléphone cellulaire, j'ai pris mon téléavertisseur. J'étais blessé mais j'avais toute ma tête. J'ai alors jeté l'appareil par terre. Comme j'avais mal au dos, je me suis couché sur le sol pour ne pas aggraver ma situation. J'ai alors pris mon cellulaire, accroché à ma ceinture, j'ai placé l'antenne à sa position la plus étendue et j'ai composé le 911. J'ai cru un instant que le téléphone ne fonctionnerait pas car je me trouvais au ras du sol. Mais bien vite une voix féminine m'a demandé la raison de mon appel.

Il était 10 h 58.

« J'ai été touché par plusieurs balles d'arme à feu et je suis blessé gravement. Je suis journaliste au *Journal de Montréal* et c'est moi qui m'occupe de la guerre des motards », ai-je expliqué. J'ai aussi immédiatement fourni tous les renseignements sur mon état, sur l'emplacement de mon véhicule, et une très brève description du tueur. J'ai ajouté qu'il venait de s'enfuir en direction des terrains de l'ancienne usine de locomotives Angus.

La préposée aux appels, Mme Lise Robillard, a d'abord cru que je n'étais pas sérieux. Comment un homme se disant victime de plusieurs coups de feu pouvait-il être si calme? Mais, même si elle a cru un instant à une mauvaise blague, la préposée a néanmoins enclenché le processus suivi en cas d'urgence semblable. Tandis que je lui parlais, elle tapait les informations sur le clavier de son ordinateur et l'appel était aussi transmis au préposé aux communications avec les voitures de patrouille. Avant même que j'aie interrompu la conversation, l'ambulance d'Urgences-Santé et plusieurs policiers étaient déjà en route vers les lieux de l'attentat, soit le parc de stationnement situé au sud du 4545 de la rue Frontenac.

Les deux ou trois minutes qui ont suivi les deux secondes fatidiques furent les minutes les plus longues de ma vie. J'avais mis fin abruptement à la conversation avec la prépo-

sée car je sentais que mon état était très grave et je voulais
garder mes forces. La jeune femme agissait selon les direc-
tives, car il faut constamment garder dans un état conscient
un blessé qui téléphone, afin d'éviter que son état ne s'ag-
grave.

Je n'avais alors qu'une seule pensée en tête : étais-je paralysé ? J'ai bougé mes doigts, mes mains, mes bras, puis le
cou et les chevilles et les jambes. Ensuite, comme j'avais
une douleur au côté droit, sur lequel j'étais appuyé, j'ai
voulu me soulever pour voir s'il y avait beaucoup de sang
au sol. Je n'ai alors vu qu'une tache rougeâtre de quelques
centimètres à peine.

Est-ce cet exercice qui m'a rassuré ? Je n'en sais encore
trop rien. Je n'ai jamais pensé à la mort, à ma fin prochaine.
Je n'ai jamais vu la fameuse lumière au bout d'un tunnel et
encore moins défiler ma vie. Peut-être ma carrière journalistique de trente-sept ans m'a-t-elle aidé à surmonter le
drame. J'ai vu tellement de personnes blessées ou mortes
que, d'instinct, j'ai su ce qu'il fallait faire ou ne pas faire.

Une victime de coups de feu souffre énormément, mais
cette souffrance n'est pas insurmontable. Il ne s'agit pas
d'une douleur aussi intense que peut le laisser supposer le
traumatisme que subit alors le corps humain. Je me souviens d'un jour où, en train de bricoler, je me suis frappé le
pouce d'un magistral coup de marteau. La douleur a été lan-
cinante. Mais les blessures dues aux projectiles, tout en faisant beaucoup de dommages au corps humain, déclenchent
un mécanisme de défense de l'organisme qui bloque la montée de la douleur. Je me souviens qu'après quelques jours
d'hospitalisation les douleurs m'apparaissaient plus vives
que dans les instants ayant suivi l'attentat. Une hormone sé-
crétée par l'organisme, l'endorphine, freine la douleur, ex-
pliquent les médecins.

Je n'avais pas le choix : je devais attendre. J'ai enfin entendu des sirènes réconfortantes. Mais, hélas, sans rien
voir, j'ai constaté par le bruit que les véhicules d'urgence
étaient passés tout droit, se dirigeant probablement vers le

deuxième parc de stationnement, un peu au nord de l'im-meuble. Puis les bruits de freinage, de portières de véhicu-le s'ouvrant et se refermant se sont multipliés. J'ai entendu une voix forte dire : « Il est là, au milieu du parking. » Un technicien d'Urgences-Santé s'est approché de moi pour me dire de ne pas m'inquiéter. Immédiatement, j'ai senti la pré-sence de plusieurs personnes autour de moi.

Un des techniciens, après avoir coupé ma chemise et ma belle ceinture toute neuve, s'est mis à compter à haute voix. Ce n'était pas un exercice de mathématiques… Il a compté haut et fort : « Un, deux, trois, quatre, cinq et six. » C'était pour le nombre de trous qu'il voyait dans mon dos et sur le côté droit de ma poitrine. Un des trous était, semblait-il, la plaie de sortie d'une des balles.

Une femme médecin, le docteur Suzanne Côté, accom-pagnait les deux ambulanciers et c'est elle qui a décidé aus-sitôt de mon transport au Centre hospitalier de l'université McGill, l'ex-Hôpital général de Montréal, avenue Cedar. Je les ai entendus se demander à haute voix si des bulles sor-taient des trous faits par les projectiles. Il n'en était rien. Ces bulles auraient apparemment indiqué que les poumons étaient atteints. Le rapport médical indique que les techni-ciens ont pansé les plaies avec un liquide salin. C'était la première fois que j'observais un tel traitement, moi qui pourtant avais vu bien des cas semblables auparavant.

Toute l'intervention de l'équipe d'urgence s'est déroulée rapidement. Le médecin et son chauffeur, le technicien Robert Boulay, étaient arrivés si vite sur la scène du drame qu'ils avaient attendu l'arrivée des premiers policiers avant de pénétrer dans le parc de stationnement. Mme Côté m'a ra-conté plus tard l'horreur de la scène qu'elle avait vue. Elle ne pouvait concevoir que les nombreux projectiles n'aient pas touché un organe ou une artère. C'étaient des blessures d'une extrême gravité mais je n'étais pas mortellement at-teint. Mme Côté était surprise également par mon calme. Elle disait n'avoir jamais rencontré de patient comme moi. L'ambulancier Sylvain Caron, lui, était surpris de voir un homme transpercé de six balles avoir le goût de faire des blagues. Lorsque l'ambulancier, faisant rapport à sa centrale alors que j'étais toujours étendu sur l'asphalte, m'a décrit comme un homme de quarante-cinq ans, moi qui en avais cinquante-six, je me suis retourné pour lui dire : « Merci de me rajeunir. »

Mme Côté aussi m'a dit avoir été surprise de ma blague lorsqu'elle m'a prévenue de mon transport à l'hôpital. Je lui avais alors dit : « J'espère bien que vous allez m'emmener aux urgences plutôt que de m'opérer ici dans le parking. »

Toute l'opération s'est donc déroulée d'une façon très rapide. En fait, d'après les rapports d'Urgences-Santé, mon appel à l'aide a été reçu à 10 h 58 et le premier véhicule, le numéro 610, celui du médecin, est arrivé sur la scène de l'attentat à 11 h 02. L'ambulance numéro 508 est arrivée près de moi à 11 h 04, et à 11 h 20 elle avait atteint l'hôpital.

Dans toute ma carrière, j'ai vu des centaines de personnes transportées sur civière se faire placer à bord d'une ambulance. Chaque fois, j'avais mal dans tout mon corps en pensant au pauvre homme ou à la pauvre femme qui se faisait secouer lorsque les ambulanciers frappaient le bord du véhicule avec la civière pour que les pattes et les roues de celle-ci se replient. Je me disais qu'un jour des ambulanciers achèveraient un patient en lui faisant subir un coup passablement fort.

Je n'ai pas manqué de songer à cette technique habituelle des ambulanciers lorsqu'ils m'ont placé sur la civière. En arrivant près du véhicule, je leur ai dit, en blaguant, ma crainte du choc fatidique. J'y ai évidemment survécu, mais, malgré tout, chaque fois que l'on repasse à la télévision la scène de mon installation dans l'ambulance, je revis un peu cette crainte.

J'ai un souvenir très clair de ce transport en ambulance. Je me souviens peu du docteur Côté puisqu'elle surveillait mon état et ne disait rien. Un technicien tenait un masque à oxygène sur ma bouche et j'essayais constamment de retirer l'appareil, qui facilitait ma respiration mais nuisait à la con-

Les premiers secours viennent d'arriver dans le parc
de stationnement où, depuis trois minutes, grièvement blessé,
je les attendais impatiemment.
(Photo : André Viau, *Le Journal de Montréal.*)

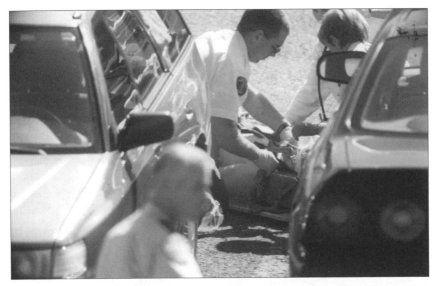

Des techniciens d'Urgences-Santé s'occupent de moi,
quelques minutes seulement après l'attentat.
(Photo : André Viau, *Le Journal de Montréal.*)

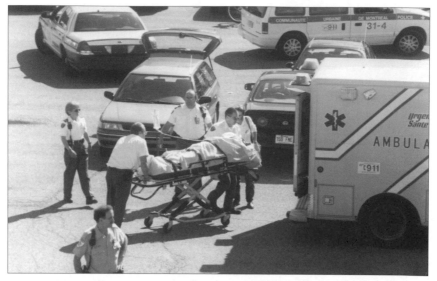

Moins de dix minutes après avoir été atteint de six balles,
je suis placé dans l'ambulance.
(Photo : André Viau, *Le Journal de Montréal*.)

Le trajet emprunté par le tireur depuis le parc de stationnement
voisin, où il m'attendait, jusqu'à ma voiture.
(Photo : Claude Rivest, *Le Journal de Montréal*.)

versation. Même si le véhicule roulait à bonne allure, sirène enclenchée et gyrophare allumé, j'ai trouvé la balade moins éprouvante que je n'aurais cru.

Pour les cas d'urgence, les traumas, comme disent les spécialistes médicaux, deux hôpitaux ont été désignés à Montréal : le Centre hospitalier de l'université McGill pour la partie sud de la ville et l'hôpital du Sacré-Cœur pour la partie nord. Les deux centres sont bien équipés et dotés d'équipes médicales adéquates.

Une voiture de patrouille escortait l'ambulance. Un policier, l'agent Trong Do, était près de moi et notait les numéros de téléphone que je lui donnais afin de prévenir ma famille. Serge Labrosse, mon supérieur immédiat au *Journal de Montréal*, et Yvan Tremblay, le chef des photographes, avaient pris place sur la banquette avant. Yvan était là autant par amitié que pour faire son travail.

Les informations que je donnais étaient relayées à la rédactrice en chef du journal, Paule Beaugrand-Champagne, et à ses assistantes, Andrée Le Blanc et Lyne Brisebois, qui se mirent à la recherche des adresses personnelles et des numéros de téléphone de mes proches. C'est ma patronne elle-même qui communiqua avec ma mère et avec ma compagne. Paule joignit aussi Pierre McCann, mon ami de toujours, qui fut désigné immédiatement pour annoncer la mauvaise nouvelle à ma fille unique, enceinte de huit mois. Puisqu'elle travaille dans un environnement médical, il était facile de prévoir la présence d'un médecin à ses côtés pour la supporter lorsqu'elle serait prévenue.

Pauvre Pierre ! Alors qu'il croyait avoir composé le numéro du cellulaire de mon gendre Carl, architecte, c'est Guylaine qui répondit à l'appel. Il a tenté de lui faire croire qu'il lui téléphonait pour un problème d'immeuble. Guylaine s'est alors exclamée : « Ouf ! une chance ! J'ai toujours su que si jamais il arrivait malheur à mon père, ce serait toi qui m'annoncerais la mauvaise nouvelle. » En même temps, Pierre découvrait que des images de la scène de l'attentat étaient déjà en ondes à la télévision. Il fut forcé de dire la vérité. Un médecin et la secrétaire de Guylaine arrivaient au même moment à la porte du bureau de ma fille.

*

Ronald Saint-Denis est préposé à l'écoute dans la salle de rédaction du *Journal de Montréal*. C'est ce technicien qui surveille ce qui se passe sur les ondes de radio-police, qui suit les déplacements des véhicules d'Urgences-Santé et des pompiers. C'est donc lui qui, au journal, a eu vent le premier du drame qui se jouait dans le parc de stationnement. Un appel pour faire venir une ambulance sur les lieux d'une tentative de meurtre au *Journal de Montréal*, ce n'est pas dans la routine quotidienne. Ronald avisa aussitôt Yves Rochon, le chef de pupitre, et Chantal Murray, la secrétaire, et partit lui-même vérifier.

Il alla voir M. Alexandre Joseph, le responsable de la sécurité, qui jeta aussitôt un coup d'œil sur les écrans de surveillance reliés aux diverses caméras postées en permanence à l'intérieur et à l'extérieur des locaux. Tous deux ne virent d'abord rien de particulier. On apprendrait plus tard que les fameuses caméras, dont la qualité laissait à désirer, ne pouvaient capter une bande de terrain d'environ cinq mètres en plein centre du parking, exactement là où j'avais placé mon automobile. De toute façon, même si l'appareil avait pu capter cet espace, il n'est pas sûr qu'on aurait pu m'apercevoir car je gisais pratiquement sous la voiture.

Même si la nouvelle n'avait pas été confirmée et que l'on croyait à un incident, à une bagarre de rue, non loin de nos bureaux, les gens de la rédaction étaient sur les dents. Chaque fois qu'un événement majeur se produit, on sent monter l'adrénaline à l'intérieur d'une salle de nouvelles. Tous, du messager au grand patron, veulent savoir ce qui se passe. C'est dans ces moments-là qu'il faut visiter un bureau de presse, pour voir comment les secrétaires, les commis, les photographes et les journalistes se mettent ensemble pour tenter de tout découvrir afin que leur journal soit le premier et le meilleur lors de la diffusion de l'information. C'est ce qui animait le photographe André Viau, le journaliste économique Alain Bisson et notre rédactrice en chef, Paule Beaugrand-Champagne, quand ils se sont précipités à l'extérieur pour aller constater de visu.

Bisson et Mme Beaugrand-Champagne sont sortis par la porte principale tandis que Viau alla directement dans le parc de stationnement nord. Tous trois ont vite réalisé qu'il n'y avait rien de particulier à cet endroit. Mme Beaugrand-Champagne souffrant d'un problème de hanches, elle ne pouvait pas courir. Bisson, un sportif accompli, se dirigea à toute vapeur vers l'autre parking. Il ne lui a pas fallu un millième de seconde pour découvrir l'ampleur de l'événement. C'est lui qui a confirmé aux premiers policiers qui arrivaient sur les lieux que l'homme étendu par terre avec la chemise parsemée de trous et tachée de sang était Michel Auger. « C'est Michel Auger, notre journaliste affecté aux histoires de Mafia, à la guerre des motards. » Le visage des policiers s'est allongé, d'après mon collègue.

Viau non plus n'a pas perdu de temps. Il a interpellé Pierre Schneider, le directeur de la section des arts et spectacles, qui cherchait à garer son véhicule. Schneider n'a pas eu besoin de dessin pour comprendre que Viau était sérieux. Journaliste depuis plus de trente ans, il a passé la plus grande partie de sa vie à couvrir les faits divers. Tous deux sont donc aussi arrivés rapidement près du blessé.

Tous étaient éberlués de découvrir que le drame que nous, journalistes et photographes, cherchions quotidiennement ailleurs se passait cette fois directement dans notre cour. La surprise était telle que plusieurs journalistes ne croyaient pas que l'homme étendu au milieu du parc de stationnement était l'un des leurs. Ce n'était pas possible, se disaient-ils, qu'on veuille tuer un journaliste chez nous. La foule des amis et des collègues grossissait à chaque instant, m'a-t-on raconté par la suite.

Pendant que les spécialistes médicaux s'occupaient du

blessé, les policiers établissaient un périmètre de sécurité. Déjà la nouvelle avait eu l'effet d'une bombe. Tous les journalistes qui cherchent à suivre ce qui se passe en ville à la minute près convergeaient vers l'édifice de la rue Frontenac. Martin Bouffard, cameraman du réseau TVA, fut le premier sur les lieux. Expérimenté, il filma tout. C'est ainsi que, quelques jours plus tard, j'ai pu découvrir comment mes collègues et tous les employés du *Journal de Montréal* avaient été touchés par ce qui m'était arrivé.

Pierre Schneider, qui pourtant en a vu des vertes et des pas mûres dans sa vie, était complètement sonné, tout comme Alain Bisson d'ailleurs. Maude Goyer, notre jeune collègue qui allait devoir écrire le reportage principal sur l'attentat, était en pleurs devant les caméras. Marc Pigeon, mon nouveau voisin de pupitre, qui allait me remplacer dans plusieurs dossiers, ne croyait pas ce qu'il voyait. Stéphane Alarie déclarait en entrevue que les gouvernements devaient se réveiller et renforcer les lois. Il se disait écoeuré de la violence. Mon vieux copain Guy Roy, en vacances en Estrie, avait été joint par la télévision. Visiblement sonné, il cherchait à comprendre à distance ce qui avait bien pu se passer à Montréal.

Dany Doucet, le directeur de l'information, lui aussi passablement abasourdi, a mis quelques minutes avant de reprendre son rôle. C'est lui qui devait mettre l'équipe en branle pour « faire un journal », comme on dit souvent dans notre métier. Rien n'arrête la publication d'un quotidien. Après avoir affecté chacun à sa tâche, Dany, m'a-t-on raconté plus tard, est sorti durant deux bonnes heures pour aller marcher dans un parc. D'autres seraient allés prendre une petite bière…

*

Dans ce genre d'affaire, les premiers policiers arrivés sur les lieux font rapport à leurs supérieurs et, bien souvent, les détectives qui s'occuperont de l'enquête ont déjà

Une photo prise dans la salle de rédaction du *Journal de Montréal*
peu après l'attentat montre l'état de choc des dirigeants
de l'entreprise. De gauche à droite : Pierre Schneider,
Dany Doucet, Pierre Francœur, Gilles Lamoureux,
Serge Fortin et Paule Beaugrand-Champagne.
(Photo : Claude Rivest, *Le Journal de Montréal*.)

Des dizaines de journalistes de tous les médias sont accourus
immédiatement au *Journal de Montréal*.
(Photo : Claude Rivest, *Le Journal de Montréal*.)

été désignés et sont en route pour les lieux du crime. Comme les bureaux du *Journal de Montréal* sont situés dans le territoire nord de la ville, ce sont le commandant Ronald Blanchette et le lieutenant détective Normand Mastromatteo qui prirent en charge le dossier.

Plusieurs enquêteurs furent envoyés sur place car, comme dans tous les dossiers majeurs, la protection de la scène du crime et la recherche de témoins sont les priorités de la police. Vu la gravité de l'état de la victime et le fait qu'il s'agissait à première vue d'un coup du crime organisé, la direction policière a confié le dossier à la brigade des homicides. Officiellement, cette tentative de meurtre porte le numéro d'événement 38-000913-019 dans les archives du service de police.

Dès son arrivée sur les lieux, le lieutenant Jean-François Martin prit la relève des autres détectives. Il désigna immédiatement le sergent détective Guy Bessette comme responsable du dossier. Bessette est un détective pas très grand, un peu rond. Il est connu pour sa ténacité. C'est un vrai pit-bull, disent ses collègues. Son partenaire Michel Whissel devint aussitôt l'autre enquêteur principal.

Le lieutenant Martin surprit mes patrons en leur demandant accès à mon système de messagerie vocale pour y écouter l'appel téléphonique de menaces que j'avais évoqué, moins d'une heure auparavant, avec lui. La veille, j'avais ri en écoutant ce message. Non pas que la dame touchée par la mort de son conjoint ait eu tort de se plaindre, mais je n'avais pas pris cet appel au sérieux. Il s'agissait pourtant d'un message de menaces sans équivoque, un message qui aurait dû me faire frémir. Mais, compte tenu du personnage, je n'avais pas cru qu'elle allait engager des tueurs pour « avoir ma peau » comme elle me le promettait au téléphone. En moins de deux, la femme fut inculpée et reconnut son crime. Elle a pu reprendre sa liberté aussitôt.

Un autre dossier sur lequel je travaillais intriguait les enquêteurs. Je venais d'écrire un article dénonçant les activités d'un habile fraudeur qui avait obtenu l'aide du gouvernement du Québec pour créer des emplois en Mauricie. Ce créateur d'emplois était Christian-Dominique Éthier, un personnage qui avait réussi à faire payer à trois organismes les funérailles de sa fille, décédée d'un cancer. Parmi ces généreux donateurs se trouvait nulle autre que Céline Dion, qui avait eu pitié de l'enfant agonisante. Éthier avait aussi pressé le citron en obtenant une grosse somme d'une fondation charitable après une apparition à la télévision.

J'étais particulièrement bien placé pour connaître le passé et les manœuvres d'Éthier, car, en 1997, ce dernier avait institué contre moi une poursuite d'un demi-million de dollars pour atteinte à sa réputation. L'action civile me visait en tant que journaliste, ainsi que mes patrons, les éditeurs du *Journal de Montréal*.

Dans un cas semblable, tout journaliste qui se respecte fait une enquête exhaustive pour sa défense. Dans ce dossier en particulier, le travail de recherche n'a pas été compliqué puisque Éthier avait fait des victimes partout dans la province. Plusieurs des personnes contactées espéraient être appelées comme témoins. « J'en ai très long à dire sur le bonhomme », me répétaient toutes les personnes interrogées. Il avait volé des restaurants, des propriétaires d'immeubles, et mis en faillite des commerçants. Il était aussi très connu dans le domaine du vêtement, où il venait de se remettre en selle à Grand-Mère lorsque j'ai publié son histoire.

Non seulement le juge a-t-il donné raison au journal dans l'affaire Céline Dion, mais Éthier s'était retrouvé en prison pour une autre affaire. Il avait tenté d'extorquer des hommes d'âge mûr qu'il abordait dans les toilettes de centres commerciaux. Se faisant passer pour un policier, il disait à sa victime qu'il avait la preuve d'un acte indécent. Les gens coupables étaient prêts à payer une amende, une caution, sur-le-champ. Les autres ne voulaient absolument pas voir leur nom associé à une affaire de moralité dans des toilettes publiques et ils payaient Éthier eux aussi. C'est pourquoi, lors de son procès pour atteinte à sa réputation, il arrivait au

Palais de Justice escorté de deux ou trois gardes. Il avait aussi les menottes aux poignets et les chaînes aux pieds, ce qui n'est pas de nature à impressionner un juge quand on se plaint d'atteinte à l'honneur de sa personne.

Après une rencontre avec Éthier, les enquêteurs l'écartèrent complètement de la liste des suspects.

*

Pour les détectives, l'examen de la scène d'un crime est de première importance. Cet examen permettra peut-être de trouver un indice qui servira plus tard à épingler le tueur. L'image de Sherlock Holmes avec sa loupe n'est pas exagérée pour décrire la façon de faire des spécialistes. La prise de photographies, le tournage d'une bande vidéo, le prélèvement d'empreintes, la découverte de tout objet qui n'a pas sa place dans ce décor examiné au centimètre près tiennent souvent les agents occupés durant des heures. Pendant que les spécialistes du laboratoire scientifique et de l'identité judiciaire font leur travail, les autres enquêteurs cherchent la piste chaude.

Sur les lieux de l'attentat, le sergent détective Whissel a trouvé deux douilles provenant d'une arme automatique ainsi qu'un projectile fortement endommagé. Initialement, les policiers croyaient que l'arme du tireur était un revolver. Ce type d'arme retient les douilles tandis qu'une arme automatique éjecte les douilles. Dès leur arrivée, les policiers avaient saisi la cassette des caméras de surveillance installées autour de l'immeuble du journal. C'est en la visionnant qu'ils ont découvert que le tireur était sorti d'une voiture blanche garée dans le parking voisin. L'homme avait marché en cherchant à se cacher le plus possible derrière les véhicules pour s'approcher de moi sans que je puisse le voir.

Non loin des lieux de l'attentat, ce matin-là, un huissier effectuait sa ronde habituelle dans les rues de Montréal. Il était environ 11 h 15 lorsqu'il est arrivé rue Gascon, près de la rue Sherbrooke. Sa tâche consiste à retrouver les véhicules dont les propriétaires ont négligé d'acquitter des contraventions. C'est lui et son adjoint qui posent les fameux sabots de Denver pour immobiliser les voitures des fautifs. Même s'il sait facilement découvrir une automobile volée, c'est la fumée sortant d'une voiture qui a attiré son attention. En fait, il s'agissait de vapeur d'eau puisque le radiateur du véhicule venait de crever. Ce véhicule se trouvait à sept cents mètres du parking où venait d'avoir lieu la tentative de meurtre. C'était bien la voiture utilisée par le tireur et au moins un complice dans leur fuite. Poussé à fond, le moteur avait surchauffé et les conduits de réfrigération n'avaient pas tenu le coup.

Cette deuxième scène du crime allait fournir beaucoup d'indices aux policiers. Un pistolet de calibre 22 muni d'un silencieux, un parapluie troué, une casquette et des balles ont été recueillis à l'intérieur et tout près de la voiture. Celle-ci avait été volée deux mois auparavant dans l'est de la ville.

*

Les nouvelles se répandent très vite aujourd'hui. Les premiers reportages qui furent diffusés dans les minutes suivant l'attentat informaient le public que j'avais été blessé par deux coups de feu et que les médecins croyaient que j'allais survivre. Mais peu de gens semblaient croire les spécialistes. Comment, en effet, une personne pouvait-elle survivre à deux coups de feu dans le corps?

Sur la scène du crime, les policiers ne savaient trop quoi penser du tireur. S'agissait-il d'un amateur muni d'une arme défectueuse? Personne ne pouvait s'expliquer comment j'avais pu m'en sortir vivant. C'est un policier de la Gendarmerie royale du Canada en stage de deux ans à la brigade des homicides qui a été chargé d'aller s'informer auprès des chirurgiens de l'hôpital de leurs conclusions. Le caporal Pierre Thivierge se souvient que le médecin traitant lui a expliqué que toutes les balles s'étaient logées dans un rayon restreint. Si j'avais survécu, c'était un miracle, d'après le médecin. Ce spécialiste a aussi expliqué à l'enquêteur qu'il pouvait pratiquement décrire les mouvements de mon corps pendant la fusillade d'après l'emplacement des balles. En fait, j'ai été extrêmement chanceux tandis que le tueur, Dieu soit loué, a joué de malchance.

Quelques jours après le début de l'enquête, le lieutenant détective Martin était convaincu que le complot dirigé contre moi avait été bien planifié et, surtout, n'avait pas été mené par des amateurs. Il tirait la même conclusion que les médecins : « Le bon Dieu aime Michel Auger. Son heure n'était pas arrivée », disait-il à un collègue journaliste. Dès lors, le responsable de l'enquête se disait optimiste quant à l'issue de celle-ci. Il confirmait aussi que le mobile de l'attentat était directement lié à ma vie professionnelle et n'avait rien à voir avec ma vie personnelle.

*

J'ai revu la plupart des bulletins de nouvelles du 13 septembre et des jours suivants, tout comme j'ai lu très attentivement les grands journaux. Un journaliste de trente-sept ans d'expérience connaît tous les trucs du métier et peut facilement déceler les faiblesses de la couverture de certains médias. À part, bien sûr, les Hells Angels et leurs supporteurs, tous les experts consultés par les journalistes nommaient le crime organisé comme responsable de l'attentat. La police, comme plusieurs reporters, avançait la thèse d'un complot des motards pour expliquer cette tentative de meurtre.

Il y avait deux exceptions : le reporter Claude Poirier, qui affirmait à Radio-Canada que j'étais probablement responsable de ce qui m'était arrivé, à cause du ton et de la teneur de mes articles, et Yves Lavigne, un auteur de Toronto qui a écrit trois livres sur les Hells Angels et qui est sollicité régulièrement par les médias électroniques.

L'automobile volée utilisée par le tireur et au moins
un de ses complices. Elle a été retrouvée à moins d'un kilomètre
des lieux du crime.

L'arme du crime, un pistolet muni d'un silencieux,
avait été cachée dans un parapluie.

Lavigne, qui tient un langage extrêmement provocateur à l'endroit des Hells Angels, propose souvent des thèses personnelles pour expliquer les événements.

Ce jour-là, le spécialiste Lavigne était complètement dans les patates. Il affirmait haut et fort que les Hells Angels étaient trop sophistiqués pour commettre un attentat aussi mal exécuté que celui dont j'avais été victime. Pourtant, depuis, l'enquête policière vise des gens directement liés à la bande de motards...

*

Il était donc 11 h 20 lorsque l'ambulance numéro 508 est arrivée au service des urgences du Centre hospitalier de l'université McGill. Il y avait beaucoup de monde autour de moi dans les premiers instants qui ont suivi mon entrée à l'hôpital. J'étais encore d'un calme peu commun, m'ont dit les médecins. On me posa quantité de questions pendant que des techniciens prenaient des radiographies ou effectuaient des prélèvements. Ils étaient tous à mes mains, à mes pieds. Il y avait pratiquement un spécialiste à chacun de mes doigts.

Un médecin m'a dit que mon état était grave mais que j'allais probablement m'en tirer sans séquelles. En peu de temps, la salle d'opération fut prête, moi également. Le médecin m'avait prévenu cependant qu'il y avait une possibilité qu'il doive pratiquer une colostomie et me poser un sac pour l'évacuation des selles. Il m'a dit de ne pas être surpris à mon réveil. Un des projectiles avait perforé le côlon et la réparation du dommage paraissait alors difficile.

Le médecin ne me parla pas de mon état réel. Il croyait probablement inutile de me dire que deux des balles avaient fracturé des vertèbres, sans toucher la moelle épinière. Il décida aussi de ne pas évoquer les craintes de l'équipe médicale, craintes suscitées par l'emplacement d'un projectile, logé tout contre la quatrième vertèbre lombaire. Une autre balle avait fait des dommages au foie et à la rate. Une autre avait ricoché sur une côte en la fracturant pour ressortir du corps par le thorax. Pendant tout le temps d'attente avant d'être anesthésié, je ne ressentais qu'une chaleur au bas du dos, comme si un produit chaud était en train de se répandre en moi.

Après le premier jour, tous les médias affirmaient que j'avais été atteint par cinq balles. Les médecins parlaient de projectiles sans en préciser le nombre. Quelques jours plus tard, un policier s'échappait devant moi en mentionnant les six balles qui m'avaient touché. Les détectives ne mentionnent presque jamais le calibre de l'arme utilisée et le nombre de coups de feu tirés sur une victime. Souvent, la seule personne à être au courant de ces choses est l'assassin.

J'ai bien essayé d'établir le nombre de coups, mais c'était une tâche impossible. Je n'arrivais jamais à voir mon dos dans son ensemble. De plus, les fragments de projectile toujours incrustés dans mes chairs, les projectiles retirés de mon abdomen et celui retrouvé fracassé sur une voiture rendaient une addition pratiquement impossible. Une des balles avait été coupée en deux gros morceaux. Ce n'est que six mois plus tard, à la lecture du rapport médical détaillé, que j'ai enfin pu tirer l'affaire au clair. J'ai bel et bien survécu à une volée de six balles. Six balles qui ont manqué les organes vitaux. Mais avec deux balles dans la colonne vertébrale, c'est un miracle que je m'en sois tiré sans paralysie. Parfois, un ou deux millimètres seulement font la différence entre la vie normale, la paralysie ou la mort.

J'ai cru que j'avais perdu conscience durant mon passage au service des urgences. Dans mes souvenirs vagues de ce moment, j'estimais que ce passage n'avait duré que quelques minutes. Donc, je devais avoir perdu conscience. Ce ne fut pas le cas. Le rapport médical mentionne que j'ai été conduit à la salle d'opération à 12 h 10. Le document préparé mentionne directement sous la ligne de la salle d'opération une autre destination : la morgue, le coroner.

Pendant que toute l'équipe médicale était à mon chevet, des mesures de sécurité importantes étaient mises en

place. Même le grand patron de Quebecor, Pierre-Karl Péladeau, et son adjoint, Pierre Francœur, alors vice-président
exécutif de la chaîne Sun Media et éditeur du *Journal de
Montréal*, étaient bloqués à la porte de l'hôpital. « Pas de
journalistes ici », se bornait à dire l'agent de sécurité. Mes
deux patrons n'ont pas ri.

2

Mes débuts dans le journalisme

C'est la musique qui m'a mené au journalisme. Sans trop savoir vers quoi je me dirigerais dans la vie, j'ai fait des études secondaires et techniques à Shawinigan. La ferblanterie m'a tenu occupé durant quelques mois, mais je n'avais pas de réel intérêt pour les systèmes de chauffage et de ventilation. J'ai séché mes cours à quelques reprises pour assister à des procès publics. Un jour, alors qu'une importante enquête du coroner avait lieu à Shawinigan, le directeur de l'école décida d'aviser les parents de l'absence injustifiée de plusieurs élèves. Il soupçonnait, avec raison d'ailleurs, que ceux-ci étaient tous au Palais de Justice. Mon père, Armand, qui travaillait de nuit, fut sorti du lit par ma mère.

Alors que j'étais sur le trottoir, je vis soudain apparaître mon père. Sans dire un mot, il m'invita à le suivre à l'école, où il m'escorta jusqu'au bureau du directeur. Je compris à son attitude qu'une récidive était impossible. Ma curiosité pour le crime et les criminels allait néanmoins me servir plus tard.

Heureusement, j'étais membre d'un corps de clairons qui occupait tous mes moments de loisir et qui canalisait toutes mes énergies. C'est avec les Grenadiers-Kiwanis, un groupe d'une soixantaine d'adolescents, que j'ai appris à me battre pour mes objectifs. La musique était probablement un prétexte pour nous réunir. Nous occupions nos hivers à des répétitions hebdomadaires et à des collectes de fonds, et nous passions nos printemps et nos étés à parader et surtout à participer à des compétitions. Nous étions éblouis par les prouesses des groupes du même genre venant de l'Ontario et des États-Unis. À force de travail, nous avons réussi à nous hisser parmi les meilleurs. En plus de notre désir de nous surpasser individuellement et en groupe, nous avions aussi un objectif commun: prouver aux filles de Shawinigan que nous étions les meilleurs. Surtout qu'un groupe de Preston, en Ontario, fascinait nos belles.

C'est cette passion des corps de clairons qui m'a poussé, avec mon ami Denis Bellemarre, à écrire une chronique sur les activités québécoises de ces groupes pour un journal anglophone spécialisé publié aux États-Unis. Nous avons écrit quelques chroniques en français pour ce journal, très lu chez tous les amateurs. C'est cette mince expérience qui m'a amené à écrire une chronique du genre pour l'hebdo *La Voix de Shawinigan*. Puis, un peu plus tard, j'ai offert cette chronique au quotidien *Le Nouvelliste*, qui avait publié durant plusieurs années une série semblable sous la signature de François Guay, l'âme dirigeante et l'inspiration du groupe des Grenadiers. De fil en aiguille, j'ai compris que le journalisme était ma voie. C'est ce métier que je voulais exercer. Bien vite, en plus de ma chronique, j'ai commencé à couvrir les chiens écrasés, le Palais de Justice et toutes les nouvelles jugées d'intérêt public dans un petit patelin.

Mon premier véritable professeur s'appelait Jacques Ebacher. C'est lui qui m'a initié aux questions de base que tout journaliste doit se poser: qui? quoi? quand? comment? et où? Le premier vrai dossier criminel que j'ai suivi comme journaliste fut celui de la disparition de Denise Therrien, une jeune fille de bonne famille qui avait répondu à une petite annonce demandant une gardienne d'enfants à Shawinigan-Sud et qui avait disparu sans laisser de traces. C'était le 8 août 1961.

Ce n'est qu'au printemps 1965, presque quatre ans plus tard, que les restes de la jeune étudiante de seize ans ont été retrouvés, suivant les indications de son meurtrier. Marcel

Bernier était le fossoyeur du cimetière Saint-Michel de Shawinigan-Sud. C'est lui qui, utilisant un faux nom, avait placé une annonce pour engager une gardienne. C'était un piège pour attirer à lui une jeune femme. Il avait fait monter la jeune Therrien dans son camion et avait essayé de l'embrasser. Il a raconté aux policiers qu'il avait pris panique lorsqu'elle s'était mise à crier, qu'il avait alors frappé l'adolescente avec un tuyau et enterré son corps.

Un an plus tard, il avait tué sa maîtresse, Laurette Beaudoin, parce qu'elle le menaçait de révéler tout ce qu'elle savait à la police. Bernier lui avait confié certains secrets, mais le plus grave était qu'elle avait trouvé un petit portefeuille rouge ayant appartenu à Denise Therrien. Le fossoyeur avait eu aussi la langue bien pendue auprès de diverses personnes.

Pendant presque trois ans, les policiers avaient tout fait pour trouver le meurtrier, car ils étaient convaincus que l'adolescente avait été victime d'un tueur. Personne ne croyait à la fugue. Les journaux de tout le Canada faisaient régulièrement des reportages sur cette affaire, mais aucune piste ne semblait mener à l'assassin. Toutefois, depuis longtemps, le fossoyeur Bernier était dans la mire de la brigade des homicides de la Police provinciale, la PP, comme on appelait alors la Sûreté du Québec. Finalement, Bernier s'est mis à table. C'est sur ses indications que les policiers ont creusé et trouvé les restes de Denise Therrien.

J'ai ensuite effectué quelques reportages et pris de nombreuses photographies de Bernier, qui n'avait jamais l'air de regretter ses meurtres. Il souriait pratiquement tout le temps. Mais ce sourire n'était plus sur son visage le 25 février 1966 lorsque le juge Paul Lesage le condamna à l'échafaud. Toutefois, la peine de mort n'était plus appliquée au Canada, bien que toujours inscrite dans le code comme châtiment suprême, et Bernier est mort en mai 1977 dans un pénitencier de l'ouest du pays.

Tout jeune, j'avais déjà vu Bernier, qui demeurait non loin de chez nous. Je ne savais pas alors qu'un de mes propres voisins deviendrait plus tard un meurtrier et que j'aurais à écrire sur ses macabres activités.

*

André Charest est actuellement emprisonné pour avoir assassiné un jeune garçon de Contrecœur en 1986. Il était l'instructeur de hockey de Steve Mandeville, onze ans, étranglé à l'aide d'un fil électrique dans la résidence de Charest.

J'ai connu André Charest alors qu'il n'avait que sept ou huit ans et que ses parents possédaient un chalet tout près de celui de mon grand-père, à Saint-Gérard-des-Laurentides, où nous passions nos étés, à quelques minutes de Shawinigan. Plus tard, j'ai su que notre ancien voisin était devenu un petit criminel et un grand consommateur d'alcool et de drogue. Lorsque j'ai été appelé à couvrir la disparition puis le meurtre du petit Mandeville, j'ai appris qu'un instructeur de hockey du coin s'appelait André Charest. C'est seulement le soir de son arrestation par la Sûreté du Québec que j'ai découvert que le meurtrier était mon ancien copain d'enfance. Lorsque j'ai téléphoné à l'un des enquêteurs, celui-ci, à ma demande, a posé des questions à Charest sur son enfance. L'accusé aussi savait bien que c'était son ancien voisin devenu journaliste qui travaillait sur son cas.

Lors du procès, la déclaration que l'accusé avait faite à l'agent Jean Dagenais, de la SQ, a constitué une preuve accablante. Charest y avouait avoir consommé de la cocaïne lors du meurtre du jeune garçon. Il se disait hanté par l'alcool, le sexe et la drogue depuis son adolescence. Il avouait le crime, mais jurait qu'il n'avait pas agressé l'enfant sexuellement, ce que l'autopsie a confirmé.

Charest a été condamné à l'emprisonnement à vie. Je me suis retrouvé devant lui peu avant son procès, lorsque son avocat a demandé et obtenu que ce procès soit tenu ailleurs qu'à Sorel, vu l'hostilité de la population contre l'accusé dans le district judiciaire où le crime avait été commis. Il m'a regardé sans broncher et semblait mal à l'aise. Mon témoignage fut fort simple : il ne s'agissait que de décrire le comportement de la foule rassemblée devant le Palais de Justice lorsque Charest y avait été amené pour comparution. La police avait dû protéger l'accusé tellement la foule était menaçante.

*

Après *Le Nouvelliste*, où mon initiation n'a duré que quelques mois, je me suis retrouvé à Montréal. D'abord journaliste et homme à tout faire dans une petite entreprise de publication de magazine d'artistes, et ensuite journaliste aux faits divers au quotidien *Métro-Express*.

Fondé par Jacques Brillant, de la célèbre famille d'hommes d'affaires de la région de Rimouski, à l'occasion d'une des fameuses grèves qui ont failli faire mourir le quotidien *La Presse*, *Métro-Express* était un beau et bon journal. Auparavant, j'avais frappé sans succès à la porte de Pierre Péladeau, l'éditeur de plusieurs journaux hebdomadaires consacrés aux vedettes, qui, lui, m'avait envoyé voir son bras droit, André Lecompte.

Jeune journaliste de quelques mois d'expérience, j'étais très ému de me retrouver parmi des grands professionnels du métier. Lecompte, avec deux collègues, faisait aussi une carrière de chansonnier dans les bars et à la télévision. Il était membre des Scribes, des humoristes et commentateurs qui donnaient leur point de vue, souvent sarcastique, sur la vie, les hommes politiques et tous les sujets à la mode. Lecompte m'a expliqué franchement que ma place n'était pas dans une salle de rédaction comme celle du *Journal de Montréal* d'alors. « Ici, mon jeune, ce n'est pas une place pour apprendre un métier, on le désapprend… Va prendre de l'expérience, tu reviendras plus tard. »

L'expérience *Métro-Express* a duré presque deux ans. Le journal a fermé à la fin de 1966, le jour même où Muriel

Rousseau et moi avons annoncé à ses parents que nous allions nous épouser. J'avais déjà commencé à aimer couvrir les faits divers et les enquêtes criminelles. Muni de mon appareil photo, je parcourais les rues de Montréal en écoutant radio-police. J'allais sur la scène des événements d'intérêt. C'est ainsi que j'ai commencé à comprendre la vie montréalaise, à découvrir le passé récent du centre-ville. C'est à ce moment que j'ai commencé à entendre parler des caïds du crime. Les Cotroni, Greco, Obront et autres étaient très actifs dans les commerces et les immeubles de la rue Sainte-Catherine.

Mon travail me menait quotidiennement au poste de police numéro 4, rue Ontario, près de la rue Saint-Dominique. C'était le poste de police le plus occupé du Québec. Une vraie ruche. Ce poste est vite devenu une bonne source d'informations et de bons sujets de reportage photographique. C'est ainsi que mes photos sont apparues dans divers médias. Je suis devenu journaliste pour le poste de radio CJMS, « l'équipe des bons gars », selon le slogan de la station. Il était facile de combiner mon activité de journaliste couvrant les événements de la nuit avec mon rôle de photographe. À la même époque, j'ai aussi collaboré à l'hebdomadaire *Dernière Heure*. Petit à petit, je prenais de l'expérience, j'agrandissais le cercle de mes contacts. J'aimais être constamment sur le qui-vive. L'adrénaline montait lorsque je partais à toute vitesse à la recherche de la photo du siècle, de la nouvelle du jour.

J'ai passé deux ans à la station de radio CKVL avant d'entrer à *La Presse* en mai 1968. Le quotidien cherchait un journaliste qui avait des contacts et un intérêt réel pour la nouvelle judiciaire. Les patrons désiraient employer un jeune qui demeurerait dans ce secteur. Habituellement, les jeunes journalistes commençaient par les faits divers et, dès que possible, choisissaient un autre secteur. Durant quelques années, alors que j'étais en poste le soir, j'ai aussi initié plusieurs collègues qui arrivaient au quotidien, dont Réjean Tremblay, qui n'avait pas encore en tête les personnages des

En 1965, alors que j'étais reporter pour le service
des nouvelles de CJMS, « l'équipe des bons gars »
comme disait le slogan de la station de radio.

Une photographie prise dans la salle de rédaction
de l'hebdomadaire *Dernière Heure* en 1967.

téléséries qui feraient sa gloire et sa fortune une quinzaine
d'années plus tard.

*

J'étais encore un tout jeune journaliste lorsque j'ai mis la
main sur un document important, le premier scoop de ma
carrière. C'est aussi ce document qui allait me faire vivre
l'une des pires journées de ma vie. Un avocat célèbre, profi-
tant d'une toute petite faiblesse de ma part et de sa grande
réputation, allait m'humilier publiquement. Il menacerait de
me poursuivre, moi et le quotidien *La Presse*, pour un million
de dollars, tout en sachant pertinemment que j'avais raison.

Ce vil avocat s'appelait Raymond Daoust. Il avait passé
quelque temps au Mexique avec une bande de criminels locaux qui y participaient à l'une des plus importantes réunions de la pègre mondiale. Le criminaliste avait toute une
réputation au Québec. Il se disait le grand défenseur de la
veuve et de l'orphelin. Il se vantait également d'avoir sauvé
des dizaines de clients de la potence, car, en cette période
où les procureurs étaient cotés selon le nombre de meurtriers pendus, les défenseurs utilisaient les statistiques in-
verses pour montrer leurs capacités. C'était une époque où
les avocats n'avaient pas le droit de se faire de la publicité,
mais Me Daoust avait réussi à se faire un nom. Il avait aussi
amassé une grosse fortune et s'était lancé en affaires.

C'est le 3 mars 1970 que, sous ma signature et à la une,
La Presse publiait un long article intitulé : « La police inter-
rompt une réunion de Cosa Nostra à Acapulco. » En sous-
titre : « Sur la liste des personnes interrogées, Vincent
Cotroni, [etc.] et Me Daoust. » Les policiers, qui avaient eu
vent du grand déplacement de la pègre canadienne vers le
Mexique en février 1970, avaient suivi les différents émissaires de la Mafia de Montréal, de Toronto et de Hamilton.
Les bonzes du crime organisé avaient rendez-vous avec
nul autre que Meyer Lansky, le grand argentier de la Mafia
américaine. Tous n'avaient qu'une idée en tête : comment

faire pour mettre la main sur les casinos que le gouvernement du Québec s'apprêtait à légaliser? Déjà le maire de
Montréal, Jean Drapeau, avait lancé sa propre loterie, sa
« taxe volontaire ».

Les mafiosi montréalais s'y connaissaient en jeu illégal.
Vincent Cotroni, le cabaretier connu, était le parrain de la
famille locale de la Mafia. En fait, Cotroni dirigeait la *decina* de Montréal, une branche de la famille Bonanno de
New York. Cotroni, sa famille et ses amis avaient fait fortune depuis les années 40 avec le jeu illégal à Montréal. Associés à plusieurs caïds d'origine juive d'ici et des USA, les
Cotroni régnaient sur le jeu dans la métropole.

Cette domination du vice commercialisé avait permis au
jeune avocat Jean Drapeau et à son collègue Pacifique
Plante, surnommé Pax, de se faire un nom en pourfendant
les joueurs et les bandits. Avec divers organismes religieux et
communautaires, les deux avocats avaient monté un gigantesque dossier sur les criminels et leurs divers associés qui
contrôlaient les maisons de jeu et les bordels. L'enquête du
juge François Caron a débouché sur une série de scandales
impliquant des officiers supérieurs de la police et révélant
des liens pas trop catholiques entre politiciens et criminels.

Après cette enquête, Jean Drapeau est devenu candidat
aux élections municipales tandis que Me Pax Plante fut
nommé directeur adjoint de la police de Montréal et responsable de la brigade de la moralité, qui était ressortie passablement amochée de l'enquête publique. Mais, après une
première élection, Me Drapeau a été battu en 1957 et Pax
Plante a été limogé. Il s'est alors installé au Mexique à la
suite de vagues menaces contre sa personne. En fait, l'histoire ne l'a jamais révélé publiquement, mais l'avocat
Plante, issu d'une bonne famille catholique, avait quelques
petits défauts. L'un de ceux-là était son intérêt pour les femmes. Aujourd'hui, personne ne retiendrait ce trait de caractère, mais, dans le cas de Pax, un « vieux garçon », comme
on disait à l'époque, cela l'avait forcé à quitter la vie publique. Il faut dire que les criminels lui avaient tendu un piège

avec des femmes de petite vertu et que, sous la menace de divulgations compromettantes, il avait choisi l'exil.

Lui et Jean Drapeau, réélu plus tard, sont toujours demeurés en brouille. Ce n'est qu'à l'ouverture de l'enquête sur le crime organisé, menée par la CECO en 1973, que l'honneur de Pax Plante a été réhabilité en quelque sorte. Il fut l'un des premiers experts à être entendus. Entre-temps, aussi, la Ville de Montréal avait révisé à la hausse sa minable pension.

C'étaient donc les principaux acteurs de la vie nocturne et de la vie cachée de Montréal qui se retrouvaient au Mexique en cette fin de règne de l'Union nationale, laquelle allait perdre le pouvoir aux mains du jeune Robert Bourassa, qui serait élu à la fin d'avril avec son équipe libérale. Les criminels, qui connaissaient les liens de Me Daoust avec le gouvernement, avaient besoin de son aide. Outre Meyer Lansky, il y avait à Acapulco de gros bonnets du trafic de la drogue, des meurtriers. Il y avait aussi des représentants de la pègre de Marseille. De tout temps, les bandits montréalais avaient joué un rôle de premier plan entre les producteurs d'héroïne de Marseille et les distributeurs américains. Les Français, qui avaient décidé de faire confiance aux Montréalais, ne s'entendaient pas tellement bien avec les Américains. D'où l'importance stratégique qu'a toujours eue Montréal comme plaque tournante du trafic international de la drogue. La filière française, en fait, était la filière montréalaise.

Donc, ce grand rassemblement de caïds était sous la surveillance étroite des policiers. Ceux-ci prenaient des photographies, assistaient de loin à des rencontres. Ils avaient suivi les criminels jusqu'à la villa d'un ancien Montréalais qui vivait en permanence au Mexique, Leo Bercovitch, un millionnaire ayant fait fortune dans diverses entreprises légales mais aussi illégales des années d'après-guerre. C'est dans sa villa que s'étaient réunis à plusieurs reprises les grands bonzes du jeu.

Cotroni et ses amis savaient très bien qu'il y avait une fortune à faire dans l'exploitation des appareils de jeu, des

clubs de cartes, des casinos, tout comme dans le bookma-
king, les paris hors piste sur les chevaux. Mais les plans de
la Mafia n'ont pas fonctionné. Au Québec comme ailleurs
au Canada, le jeu a été légalisé. Ce sont les ministres des Finances qui ont pris la place des parrains de la Mafia pour
exploiter les vices d'une partie de la population. Le mafioso
à l'imagination la plus fertile n'aurait jamais cru possible
d'amasser les milliards qui sont actuellement versés dans le
trésor public grâce aux profits des loteries et casinos.
Comme société, on peut se demander si nous n'aurions pas
été mieux avisés de laisser agir la Mafia quand on constate
comment nos gouvernements encouragent des citoyens à
investir une partie de leurs revenus, souvent presque toutes
leurs prestations d'aide sociale, dans des rêves de grosses
fortunes, de gros lots imaginaires.

Les gouvernements ferment les yeux sur les méthodes
d'opération des grosses sociétés d'État qui gèrent les revenus provenant des faiblesses du peuple. Les responsables
de la Société des alcools du Québec (SAQ) ne se gênent pas
pour vendre leur vin beaucoup plus cher que ce qu'il coûte
dans la province voisine de l'Ontario. Pour arriver à payer
le même prix que son voisin, le Québécois doit profiter des
aubaines régulièrement offertes, donc consommer plus. La
SAQ, comme Loto-Québec, ne se gêne pas pour dépenser
des millions en publicité dans les médias pour vendre ses
produits. Mais le ministre des Finances, à l'époque où c'é-
tait un homme, se pétait les bretelles parce qu'il plaçait
quelques millions annuellement pour la réhabilitation des
joueurs compulsifs.

Loto-Québec aussi opère dans le secret. Il n'y a pas
moyen de savoir combien dépensent les dirigeants de la société ni comment ils le dépensent. Cet État dans l'État est
aussi très peu ouvert à la critique. À preuve l'acharnement
de la direction de l'entreprise contre un de ses employés du
service de sécurité. Loto-Québec a congédié cet homme, un
sourd pratiquement muet qui avait eu le malheur de trop
parler.

Mais, en ce matin du début de mars 1970, toutes ces considérations philosophiques étaient loin de moi. J'avais lâché une bombe qui n'allait pas tarder à exploser. En fait, elle allait d'abord me sauter au visage. Un des principaux personnages mentionnés dans l'article, le fameux criminaliste montréalais Raymond Daoust, convoqua immédiatement une conférence de presse pour nier la nouvelle de sa participation à la réunion d'Acapulco et s'en prendre vicieusement au journaliste avec des menaces de poursuite gigantesque. Moi, j'étais sûr de mon coup, appuyé par de nombreuses vérifications et un télex en provenance de Mexico rapportant les interventions policières et la liste des personnages interpellés par la police mexicaine lors de la fameuse réunion.

Le jeune journaliste de vingt-cinq ans que j'étais n'était pas gros dans ses culottes en arrivant cet après-midi-là dans les bureaux du fameux avocat, rue Saint-Hubert. Ce dernier, habitué aux effets de toge, sut mettre rapidement plusieurs des personnes présentes dans sa poche. Il était éloquent, le fameux disciple de Thémis. Plus que d'habitude. Il jurait que toute l'affaire était fausse, que le journaliste avait une imagination furibonde. Bien sûr, il arrivait de vacances au Mexique avec sa femme. Bien sûr, il avait croisé dans la rue et sur la plage certains de ses clients qui, comme des milliers de Canadiens, profitaient de vacances au soleil. Jamais il n'avait assisté ni participé à quelque réunion de criminels que ce soit. Il était blanc comme neige, criait-il haut et fort.

Moi, je savais bien qu'il mentait à pleine bouche.

Coup de théâtre ensuite. Daoust sortit une pile de documents prouvant qu'il avait raison. Des billets d'avion montrant qu'il était déjà revenu à Montréal lors de la fameuse descente de police, le samedi précédent. J'étais assommé. Comment avais-je pu me tromper de la sorte ? Le télex que j'avais en main était-il faux ? M'avait-on monté un bateau ? Je ne savais plus quoi penser. Heureusement, un collègue expérimenté, Lucien Rivard, avait été affecté avec moi à la couverture de la riposte de l'avocat.

Nous avons publié le démenti de l'avocat en première page. C'est toute une leçon d'humilité pour un journaliste que de publier une nouvelle qui vient contredire ce qu'il a écrit la veille.

Je n'étais pas encore au bout de mes peines. Comment faire pour prouver que nous avions raison? J'avais beau chercher partout, retourner à mes sources, j'obtenais toujours la même version. « Daoust est un menteur, il était là. » Cependant, bien que j'eusse raison dans l'ensemble, il y avait des erreurs dans les rapports de police. En fait, il y avait eu plusieurs rencontres de criminels à Acapulco et non une seule comme le laissait croire le fameux télex. Bien plus, plusieurs bandits et leurs amis avaient été étroitement surveillés et n'avaient jamais été interrogés. C'est ce qui s'était produit dans le cas de l'avocat. Me Daoust avait bien vu la faiblesse de notre reportage et, en avocat tordu qu'il était, il avait construit son argumentation en se basant sur cette faiblesse. Par la suite, je n'ai jamais pu apprécier autant qu'avant les grands éclats, les grands effets de toge de certains avocats.

La direction de *La Presse* avait délégué un des spécialistes de la justice et de la police, Léopold Lizotte, un journaliste comme on n'en voit pas souvent. Il ressemblait un peu à Colombo, le fameux policier de la télévision. C'était un journaliste plein d'humour, et qui connaissait le milieu des avocats et des juges comme personne au Canada. Il fut lancé sur la piste mexicaine tandis que moi et Rivard tentions des démarches à Montréal. Mais il n'a pas eu plus de succès que nous, notre ami Lizotte. C'est pourquoi, le 28 mars, *La Presse* publiait en première page, dans un encadré bien visible, une rétractation. Son titre était: « Me Raymond Daoust n'était pas à la réunion de Cosa Nostra. »

Il m'a fallu des jours, voire des semaines pour me remettre de cet affront. Une tache semblable dans un dossier ne pardonne pas. On est marqué par les collègues. Ils doutent de nous à propos de tout et de rien. Que pouvais-je faire pour rebâtir ma crédibilité perdue? Comment aussi réussir à prouver que l'avocat était un menteur éhonté?

Il me fallut plusieurs mois pour réussir à prouver que j'avais raison. Dès les jours suivant la conférence de presse, je pus établir que Me Daoust était revenu en avion avec un groupe de criminels et leurs épouses. Mais ce n'était pas assez pour faire un article. Puis, quelque temps plus tard, j'appris qu'une mystérieuse photographie avait été saisie lors d'une perquisition chez un mafioso. Cette photographie avait été prise dans un gros restaurant d'Acapulco. On y voyait plusieurs criminels entourant le mafioso Frank Cotroni, parmi lesquels se trouvait un mystérieux inconnu dont la tête avait été enlevée de l'image.

Lorsque j'eus obtenu une copie de cette fameuse photographie, je réussis à identifier presque tous les personnages qui y figuraient. Cotroni y était assis à côté de sa femme tandis que l'inconnu était assis à côté de l'épouse de l'avocat Raymond Daoust. L'inconnu et le criminel portent des chemises mexicaines identiques. Tous ceux qui étaient au courant de l'existence de la photo croyaient que c'était bien le criminaliste qui y apparaissait et que le criminel qui l'avait chez lui l'avait altérée pour ne pas nuire à la version de Me Daoust. Un peu plus tard, je mis la main sur une série de photographies prises sur la plage et dans une résidence d'Acapulco. On y découvrait Me Daoust avec des dizaines de criminels en train de faire la fête.

C'est cependant en Ontario que je trouvai enfin la preuve de la tromperie de l'avocat. Un député ontarien, le docteur Morton Shulman, avait mis la main sur le rapport complet de l'affaire Acapulco et il en dévoilait les grandes lignes devant la législature de Toronto. Enfin, la preuve que j'avais raison était faite publiquement. Le député allait même encore plus loin que moi : il identifiait Me Daoust comme le conseiller de la famille canadienne de la Mafia.

C'est en pleine tempête de neige que je suis allé à Toronto chercher les documents qui m'ont permis de réécrire sur l'affaire Acapulco. J'étais fier d'avoir bouclé la boucle, même s'il m'avait fallu des mois pour y arriver.

Cette photo des amis de Frank Cotroni a été prise à Acapulco.
Un criminel qui l'a gardée en souvenir y a effacé le visage
du criminaliste Raymond Daoust, qui a juré n'avoir participé
à aucune rencontre de ce genre.

3

Les Cotroni

La petite ville de Mammola en Calabre, dans le sud de la « botte » italienne, est installée à flanc de colline. C'est une commune d'Europe, un joyau du patrimoine mondial. On y compte plusieurs églises et, de l'autre versant de la colline, son cimetière est majestueux. De loin, on pourrait croire que c'est un prolongement de la ville. En se promenant dans ce cimetière, il est surprenant de remarquer plusieurs inscriptions en français sur les tombeaux. « À mon grand-père untel », peut-on y découvrir.

En fait, il n'y a rien d'étonnant à cela puisque ce village du Sud a fourni au Canada des milliers d'immigrants fuyant les guerres et la pauvreté pour chercher bien-être et fortune en Amérique. Cette génération d'immigrants du début du siècle s'est vite intégrée à la société québécoise. Quelques années plus tard, plusieurs familles parlant français portaient des noms italiens. Des grands-pères demeurés en Italie avaient des petits-enfants qui ne parlaient pas italien. Ces immigrants se sont vite engagés dans des emplois souvent délaissés par la population québécoise. Habitués aux durs travaux dans leur pays d'origine, les nouveaux Canadiens devinrent des maîtres dans bien des domaines. Le monde de la construction est aujourd'hui composé d'artisans d'origine italienne. Mais parmi ce flot d'immigrants arrivèrent aussi au Canada des jeunes gens qui choisirent la vie criminelle plutôt que le dur labeur honnête. Les Cotroni étaient de ceux-là.

Au début des années 60, à peu près tous les petits gars du Québec savaient que le chef de la pègre de Montréal s'appelait Vic Cotroni. Toutefois, jamais son nom n'était écrit dans les journaux ni même prononcé par les autorités. Lorsque des journalistes parlaient de lui, c'était comme d'un homme d'affaires en vue. Pas plus.

Nicodemo Cotroni était menuisier lorsqu'il débarqua à Montréal en 1924. On sait peu de choses de lui. La famille, qui compterait en tout sept enfants, quatre garçons et trois filles, s'installa rue Saint-Timothée comme plusieurs nouveaux arrivants. Les fils Cotroni se lièrent vite d'amitié avec la racaille du coin. Le quartier n'était pas facile. On était près du port, près des quartiers chauds. La pègre était déjà bien organisée.

Avec l'immigration s'est aussi amenée la Main noire, un signe utilisé par les criminels pour extorquer les nouveaux Montréalais. Sous la menace, de petits artisans et commerçants devaient payer une rançon pour éviter d'être attaqués, d'être blessés. La plupart des victimes payaient et à peu près personne ne portait plainte ou n'osait dénoncer les criminels. Ces Italiens, qui connaissaient très peu nos coutumes et notre système judiciaire, craignaient les criminels, dont ils connaissaient les activités dans leur pays d'origine.

C'est dans ce milieu que Vincenzo Cotroni a prospéré. Officiellement, il disait travailler comme apprenti pour son père, mais ses arrestations furent nombreuses. Il fut pratiquement toujours acquitté et, s'il était condamné, il s'en tirait toujours avec de petites peines.

Il s'associa au lutteur Armand Courville et tous deux firent une carrière importante dans la lutte montréalaise, le catch comme disent les Français. D'ailleurs, des reliquats de sa carrière d'homme fort marquèrent son allure physique pour le restant de ses jours. Il avait le haut du dos comme soudé en un seul bloc, ce qui l'empêchait de tourner la tête sans que le tronc suive.

C'est dans le monde du jeu illégal que Cotroni et son comparse Courville entreprirent d'amasser une fortune. Ils achetèrent ensuite des immeubles, puis des cabarets. Cotroni acheta le café *Val-d'Or* du boulevard Saint-Laurent, qui devint ensuite à la mode sous le nom de *Faisan doré*. Alors que jusque-là les cabarets de la ville offraient surtout des spectacles américains, Cotroni et ses associés se mirent à présenter de la chanson française. C'est dans ce cabaret que Charles Aznavour, Pierre Roche, Luis Mariano, Charles Trenet et plusieurs autres tinrent l'affiche. C'est là que Jacques Normand démontra ses talents de fantaisiste, tout comme plusieurs vedettes québécoises de l'époque.

Sachant que Cotroni avait côtoyé des vedettes, ainsi que des politiciens, c'est la raison que j'avais utilisée pour solliciter de lui une entrevue. Au début de ma carrière de journaliste, je n'osais pas approcher les criminels, de peur d'être mal vu par les policiers qui les surveillaient. Cotroni et ses acolytes étaient très souvent pris en filature.

La première fois que je lui ai parlé, Vincent Cotroni s'est montré très affable, mais pas bavard. C'était lors d'un procès qu'il avait intenté au magazine *Maclean* pour atteinte à sa réputation. En 1964, le magazine ontarien et son pendant québécois avaient publié une longue série d'articles sur la Mafia et le crime organisé au Canada. L'auteur, Alan Phillips, avait placé Cotroni à la tête de la Mafia canadienne. Le procès a finalement eu lieu en 1972 et c'est dans les corridors du Palais de Justice que j'ai pour la première fois eu une bonne conversation avec celui qui était décrit comme le bandit le plus écouté et le plus suivi par tout ce qu'il y avait de racaille d'un océan à l'autre.

Alors quinquagénaire, Cotroni a longuement témoigné de sa carrière de sportif et d'homme d'affaires. Il a expliqué les peccadilles de son passé criminel. Il a juré ne savoir ni lire ni écrire. Mais l'homme savait bien compter et il avait mis une fortune de côté. Il venait de raconter au juge qu'il avait réussi de bonnes passes à la piste de courses de chevaux Blue Bonnets et que ses biens provenaient aussi de quelques placements boursiers et d'épargne.

Tout au long de l'entrevue, celui qui pouvait ressembler à n'importe quel grand-père fut courtois avec le journaliste. Tout en arpentant le couloir, il m'expliqua gentiment qu'il n'avait rien de particulier à dire, que sa vie était bien ordinaire, qu'il était en somme un homme très ordinaire et que la police s'intéressait à lui parce qu'il était italien. J'ai voulu lui faire parler du Montréal des années 40 et 50, mais rien ne sortait de sa bouche sur aucun sujet controversé. J'étais déçu car le personnage aurait pu facilement parler de ses expériences de jeunesse et décrire la vie nocturne montréalaise de l'époque. Vincent Cotroni était au centre de ce Montréal grouillant de l'après-guerre.

En ce Montréal des années 50, la pègre française était aussi à Montréal. Cotroni était associé à Antoine D'Agostino, un des caïds de la filière de la drogue en France. Les frères Edmond et Marius Martin, les Joseph Orsini et François Spirito brassaient des affaires à Montréal, des affaires qui attiraient l'attention des policiers spécialisés dans la lutte contre le trafic international de la drogue. On ne le disait pas encore en ce temps-là, mais c'était bien sur la filière française qu'on enquêtait alors.

Vic Cotroni ne fut jamais arrêté pour des offenses liées au trafic de l'héroïne. Il fut plutôt impliqué dans des entreprises légitimes mais avec les plus gros bonnets du monde criminel d'ici et d'ailleurs. On le retrouva parmi les actionnaires du Bonfire, un établissement du boulevard Décarie, dont la liste des actionnaires était la même que celle des gros caïds. Henri Manella et Max Shapiro étaient associés au monde criminel depuis les années 20. Frank Petrulla était un mafioso qui a mystérieusement disparu. Carmine Galente, qui vécut des années à Montréal, fut l'un des plus puissants parrains de la Mafia américaine.

Les activités de tous ces individus ont été dénoncées dans le rapport du juge François Caron, qui a exposé les liens existant entre les criminels, la police et les politiciens des années 50. Cotroni avait des accointances parmi les politiciens. C'était l'époque où les travailleurs d'élections étaient recrutés parmi les portiers et employés de bar pour faire « sortir » le vote lors des scrutins, surtout municipaux et provinciaux. Vic n'avait été pris que pour des peccadilles, pouvait-on constater dans son casier judiciaire.

Même si Vic Cotroni échappa à la police, son frère Giuseppe fut pris la main dans le sac en vendant de l'héroïne à un agent secret américain. Après une dizaine d'années de prison, Giuseppe revint à Montréal au début des années 70, mais il ne reprit jamais la place qu'il occupait dans le milieu criminel avant son arrestation. La maladie le tint également à l'écart des affaires de la famille.

C'est au milieu des années 50 que Vic Cotroni commença à occuper une position importante dans la structure criminelle locale. Plusieurs joueurs américains et des bandits notoires se réfugièrent à Montréal à la suite d'une enquête sénatoriale américaine menée par le sénateur Estes Kefauver. C'est le parrain Joe Bonanno qui dirigeait la famille active à Montréal. Il y délégua son meilleur homme de confiance pour y prendre le contrôle de ses affaires.

Carmine Galente fit rapidement sa marque dans le milieu. Il ne fut pas contesté puisque ses deux principaux adjoints étaient Vic Cotroni et Luigi Greco. Les tenanciers de maisons de paris devaient payer leur protection à l'organisation. Les hommes de main étaient chargés de collecter les dettes hebdomadaires sans avoir à casser des jambes. Leur réputation était faite. Ce n'est qu'une quinzaine d'années plus tard que l'on comprit comment fonctionnait le groupe montréalais sous la direction des grands criminels mafieux de New York.

Vic Cotroni n'eut pas de successeur dans les activités criminelles. Sa fille ne s'est pas mêlée des « affaires », tandis que son seul fils, Nicodemo, né hors mariage, a fait une carrière assez minable, sinon pitoyable, dans le crime organisé. Il pesait près de deux cents kilos. Le jeune Cotroni a bien tenté d'utiliser le patronyme familial pour s'imposer dans le milieu, mais sa carrière n'a jamais démarré en Floride, où il résidait avec sa mère, comme, plus tard, à Montréal.

L'autre Cotroni se prénommait Santos. Plus tard, c'est le surnom de Frank qui lui est resté. Il était plus bavard que son aîné, mais n'avait que peu de choses à dire. À l'époque, il parlait à tous et était constamment entouré de ses hommes de main. Dans les années 60, il était considéré comme un jeune homme intempestif et violent, aux réactions imprévisibles.

Dans les années 70, il a été coincé dans des affaires de trafic de drogue. C'est ce qui l'a conduit en procès à Brooklyn et en prison pour quinze ans. Il avait été dénoncé pour un complot d'importation de neuf kilos de cocaïne avec Giuseppe Pino Catania, un mafioso installé au Mexique et qui avait participé à la fameuse réunion d'Acapulco. Durant l'enquête, les policiers avaient découvert que Cotroni était très souvent à court d'argent et qu'il tentait à tout prix de faire fortune dans des transactions où les choses allaient souvent de mal en pis.

En août 1972, Frank Cotroni fut arrêté pour une affaire d'extorsion auprès d'un restaurateur de Saint-Hyacinthe. J'étais présent lorsque les policiers lui ont mis la main au collet. J'avais mon appareil photo à la main lorsque Cotroni est sorti de chez lui, place Chauvin, dans l'est de Montréal. Sa voiture avait à peine franchi quelques mètres lorsqu'un véhicule de la police lui a barré le chemin, juste avant l'intersection du boulevard Langelier. Son garde du corps et beau-frère se plaça les mains sur le toit de l'auto, en fait une seule main puisqu'il avait un doigt enfoncé profondément dans le nez. Cotroni, toujours assis au volant, lisait le mandat d'arrestation que venait de lui remettre un policier. C'est en sortant du véhicule qu'il m'a vu en train de le photographier. Il s'est alors mis à courir dans ma direction. J'ai vite pris la poudre d'escampette tandis qu'un policier lui mettait la main à l'épaule pour l'immobiliser. Le cœur palpitant, j'avais couru les dix mètres les plus rapides de ma vie. Plus tard, cet après-midi-là, au Palais de Justice de Saint-Hyacinthe, Cotroni me dévisageait constamment. J'ai su que cet incident n'avait pas amélioré mon image aux yeux

du mafioso. Les accusations d'extorsion ont été abandonnées après quelques jours car le plaignant avait commencé
à éprouver de sérieux trous de mémoire. La version qu'il
avait donnée aux policiers avant l'arrestation de Cotroni et
de quatre de ses amis avait radicalement changé lors de son
témoignage à l'enquête préliminaire.

Au début des années 80, peu après sa sortie de prison,
Cotroni tenta de se « refaire une fortune » dans le secteur
des grosses importations. Il se fit capturer à deux autres reprises pour des affaires de drogue en plus du meurtre d'un
de ses collaborateurs, qui était informateur de police. Les
fils et la fille de Frank Cotroni tentèrent aussi de se faire un
prénom dans le milieu, mais le nom de Cotroni ne fut pas
suffisant pour eux. Un des fils fut assassiné par de petits
voyous trafiquants de drogue à la petite semaine.

*

Vincent Cotroni savait peut-être qu'il ne pouvait pas
compter sur ses proches lorsqu'il a préparé sa relève au
début des années 60. C'est un jeune Calabrais vivant à
Toronto, Paolo Violi, qui est devenu le favori du parrain.
Violi était court, trapu, et utilisait la violence pour se faire
obéir. Il faisait partie d'une famille de huit enfants issus de
Domenico Violi, un « homme d'honneur » dans son pays. La
famille avait immigré au Canada et aux États-Unis dans les
années 50. Quatre des fils Violi se sont installés à Montréal.
Ils y furent tous enterrés. Giuseppe est mort dans un accident de voiture en avril 1970 tandis que Paolo, Francesco et
Rocco sont morts assassinés dans une guerre de familles.

J'étais le seul journaliste présent à la fin d'avril 1970
lorsque des centaines de personnes, dont tout ce qu'il y avait
alors de mafiosi au Canada, se sont rassemblées dans la petite église Notre-Dame-de-la-Défense pour rendre hommage
à la mémoire du jeune Giuseppe. Muni de mon appareil
photo et d'un téléobjectif, je m'étais posté à l'intersection
des rues Jean-Talon et Christophe-Colomb, d'où le cortège

funèbre s'était mis en marche. Comme cela se faisait souvent à l'époque, la famille et surtout les hommes marchaient derrière le corbillard jusqu'à l'église. J'ai pris une centaine de photographies, fixant sur pellicule la plupart des personnes présentes. Chaque fois qu'un groupe tournait l'intersection, je le prenais en photo. J'étais bien visible en bordure du trottoir. Personne ne m'a rien dit. Mais, le lendemain, en examinant mes photos une à une, j'ai constaté que près de la moitié des criminels identifiés me regardaient avec haine.

Plus tard, j'ai tenté d'obtenir une entrevue avec Violi, qui m'a presque ri au nez. J'avais évité d'aller le voir à son bureau de la rue Jean-Talon car je savais que la police y avait installé un dispositif d'écoute. Ces trois petits fils que la police de Montréal utilisait allaient aider à percer les plus grands secrets de la Mafia. Ce sont les informations ainsi recueillies qui ont permis aux membres de la Commission d'enquête sur le crime organisé (CECO), dans les années 70, de pénétrer profondément l'organisation locale de la Mafia. Les policiers de Montréal avaient l'oreille bien ouverte lorsqu'on y parlait d'affaires. Mais c'est aussi cette surveillance qui a permis de connaître les forces et les faiblesses des frères Violi, ainsi que celles des Cotroni et d'autres gros caïds de la pègre.

J'ai aussi profité de ces écoutes, car c'est à partir de transcriptions de conversations obtenues là que j'ai pu dévoiler certains des secrets de la Mafia. Violi d'ailleurs se demandait comment un simple journaliste pouvait bien être au courant de tant de choses. « Ça me dépasse, m'a-t-il dit. Comment vous faites pour savoir autant de nos affaires ? »

En fait, la chose était simple : depuis des mois, les policiers de Montréal épiaient tous les mouvements de Violi. Son bureau était le lieu de rendez-vous de tous les criminels du pays, qui venaient y saluer les patrons montréalais de la famille mafieuse. Tous passaient à l'arrière du comptoir de crème glacée pour se retirer dans le bureau de Paolo afin de discuter d'affaires financières et surtout d'affaires de famille. Ce dispositif s'est avéré une mine de renseignements pour la police. Violi était alors le numéro deux de la famille canadienne. Même si Vic Cotroni était le patron, c'est Paolo qui gérait les affaires quotidiennes. Il s'était fait de nombreux ennemis, comme on allait le constater plus tard.

Un de ces ennemis était Nicolo Rizzuto, le chef du clan des Siciliens de Montréal. Dans l'organigramme de la famille criminelle, les policiers avaient alors établi quatre grands groupes sous la direction du patron Vic. Frank Cotroni, Paolo Violi, Luigi Greco et Nicola DiIorio étaient les chefs d'équipes. Rizzuto, lui, n'était qu'un subalterne et il voulait que son statut soit révisé à la hausse. Il n'acceptait pas le leadership de Violi.

Initialement, Rizzuto a tenté de faire avancer sa cause à l'intérieur du groupe. Il y avait d'ailleurs plusieurs alliés, mais Violi résistait à céder une bonne partie de son pouvoir, ce qui lui serait fatal en 1978. Mais au début de la décennie, c'est une première réunion importante des mafiosi montréalais qui a appris aux policiers que la bisbille était installée dans la famille locale. Les spécialistes policiers du crime organisé avaient suivi tous les délégués à une réunion au sommet qui avait lieu dans une résidence de Gerlando Caruana, rue Imperia, dans le quartier dit des Italiens, à L'Épiphanie, dans le nord-est de Montréal. Utilisant un mandat de perquisition contre la tenue d'une maison de jeu, les policiers ont effectué une descente en règle à 23 h 55, le 14 décembre 1971.

Il y avait sur les lieux vingt-sept personnes, dont cinq jouaient aux cartes. Une somme de quatre cent quatre-vingt-deux dollars a été saisie sur la table. Étaient présents les gros caïds des trente dernières années. Tous ceux que la police identifiait comme des hommes d'honneur de la Mafia y étaient. Cinq d'entre eux allaient périr assassinés au cours des années, et plusieurs autres allaient se retrouver en prison ou accusés de trafic de drogue en Italie, en Suisse, aux États-Unis et au Canada. Les policiers avaient compris que cette soirée était une réunion où se débattaient les grandes questions de l'heure, dont le rôle de Nicolo

Rizzuto. Celui-ci avait gagné de gros appuis au sein de cette organisation internationale qu'est la Mafia. Ses associés étaient en train d'établir le plus important réseau de trafic de drogue jamais vu sur la planète. Rizzuto était lié à la famille des Caruana et Cuntrera, qui allait défrayer la chronique entre 1980 et 2000 en Europe, en Amérique du Sud, aux États-Unis et au Canada.

Leonardo Caruana, qui assistait au meeting, fut déporté du Canada à cause de ses liens avec les criminels. Il fut assassiné à Palerme le jour du mariage d'un de ses fils. Pietro Sciarra, un autre caïd sicilien posté à Montréal, fut lui aussi victime d'un meurtre, à Montréal. Cet individu, allait-on découvrir lors des audiences de la CECO, avait joué un double jeu. Il donnait une version des événements à ses copains siciliens, mais les écoutes policières utilisées par la CECO démontrèrent qu'il ne jouait pas franc-jeu. Il sortait d'un cinéma italien appartenant à la sœur des Cotroni, où il avait assisté à la projection du film *Le Parrain* dans la version italienne, lorsqu'il a été abattu avec une Lupara, l'arme de prédilection des mafiosi. Ce fusil de chasse à canon court est l'arme des paysans, des bergers de Sicile. Le fusil de chasse est devenu partie intégrante de l'attirail du mafioso. La réunion de L'Épiphanie n'avait pas été suffisante pour régler les difficultés qui existaient dans l'organisation.

Durant toute l'année 1972, des représentants de la famille Bonanno, de New York, et des délégués de la Mafia sicilienne sont venus à Montréal pour tenter de régler le cas de l'insoumis Rizzuto. Tous ceux qui, dans ce débat, s'étaient rangés du côté de Violi ont été assassinés comme lui et ses frères. Le chef de la famille d'Agrigento, Giuseppe Settecasi, qui était venu à Montréal pour régler le cas, est mort par balles. Carmelo Salemi, un de ses représentants, a été retrouvé une dizaine d'années après sa disparition. Les restes de son corps étaient dans le coffre de sa BMW, qui avait été retrouvée ensevelie dans le sable d'une carrière.

Le 29 novembre 1973, je publiais dans *La Presse* un dossier sur le fonctionnement interne de la famille criminelle

La photographie officielle de Vincenzo Cotroni
dans les archives policières.

Vincenzo Cotroni avec son frère Frank, sa sœur
Palmina et des membres de la famille de Paolo Violi,
lors d'un baptême où Vic a agi comme parrain.

Dans une « barbote », une maison de jeu, fermée
par la police rue Sainte-Marguerite, dans le quartier
de Saint-Henri, au début des années 70.

Le parrain
Nicolo Rizzuto.

Le parrain
Vito Rizzuto.

montréalaise. C'est le genre d'article qui intriguait au plus haut point Paolo Violi. Je racontais alors comment le groupe local était en fait une *decina*, une ramification de la grande famille Bonanno de New York. J'identifiais tous les chefs et décrivais leurs responsabilités dans l'organisation. Ce que j'ignorais, c'est que, dans les jours précédant cet article, les mêmes personnages que j'y mentionnais étaient revenus à Montréal pour discuter encore une fois du cas Rizzuto. Mes renseignements et les documents que j'avais en ma possession dataient d'un an, mais le problème était demeuré exactement le même. Un journaliste peut avoir un excellent *timing* sans même le savoir.

Paolo Violi disait ne pas croire les informations que j'avais publiées dans *La Presse* le 25 mars 1976. J'avais alors signé avec mon ami Jean-Pierre Charbonneau un long article où nous révélions qu'un contrat avait été passé pour obtenir la tête de Violi. Nous y faisions aussi le bilan de quelques règlements de comptes survenus récemment et dont les victimes étaient des amis de Violi ou de Rizzuto. Nous expliquions clairement les enjeux de cette guerre interne des hautes sphères de la Mafia locale. Nous écrivions aussi que la vieille dispute entre Violi et Rizzuto, dont tous croyaient qu'elle avait été réglée par les émissaires de New York et de Sicile, avait été ravivée par les révélations faites lors des audiences de la CECO. Les enregistrements des conversations privées de Violi et de ses amis entendus par la commission avaient révélé des discussions compromettantes.

Lorsque je l'ai croisé « par hasard » rue Jean-Talon, quelques jours plus tard, celui que la CECO avait surnommé « le seigneur de Saint-Léonard » avait encore des reproches à faire aux journalistes. « Vous écrivez n'importe quoi », disait Violi sur un ton assuré. Il prétendait ne pas croire ces « romans » inventés par les reporters. Il affirmait aussi qu'il n'avait absolument peur de rien et, surtout, de personne.

Un peu moins de deux ans après cette rencontre, le 22 janvier 1978, Paolo Violi a été assassiné dans son ancien commerce de la rue Jean-Talon. Il y avait été invité pour jouer une partie de cartes. Deux individus étaient cachés dans les parages et n'attendaient que le bon moment pour décharger leur Lupara sur leur proie. Violi est mort sur-le-champ. Dans les minutes suivantes, un appel a été placé au Venezuela pour informer Nicolo Rizzuto des dernières nouvelles de Montréal, alors sous le coup d'une tempête de neige. « Le cochon est mort », annonçait le Montréalais.

En février 1977, c'est Francesco Violi qui fut passé par les armes, dans son commerce de Rivière-des-Prairies. Et, le 17 octobre 1980, le dernier des Violi demeurant à Montréal fut assassiné également, dans la cuisine de sa propre résidence. Le tueur, armé d'une carabine, s'était posté dans un immeuble à bureaux voisin et avait attendu des heures que sa victime se trouve au bon endroit.

Après avoir suivi la carrière criminelle de Domenico Violi et celle de ses fils, et écrit sur eux, je fus amené plus tard à m'occuper des débuts de la carrière d'une troisième génération de Violi, les enfants de Paolo, qui éventuellement seraient arrêtés pour des affaires de trafic de cocaïne. Peut-être une question d'hérédité expliquerait-elle cette propension au crime… Quant à Vincent Cotroni, il a été emporté par un cancer le 18 septembre 1984. Quelques semaines auparavant, j'étais allé rendre visite à Mme Palmina Puliafitto, la sœur des Cotroni, pour faire une nouvelle demande d'entrevue avec Vic. Elle m'avait fait comprendre qu'il n'était malheureusement pas en mesure de communiquer aisément et m'avait demandé la faveur de ne pas écrire immédiatement sur l'agonie de son frère, ce que j'avais accepté. Puis, quelques heures après le décès, j'ai été invité chez les Cotroni pour y rencontrer des proches. La famille ouvrit aussi son album de photos. Même les policiers avaient de bonnes choses à dire sur Vic Cotroni après sa mort. On rappelait qu'il avait toujours été fort respecté, ce qui lui avait évité de subir le même sort que les frères Violi et quelques autres criminels siciliens qui avaient eu le malheur de vouloir barrer la route à Nicolo Rizzuto.

J'ai toujours suivi de très près la carrière du mafioso
Frank Cotroni. Je suis photographié ici juste derrière
le criminel lorsque celui-ci a été expulsé des
États-Unis après un séjour en prison.
(Photo : Pierre McCann, *La Presse*.)

Les trois frères Francesco, Paolo et Rocco
Violi ont été assassinés à Montréal.

4

Deux grandes enquêtes

Souvent les recherches des journalistes ne mènent nulle part car les informations obtenues au départ se révèlent fausses ou encore non fondées. Parfois aussi, même si les faits sont prouvés, le dossier n'aboutit pas dans les pages d'un journal. C'est ce qui m'est arrivé en 1971 alors que j'avais obtenu des informations précises sur l'existence d'un vaste réseau criminel dans l'industrie de la construction. Il y avait, bien sûr, toujours eu de petits bandits employés dans le domaine de la construction, mais le filon que je découvrais alors était d'une ampleur quasi inimaginable. C'était tout un pan de l'industrie de la construction qui était l'objet de l'infiltration d'un groupe criminel bien organisé.

André Desjardins était le vice-président de la FTQ-Construction, section de la Fédération des travailleurs du Québec. C'était un bandit qui était à la tête d'un réseau criminel, un réseau d'extorsion qui affectait la plupart des gros chantiers de construction du Québec. Les contrats privés et gouvernementaux étaient affectés par le rôle de Desjardins et de ses sbires. Ce fut le début d'une très grosse enquête journalistique qui amena quelques mois plus tard le gouvernement québécois à créer la Commission d'enquête sur les libertés syndicales, présidée par le juge Robert Cliche.

Mais les lecteurs de *La Presse*, mon employeur de l'époque, n'avaient pas eu droit à cette primeur. Le directeur de

l'information du temps, Yvon Dubois, m'avait dit que ma série d'articles n'était pas complète, qu'elle dévoilait des détails de la vie privée de certains officiers syndicaux, détails
qui n'étaient pas nécessairement d'intérêt public, etc. Après
une deuxième rédaction de textes, il avait toujours trouvé
que ma série n'était pas assez étoffée pour faire les pages du
journal. Pour compléter le travail, il avait désigné un collègue beaucoup plus expérimenté pour m'aider à trouver une
façon de rendre le document plus complet. Toutefois, ce
journaliste avait la réputation d'être le plus paresseux de
toute la salle de rédaction. Malheureusement, le grand reportage n'a pas été utilisé.

Plus tard, j'ai compris les hésitations de mon patron. Il
ne voulait pas attaquer de front la FTQ, dont les syndicats
affiliés venaient de provoquer deux grèves majeures dans
l'auguste quotidien de la rue Saint-Jacques. Les textes de
cette série, que j'ai toujours conservés, étaient de fait in-
complets si j'en juge d'après mon expérience actuelle, mais
c'était quand même de la dynamite. Une telle série d'articles
dans le monde compétitif d'aujourd'hui serait probablement utilisée par tous les grands médias. Mais nous étions
en 1972, au lendemain d'une grève dont les patrons de *La
Presse* avaient cru qu'elle allait tuer le quotidien.

J'avais monté cet important dossier à partir d'informations glanées auprès de sources policières et criminelles.
Surnommé Dédé, André Desjardins était le gérant d'affaires
du local 144 des plombiers. Il plaçait ses amis sur les gros
chantiers et dirigeait des loteries illégales en plus d'exploiter un réseau de prêts à des taux usuraires. Il exploitait
aussi un cabaret de Saint-Hubert et il avait des liens d'amitié et d'affaires avec tous les gros mafieux de son temps. Il
avait lui-même été condamné pour un vol à main armée et
avait obtenu ensuite un pardon pour ses fautes mais n'avait
jamais éprouvé de repentir. Son réseau grossissait à vue
d'œil et s'étendait à d'autres syndicats, dont celui des opé-
rateurs de machinerie lourde, des vitriers, etc. Il n'était pas
le seul bandit à avoir infiltré des syndicats, mais lui avait

réussi à implanter un réseau lui rapportant des centaines de milliers de dollars.

Dans mes recherches, j'avais rencontré les adversaires de Desjardins sur les chantiers de construction, le personnel de la CSN-Construction, section de la Confédération des syndicats nationaux. Les deux permanents de la centrale impliquée dans le dossier m'avaient accueilli à bras ouverts lorsque je leur avais demandé leur aide dans mes recherches. Florent Audet, un vieux syndicaliste, et Michel Bourdon, un ancien journaliste de Radio-Canada devenu activiste syndical, savaient déjà que certains de leurs adversaires de la FTQ étaient des bandits, et ils étaient fort heureux que la chose devienne publique. Ils avaient accepté avec joie de m'aider et de m'envoyer voir des gens du milieu qui avaient aussi à se plaindre de Dédé et de ses amis.

Le dossier s'est encore étoffé lorsque j'ai mis la main sur une série de photographies de Dédé Desjardins en vacances au soleil avec plusieurs bandits et son ami Louis Laberge, le président de la Fédération des travailleurs du Québec. C'est un des personnages figurant sur la photo qui avait gentiment fourni ces clichés à la section de renseignements de la police. Surnommé Valentino, l'homme était constamment en Floride, d'où il informait ses contacts policiers de ce qui se passait dans le milieu criminel québécois, alors fort actif dans le sud des États-Unis. Ce Valentino est aussi devenu mon propre informateur. Vendeur d'appareils servant à capter les ondes de radio-police, ce citoyen d'Anjou m'avait inclus sur sa liste de correspondants.

Lorsque *La Presse* a décidé de ne pas publier la série d'articles sur le banditisme dans le secteur de la construction, les représentants de la CSN ont décidé de dévoiler le tout en conférence de presse. Puis le gouvernement s'est vu forcé de créer une commission d'enquête. Un saccage en règle du chantier de la baie James avait complètement démoli une partie des installations. C'est un délégué syndical qui fut reconnu coupable du méfait et il fut condamné à une lourde peine. Cet homme a décidé d'étudier le droit en prison et, dès sa sortie, il est devenu un avocat, qui pratique encore aujourd'hui.

Desjardins, lui, avait passé dix-sept ans de sa vie dans le monde de la construction. « André Desjardins était un homme superfort, recrutant son personnel dans la pègre. Il était fort au point qu'après avoir noyauté le syndicalisme, il l'a asservi à ses fins, utilisant, à la fois contre les travailleurs et les patrons, la menace, la violence et le chantage. [...] Devant autant de force, trop d'entrepreneurs, désespérant de la protection de la loi, ont cédé au chantage et certains hommes politiques ont eu des réactions analogues. Ses qualités exceptionnelles de meneur d'hommes, de stratège et d'organisateur sont gâchées par un goût effréné du pouvoir. Cette passion le domine au point d'annihiler son sens moral. Pour lui, il n'y a pas de mauvaises méthodes, il n'en connaît que d'inefficaces », peut-on lire dans le rapport signé par le juge Robert Cliche en 1975.

Le juge Cliche avait été nommé pour présider cette enquête par le Premier ministre Robert Bourassa, qui avait eu la sagesse de lui adjoindre deux commissaires, venant, l'un des milieux syndicaux et l'autre du monde patronal. Ces deux adjoints du juge, Guy Chevrette et Brian Mulroney, ont fait par la suite une carrière politique très remarquée.

Le procureur en chef de la commission était nul autre que Lucien Bouchard, qui deviendrait Premier ministre du Québec après avoir suivi son ami Mulroney à Ottawa.

M. Bouchard se souvenait très bien en novembre 2000 du coriace Dédé Desjardins. Avocat brillant, il disait que l'ex-syndicaliste lui avait donné du fil à retordre lors de l'enquête publique de 1974. « Je l'ai questionné durant trois jours », se remémorait M. Bouchard lors d'une conversation avec l'auteur de ce livre. À cette époque, Desjardins n'avait peur d'aucun individu. Il avait été à la tête d'un groupe de travailleurs de la construction qui avaient investi le Parlement de Québec en pleine session d'un comité parlementaire. Il menait de main de maître ses entrevues avec les journalistes. Il aimait dire qu'il était dévoué à ses membres.

En 1972, dans un face-à-face avec le syndicaliste André Desjardins.
(Photo : Jean Goupil, *La Presse*.)

C'était vrai, mais ses méthodes étaient déplorables. Il a fallu des années à la FTQ pour se détacher de Desjardins que son président du temps, Louis Laberge, avait défendu jusqu'au bout. Finalement, il a été complètement banni de tout poste syndical et a repris sa carrière de criminel, qu'il occupa à temps plein jusqu'à sa mort en avril 2000.

Auparavant, il avait été actif comme bijoutier, mais c'est surtout comme prêteur à taux usuraire qu'il gagnait sa vie. « Il aimait trop l'argent. Il en voulait toujours plus, toujours plus », disait un de ses amis après l'assassinat de Dédé, qui s'était installé en République dominicaine, où il était hôtelier. La veille de sa mort, de passage à Montréal, il avait rencontré le Hells Angels Maurice Boucher. Il a été abattu de onze balles, dont cinq à la tête, alors qu'il sortait d'un restaurant de Saint-Léonard.

C'est un pistolet de type Ruger de calibre 22 muni d'un silencieux de fabrication domestique que le tueur a utilisé pour s'acquitter de sa mission. Il a laissé l'arme sur place. Une arme en tous points semblable à celle qu'un certain tueur a utilisée dans le parking du *Journal de Montréal* pour tenter d'assassiner un journaliste trop embêtant, à peine cinq mois plus tard. L'armurier Michel Vézina s'est retrouvé devant le juge et a été accusé d'avoir fabriqué ces deux armes.

*

Pratiquement en même temps que la commission du juge Cliche sur les libertés syndicales, le gouvernement avait aussi créé la Commission d'enquête sur le crime organisé, la CECO, dont les activités allaient donner bien du travail aux journalistes affectés à la couverture des affaires policières et judiciaires. Dès le début des travaux préparatoires à cette grande enquête, la bisbille s'est installée au sein des organismes policiers, réunis pour la première fois sous la gouverne d'une seule autorité. Les policiers de Montréal, de la Sûreté du Québec et de la Gendarmerie royale du Canada ont eu beaucoup de difficulté à harmoniser leurs méthodes de travail. De plus, les dirigeants de l'enquête n'avaient peut-être pas les moyens de leurs ambitions.

C'est le ministre Jérôme Choquette qui avait créé la commission, à la même époque où l'on savait, dans certains cercles restreints, qu'un ministre du Parti libéral du Québec (PLQ) avait eu des entretiens avec des émissaires de la Mafia par l'entremise d'un organisateur politique et tavernier montréalais. Le ministre Jérôme Choquette n'a jamais explicitement fait de lien entre la magouille politique et le déclenchement de l'enquête, mais plusieurs ont compris que le ministre, tout comme son patron, Robert Bourassa, voulait ainsi neutraliser tous les efforts de la pègre et donner un avertissement sérieux.

De plus, le ministre Choquette recevait des rapports policiers complets qui montraient la place de plus en plus importante de la Mafia et des autres grosses organisations criminelles dans notre société. C'est l'inspecteur-chef Hervé Patenaude, de la Sûreté du Québec, qui était chargé de transmettre au ministre les informations sur la situation du crime organisé.

Ce policier était alimenté en renseignements par les autres services de police, mais aussi par deux policiers de Montréal, le directeur adjoint André Guay et le sergent détective Alphonse Gélineau. Ce dernier était responsable de la section moralité dans le centre-ville, la « petite moralité » comme on la qualifiait dans les milieux policiers et judiciaires. Depuis les magouilles des années 40 et 50, la police avait constitué plusieurs brigades de la moralité pour tenter d'éviter la corruption.

Gélineau, surnommé Loulou, n'était pas un policier qui acceptait facilement les ordres de ses supérieurs ; c'était plutôt un solitaire qui agissait à sa guise. Lors d'une perquisition dans un bar de la rue Sainte-Catherine, il avait mis la main sur des milliers de chèques déjà encaissés qui liaient les uns aux autres tous les gros caïds du jeu illégal et de la Mafia. Il avait réussi à convaincre ses patrons, Guay et aussi

Patenaude, de la SQ, de l'importance de la découverte. C'est ainsi qu'est né le Projet B, qui donna lieu à la création de la CECO.

C'est donc après des débuts fort difficiles que l'enquête s'est réorganisée en 1975 sous la gouverne du juge Jean Dutil, dont le rôle de procureur pour la commission Cliche venait de prendre fin. Il était assisté des juges Denys Dionne et Marc Cordeau. Depuis sa création, la CECO avait mené des recherches dans plusieurs directions. Elle avait scruté les réseaux de parieurs, l'implication de la Mafia dans le commerce du fromage, la corruption politique, ainsi que les familles traditionnelles du crime organisé. Les commissaires voulaient découvrir les raisons de la présence au Québec de la famille du mafioso Joe Bonanno, l'un des cinq chefs les plus puissants de la Mafia américaine. Bonanno avait déjà admis avoir investi dans une des sociétés appartenant au Montréalais Giuseppe Saputo. Son fils Salvatore et certains autres de ses associés étaient souvent vus à Montréal à la compagnie Saputo.

En outre, des documents intéressants avaient été saisis par la police de Montréal le 18 mai 1972 lors d'une descente à la fabrique de fromage de la famille Saputo, dans le quartier de Saint-Michel. Soupçonnant que les inspecteurs du service de santé n'effectuaient pas correctement leur travail, surtout dans les installations de la compagnie Giuseppe Saputo et Figli, les policiers de la section du crime organisé avaient demandé l'aide d'un microbiologiste de l'université McGill pour aller inspecter le fromage à pizza produit dans l'usine de la 8e Avenue. L'affaire avait fait sensation. J'étais présent à la suite des policiers lors de cette fameuse descente.

Les policiers sautèrent de joie lorsqu'ils trouvèrent une valise contenant les documents personnels des dirigeants de la compagnie, qui était alors loin d'être la multinationale qu'elle est devenue aujourd'hui. Les policiers croyaient avoir trouvé la preuve que Joe Bonanno était toujours actionnaire de l'entreprise, ce que le principal dirigeant,

Emmanuele « Lino » Saputo, a nié par la suite. Il a expliqué sous serment que le document confisqué était une note sur le partage des profits de l'entreprise entre les membres de la famille immédiate des propriétaires. L'inscription « Mr J. B. » n'était pas du tout liée à Bonanno mais faisait référence à son beau-frère, Joe Borselino. Mais on n'a jamais su pourquoi ce beau-frère avait plus d'actions dans la société que tous les autres membres de la famille. La CECO a fouillé ce dossier à huis clos, mais n'a jamais procédé ensuite à des audiences publiques.

Ce qu'on retenait alors des activités de la CECO, c'étaient les querelles et les audiences publiques, lesquelles n'avaient donné que des résultats mitigés. L'opinion publique était loin d'être impressionnée par les travaux de cette commission. Toutefois, sous la direction du juge Dutil et de son procureur-chef Réjean Paul, la commission réussit à retrouver sa crédibilité. C'est par le biais de l'infiltration du crime organisé dans le commerce de la viande avariée que la CECO a refait son image. La charogne qui se retrouvait alors sur la table des consommateurs était un sujet certes répugnant mais qui touchait directement tous les Québécois. Pour la première fois, les caméras de télévision étaient admises dans une salle d'audience. Ce sont les câblodiffuseurs qui avaient été les premiers à en profiter. Tous les patrons des entreprises de presse s'arrachaient les cheveux devant les hautes cotes d'écoute de la télévision communautaire, qui jusque-là n'avait diffusé que des spectacles d'amateurs et donné la parole à des organismes plutôt paroissiaux que nationaux.

Tout le Québec suivait avec intérêt les histoires d'horreur que les juges dévoilaient quotidiennement. Lorsque les gros bonnets du milieu se sont amenés à la barre, le public avait confiance qu'ils ne s'en tireraient pas facilement. Ceux qui ont refusé de répondre se sont retrouvés en prison pour des périodes allant jusqu'à un an. C'était là la sentence maximale pour ce type de refus de collaborer avec la justice. Certains criminels ont été plus volubiles. Le premier délateur de la CECO s'appelait Théodore Aboud. Les États-Unis avaient eu Joe Valachi, le premier des grands délateurs, le plus connu des repentis, qui avait livré tous les secrets de la Mafia, et nous avions Aboud. Il avait touché à tout, même s'il était d'abord un spécialiste de la fraude et des grosses magouilles boursières. J'avais obtenu l'exclusivité de la collaboration d'Aboud avec la CECO, y compris sa photographie. Malheureusement pour moi, cet article fut publié en dernière page du journal. L'explication était toute simple : le nouveau patron qui entrait en fonction ce jour-là n'avait absolument aucune idée de l'importance de la nouvelle, arrivant du monde des affaires et n'ayant probablement jamais lu une seule chronique judiciaire de sa carrière. Cette gaffe ne lui a sûrement pas nui car il est devenu vice-président d'une très grande multinationale. Quant à moi, après une déception de quelques heures, je me suis consolé et vite remis au travail, à la recherche d'une autre exclusivité.

Plus tard, lorsque Pierre McSween s'est mis à table devant les commissaires, je me suis repris. C'est moi qui ai obtenu la première entrevue en profondeur avec le délateur.

*

McSween a fait sensation lors de son passage devant la CECO. Les cheveux tout blancs, le personnage vidait son sac avec candeur. Cet homme de main avait été mêlé à la guerre menée par les frères Dubois, de Saint-Henri, contre la famille des McSween et leurs amis. Les Dubois faisaient la pluie et le beau temps dans Saint-Henri et le centre-ville. Depuis le début des années 70, on récoltait des cadavres presque toutes les semaines dans cette guerre. La CECO avait fait du dossier Dubois une de ses priorités, tout juste après l'étude du clan Cotroni-Violi.

McSween n'était pas un grand penseur, mais il avait une bonne mémoire. Toutefois, son histoire en était une de bagarres, de coups de feu et de sang. C'était une histoire de trahisons, de complots sur une bien petite échelle, mais la

Pierre McSween a fait sensation
en dévoilant les dessous de la
guerre de sa famille avec celle
des frères Dubois lors d'un
témoignage percutant
devant la CECO.

Les trois commissaires de la CECO étaient devenus de grandes
vedettes des médias à la fin des années 1970. De gauche à droite:
le juge Marc Cordeau, le juge Jean Dutil et le juge Denys Dionne.

violence avait pris de telles proportions que les protagonis-
tes ne savaient plus comment arrêter. McSween m'a confié
qu'il avait décidé de venger la mort de son frère assassiné
par les Dubois. Il n'était pas en mesure de poursuivre seul
le carnage, et il avait décidé de tout raconter afin de se venger des Dubois. L'enquête allait démontrer que les neuf frères Dubois étaient mêlés à une grosse affaire criminelle. Ils
trafiquaient de la drogue, et extorquaient sous la menace
des milliers de dollars. Ils avaient des propriétaires de bars
sous leur coupe et leurs affaires allaient bien. Tout fonc-
tionna rondement pour eux jusqu'à la tenue des audiences
de la CECO. Puis, un beau jour, Donald Lavoie, un des
tueurs de la famille, s'est retrouvé coincé par ses amis. Lors
d'une réunion dans un hôtel du centre-ville, Lavoie fut convaincu que son meilleur ami, Alain Charron, et les Dubois
allaient le « passer par les armes ». Il a fui en sautant dans
un dévaloir à linge sale.

Lui aussi s'est mis à table. Son histoire était celle de
vingt-sept meurtres, vingt-sept règlements de comptes, la
plupart liés aux commerces illicites des Dubois. Plusieurs
de ces crimes étaient gratuits. Un innocent avait été tué
dans Pointe-Saint-Charles, les tueurs s'étant trompés de
cible parce que la victime conduisait le même type de voiture que l'homme qu'ils avaient pour mandat de liquider.

Les Dubois haïssaient les policiers, qui le leur rendaient
bien. Un soir de novembre 1975, les journalistes furent con-
voqués à une curieuse conférence de presse dans les bureaux des avocats Rolland Blais et Sidney Leithman, qui dé-
fendaient régulièrement les Dubois en cour. Les frères
Dubois se présentèrent tout nus devant les photographes.
Ils avaient subi une sévère raclée dans les locaux de la police et ils tenaient à le faire savoir publiquement. Ils avaient
porté plainte devant la Commission de police du Québec,
mais aucun blâme n'a finalement été adressé contre qui que
ce soit à la suite de l'enquête de l'organisme de contrôle.

Les Dubois n'aimaient pas tellement les journalistes,
sauf qu'ils en avaient au moins deux dans leur poche, dont

Claude Jodoin, qui était chroniqueur judiciaire au *Journal de Montréal* et qui fut congédié plus tard lorsque son double jeu fut connu de ses patrons. Lors des funérailles du père des Dubois, leur sœur s'est fâchée et, avec deux autres membres de sa famille, s'est avancée vers les journalistes et photographes. J'ai alors interpellé Claude Dubois, le plus visible des frères, qui a aussitôt calmé les esprits échauffés de ses proches. Il a demandé à me rencontrer plus tard dans la journée pour m'expliquer leur colère.

Exacerbé par la mauvaise publicité, Dubois voulait montrer l'envers de la médaille en promenant le journaliste et le photographe de *La Presse* dans certains bars où, d'après la CECO, des incidents étaient survenus. Évidemment, aucun des individus interrogés n'avait quoi que ce soit à dire contre les Dubois, surtout en présence du chef du clan. Plus tard, Claude Dubois fut condamné pour un double meurtre survenu dans un café de Montréal-Nord à la suite des révélations faites par Donald Lavoie et de son témoignage en cour. Il a maintenant fini de purger sa peine et vit dans les Laurentides. Le nom de cette famille serait pratiquement oublié depuis des années si le cadet, Adrien Dubois, n'était pas devenu une des grandes figures du crime organisé montréalais. Il est aussi devenu un homme d'affaires prospère, possédant immeubles et cabarets dans les Laurentides.

Ironie du sort, la turpitude dont avaient fait preuve les Dubois en corrompant le journaliste Jodoin s'est retournée contre eux. En fait, lorsque le capitaine détective Julien Giguère et sa brigade antigang se sont attaqués aux Dubois lors d'une série de meurtres, Jodoin s'est mis à table. Après sa carrière de chroniqueur, il était devenu le principal conseiller juridique de Claude Dubois. Il avait même ouvert un bureau, engagé un avocat, et c'est lui qui conseillait les criminels en matière juridique. Il est décédé peu après, de mort naturelle.

5

Quelques criminels célèbres

Chaque fois que j'ai eu l'occasion de parler avec des amis ou des membres du gang de l'Ouest, ils avaient constamment la même chose à dire : ce gang de l'Ouest est une création des journalistes et des policiers, il n'existe pas. Dans les faits, ils ont presque raison car la bande n'a pas de structure formelle, de liens d'autorité. Elle n'est aucunement comparable à la Mafia, aux bandes de motards criminalisées. Mais l'organisation est bel et bien active. Il s'agit en fait d'une association volatile qui regroupe quelques personnages pour les besoins d'un travail particulier, un coup planifié, réalisé et vite oublié. Certaines fois, ils peuvent être plusieurs à travailler ensemble ; d'autres fois, ce sera un ou deux membres avec d'autres partenaires. La plupart de ceux qui aujourd'hui sont connus comme appartenant à ce groupe sont impliqués soit dans des supercambriolages, soit dans les plus importants trafics de stupéfiants, cocaïne ou haschisch.

Les frères Matticks, les frères Johnston, les McAllister, de même que les Paul April, Kenneth Fisher et surtout Allan Ross et Peter Frank Ryan ont marqué l'histoire criminelle canadienne. Certains de ces malfaiteurs savaient percer les coffres-forts ou les chambres fortes, tandis que d'autres utilisaient leurs armes pour aller directement au tiroir-caisse. Plusieurs de ces criminels ont ensuite été arrêtés pour des importations majeures de drogue, alors que d'autres, plus chanceux, ont constamment évité toute arrestation et semblent avoir de très importantes sources de revenus non déclarés.

Les perceurs de coffres-forts de Montréal ont toujours été reconnus comme des experts en la matière. Dans les années 40 et 50, Lucien Rivard et Giuseppe Pep Cotroni et leurs acolytes faisaient la pluie et le beau temps dans les sous-sols des institutions financières. Souvent, lors de longs week-ends, les voleurs s'affairaient à creuser des tunnels, à dynamiter des murs pour entrer dans des chambres fortes et y faire main basse sur beaucoup d'argent, souvent de l'argent noir, dissimulé au fisc. Les anglophones du gang de l'Ouest étaient des experts en neutralisation des systèmes d'alarme de protection. Il ne fallait pas beaucoup de temps aux techniciens en électronique de la bande pour annuler l'efficacité des systèmes, même les plus sophistiqués. Les gros coups se sont multipliés, mais, puisque les suspects étaient connus, la police a aussi obtenu de gros succès.

Toute la bande s'est fait prendre à Vancouver le 9 janvier 1977 après avoir vidé la chambre forte d'une compagnie privée, la Vancouver Safety Deposit Vault. La direction de la compagnie était tellement certaine de la résistance des murs de sa chambre forte qu'elle n'avait même pas pris la précaution d'installer un système d'alarme. De toute façon, aucun système n'aurait résisté à Ronald McCann, Paul Bryntwick, Talbot Murphy, Robert Steeve Johnston ou Kenneth Fisher.

La bande a joué de malchance car c'est parce qu'elle était trop sûre d'elle qu'elle a été capturée. Avant même que le crime ne soit découvert, un transporteur de bagages de l'aéroport de Vancouver a avisé la police car la lourdeur de certains sacs les rendait suspects à ses yeux. Des gros sacs d'équipement de hockey étaient bourrés de billets de banques, de bijoux et de divers certificats ou documents de grande valeur. Les policiers ont cueilli toute l'équipe, mais ce n'est que le lendemain que le vol a été signalé. Pour une fois, c'était vrai que les policiers étaient sur une bonne piste. J'ai toujours été fasciné par cette bande de voyous qui ne volait que les riches. Mais ces bandits avaient un grand talent pour détecter la surveillance et les filatures. Les policiers sont venus bien souvent à un cheveu d'effectuer une arrestation, mais ces experts réussissaient à passer au travers des filets policiers.

Le 19 juin 1998, j'ai appris que les policiers de la brigade antigang de la police de la CUM étaient sur un très gros coup. Grâce à un bon contact, j'ai trouvé les policiers en plein meeting dans un cimetière de Saint-Laurent. Une fois sur les lieux, j'ai pu assister à l'opération policière. Sans même que les noms des suspects aient été prononcés, je savais qu'il s'agissait des gens du fameux gang. J'ai même risqué deux noms en parlant au lieutenant détective Robert Lamarre : Murphy et Fisher. J'étais tombé en plein dans le mille. Toutefois, je doutais fort que les arrestations s'effectuent en douceur comme les policiers disaient le vouloir.

L'opération était prévue pour 17 heures et c'est avec une grande ponctualité que le duo s'est amené à la résidence d'un riche homme d'affaires de Mont-Royal. Les deux hommes croyaient rafler en un seul coup assez d'argent pour pouvoir prendre une retraite dorée. Les policiers n'avaient pas effectué de filature et ils attendaient plutôt les bandits dans des cachettes autour de la maison visée.

Les deux lascars ont placé leur camionnette dans l'entrée de la résidence comme s'ils étaient des ouvriers d'entretien de pelouse. Après quelques regards autour d'eux, ils ont disparu dans les buissons. Les détectives avaient choisi d'attendre, pour intervenir, que les deux voleurs aient pénétré dans la maison et en soient ressortis. Toutefois, les choses se sont précipitées lorsque le propriétaire des lieux, un très riche homme d'affaires africain, est revenu à sa résidence alors que tous le croyaient en voyage. Les détectives ont procédé aux arrestations. Fisher, avec un casque de construction sur la tête, et Murphy, avec un document dans les mains, disaient qu'il y avait méprise, qu'ils étaient d'honnêtes gens. Toutefois, ils ont vite compris qu'ils étaient cuits. J'ai tenté d'obtenir leurs commentaires, mais ce n'est pas vraiment le moment pour un journaliste de se montrer curieux lorsque le « client » est furieux de s'être fait prendre « les culottes à terre », selon l'expression populaire. Comme cela a toujours été le cas dans ce genre d'arrestation, les deux hommes et un complice s'en sont tirés avec des peines « exemplaires », c'est-à-dire quelques week-ends en prison…

Allan Ross a été moins chanceux. Impliqué dans de gros trafics de drogue et des meurtres, il a été trouvé coupable en Floride, ce qui lui vaudra de passer le reste de ses jours dans la plus sûre des prisons américaines. Après sa condamnation, il a rejoint dans la pire des prisons de l'Oncle Sam l'ex-président du Panama, Manuel Noriega, ainsi que quelques-uns des gros trafiquants colombiens attrapés par la justice américaine. Malgré tout, Ross a survécu à sa vie mouvementée au sein du gang, ce qui ne fut pas le cas de son prédécesseur à la tête de l'organisation, Peter Frank Ryan, dit Doony. Il a été abattu par un de ses adjoints, Paul April, mais son fidèle associé Ross a fait éliminer le traître.

Ce crime a été exécuté par le plus grand tueur des Hells Angels, qui a envoyé au traître un magnétoscope bourré d'explosifs en lui disant de regarder une vidéocassette racontant l'histoire tumultueuse de la bande de motards dans le monde. April se cachait avec trois de ses amis dans un appartement du boulevard de Maisonneuve. C'était le 25 novembre 1984. Quelques instants après l'ouverture du magnétoscope, une bombe de forte puissance a été déclenchée à distance, tuant sur le coup April et ses trois hommes de main cachés avec lui.

Je me suis rendu sur les lieux de l'explosion peu après le drame. C'était véritablement un miracle qu'il n'y ait pas eu plus de morts. Les murs d'une dizaine de logements avaient été complètement démolis. Les débris avaient volé dans tous les sens, mais personne d'autre que les quatre bandits n'avait été tué. Les autres occupants de l'étage s'en étaient tirés avec des blessures mineures, de simples éraflures. Ironie du sort, l'immeuble où s'étaient cachés les quatre meurtriers en fuite se trouvait en face de l'ancien poste de police numéro 10, à l'intersection de la rue Saint-Mathieu.

*

Un journaliste affecté à la couverture des affaires policières a toujours l'occasion de côtoyer ou tout au moins de rencontrer des criminels. Certains gros bonnets s'avèrent décevants lors de ces rencontres, mais d'autres criminels, moins connus, sont des personnages fascinants. Les fraudeurs doivent sûrement être classés dans une catégorie à part. Des noms comme Laurier Boutin ou Gilles Denis ont déjà défrayé la chronique, mais sont probablement tombés dans l'oubli.

Gilles Denis était une sorte de Robin des bois qui détroussait les riches pour donner aux pauvres, tout en se payant du bon temps. Il a sévi surtout dans les années 1970, ici comme dans la plupart des pays d'Amérique latine. Il se faisait appeler l'abbé Denis mais, la plupart du temps, c'est du titre de « monseigneur » qu'il s'affublait. Il portait la soutane, confessait et faisait du bien tout en n'étant qu'un petit Québécois avec peu d'instruction. Cependant, il avait beaucoup d'audace. Il pouvait tenter de faire croire n'importe quoi à n'importe qui.

Après avoir volé et fraudé ses proches, il s'est enfui au Pérou en 1972. Là, il a été arrêté avec une voiture volée et mis en prison. En peu de temps, il disait la messe, confessait gardiens et prisonniers et prêchait la bonne parole. Il a ensuite multiplié les démarches pour faire financer ses bonnes œuvres par de riches Québécois. Plusieurs médecins se sont laissé convaincre par le bon père Denis et lui ont consenti des dons appréciables. Il a mis sur pied divers services et s'est retrouvé aussi souvent en prison qu'au-dehors. À une certaine époque, il a délaissé les bonnes œuvres pour le trafic de la cocaïne entre le Québec et la Colombie. Il avait convaincu certains de ses enfants de chœur de faire de petits transports, mais son manège a été déjoué par un policier au nez long, un certain Guy Ouellette, qui plus tard devint le sergent Ouellette, l'expert de la Sûreté du Québec en ce qui concerne les bandes de motards criminalisées.

Laurier Boutin, lui, était un véritable mythomane. Il aimait faire marcher les gens. Il s'est fait passer pour un terroriste, un mafioso, un sous-ministre de la Justice, un chirurgien cardiaque, etc. Il n'y avait absolument rien à son épreuve. S'il est toujours vivant, il est âgé d'au moins soixante-douze ans. Cet homme a berné des dizaines, sinon des centaines de personnes, et a passé plusieurs années de sa vie dans les pénitenciers des États-Unis et du Canada. Il aimait duper les gens et il a presque réussi à berner le jeune journaliste que j'étais.

C'était en septembre 1972, alors que les journaux de Winnipeg rapportaient un bien grosse nouvelle pour leur patelin. Le fils de Joe Colombo, un mafioso fort connu de New York, posait en photo devant un véritable château qu'il venait d'acheter d'un héritier de la célèbre famille Eaton, propriétaire des grands magasins du même nom. Joe Colombo junior annonçait aussi son mariage avec une fille de Winnipeg. Il affirmait qu'il avait quitté New York à cause de la trop grande célébrité de son père. Il déclarait aussi, à la surprise générale, qu'il avait fait de gros investissements dans la fameuse Ligue mondiale de hockey, lancée auparavant pour concurrencer la Ligue nationale.

La nouvelle a été reprise à Montréal, notamment par le *Montreal Star*, qui publiait la dépêche avec grande photo à la une. C'est le patron de la brigade des fraudes de la police de Montréal, le capitaine détective Léon Saint-Pierre, qui a éventé l'affaire. Il avait reconnu un de ses vieux clients, Denis Laurier Boutin, un imposteur qui lui donnait du fil à retordre depuis des années. Bien vite aussi, la famille Colombo niait que l'un de ses fils soit l'individu de Winnipeg. Joe Colombo était le chef de l'une des cinq grandes familles de la Mafia de la métropole américaine. Il menait une campagne dénonçant la discrimination exercée par les autorités policières envers les Italo-Américains.

Boutin fut placé dans un avion à destination de Montréal car des mandats d'arrêt avaient été émis contre lui. Affable et détendu, il fut arrêté à Dorval et conduit dans les locaux de la brigade des fraudes, au deuxième étage du quartier général de la police, au 750 de la rue Bonsecours, dans le Vieux-Montréal. Grâce à la collaboration du capitaine Saint-Pierre, j'ai pu rencontrer Boutin dans une petite salle d'interrogatoire. Le vieux policier d'expérience m'avait bien mis en garde. « Il va sûrement réussir à te prendre au piège. Il pourra inscrire un journaliste à sa liste de victimes. C'est son plaisir », m'avait dit Saint-Pierre.

Boutin était heureux de parler. Il riait de la blague et des conséquences que son coup de Winnipeg avait eues. Il était fier de lui et il s'est mis à parler de tout et de rien. Puis il s'est approché de moi et m'a dit que les gens n'avaient encore rien vu car il avait caché des documents importants à Winnipeg. Il a même révélé une partie de son secret au journaliste attentif. Il ne voulait pas en dire plus mais il affirmait qu'il y avait de la dynamite dans les papiers qu'il avait cachés dans le faux plafond d'une garde-robe de la chambre qu'il avait habitée à Winnipeg. « Tu n'as qu'à aller les chercher », m'a-t-il dit.

Je me rappelle encore le grand sourire du policier Saint-Pierre lorsque je suis sorti de la salle d'interrogatoire. « Et puis ? » me demanda-t-il.

Il s'est évidemment plié en deux lorsque je lui ai appris la déclaration de Boutin. J'étais presque prêt à partir pour Winnipeg lorsque M. Saint-Pierre me fit la proposition suivante : « Je donne un coup de fil à mes collègues de Winnipeg pour leur demander d'aller fouiller la chambre en question, à la recherche de la cachette oubliée. »

Il n'a pas fallu beaucoup de temps pour obtenir la réponse négative que Saint-Pierre était convaincu de recevoir. Quant à moi, j'ai demandé plus tard à Boutin pourquoi il avait voulu me faire marcher. « C'est le fun », a-t-il répondu.

Je n'étais pas le premier à croire ce fabulateur. Il avait déjà convaincu un officier supérieur de la Police provinciale qu'il était un sous-ministre de la Justice qui avait un besoin urgent d'un moyen de transport pour se rendre à Montréal. Il demandait qu'une voiture de patrouille vienne le prendre aux bureaux du ministère à Québec pour le conduire de toute urgence dans la métropole. L'imposteur s'est ensuite tout bonnement rendu à la salle d'attente des bureaux du ministère, rue Grande-Allée, où il a dit à la réceptionniste qu'il s'appelait Boutin et qu'il attendait un policier. Lorsque l'agent s'est amené pour demander à parler au sous-ministre Boutin, la bonne réceptionniste lui a présenté le citoyen qui était assis en train de lire un document. C'est ainsi que Boutin s'est présenté dans une banque et chez un vendeur d'automobiles de Sorel pour commettre des fraudes sous escorte policière.

Plus tard, il utilisa le nom du juge en chef Édouard Archambault, de la Cour des sessions de la paix, pour encaisser quelques chèques. Il se fit également passer pour un guérillero, ami de Fidel Castro et de Che Guevara. Détenu dans une prison américaine pour être entré illégalement aux États-Unis, il fut convoqué devant une commission sénatoriale qui enquêtait sur l'explosion d'une bombe ayant tué une douzaine de personnes à l'aéroport La Guardia. Il refusa de témoigner, invoquant le cinquième amendement de la Constitution américaine. Dans l'avion qui le ramenait à Montréal, le 18 novembre 1976, le personnel découvrit une note affirmant qu'une bombe avait été placée dans l'appareil, qui devait se diriger immédiatement vers Cuba. Boutin ne fut accusé que beaucoup plus tard de cette tentative de détournement d'avion. On avait trouvé ses empreintes digitales sur la note. Il fut condamné à sept ans de pénitencier. Mais avant de disparaître, il avait convaincu quelques journalistes qu'il était victime de ses opinions politiques et qu'il était le premier véritable prisonnier politique du Québec. Depuis, on n'a plus entendu parler du personnage.

*

Lucien Rivard est probablement le criminel canadien le plus connu et celui qui a fait le plus parler de lui tout au long de sa carrière. C'était l'un des plus gros trafiquants d'héroïne du Canada dans les années 50 et 60. Il a provoqué un scandale qui a failli coûter le pouvoir au Premier ministre Lester B. Pearson à cause d'une affaire de corruption politique majeure. C'est à cause de lui que j'ai été amené à berner une trentaine de collègues le jour où Rivard a été expulsé des États-Unis après y avoir purgé neuf ans d'une peine de vingt ans imposée pour l'importation de soixante-douze livres d'héroïne pure à Laredo, au Texas. C'était le 17 janvier 1975. J'ai alors eu le plaisir de voyager de New York à Montréal pratiquement seul avec Rivard... en première classe sur un gros-porteur de la compagnie Eastern. Tous les autres journalistes étaient frustrés et bien surveillés à l'arrière de l'avion, n'ayant qu'un billet en classe économique.

L'histoire de Rivard est devenue célèbre dans le monde entier. C'est lui qui, disait-on à l'époque, s'était évadé de la prison de Bordeaux en prétextant qu'il voulait arroser la patinoire extérieure alors qu'il faisait un temps très doux, plus de quatre degrés Celsius. Rivard n'a jamais voulu révéler son secret, mais l'histoire de l'arrosage de la patinoire n'était que pour la galerie. En réalité, son évasion avait été facilitée par la complicité de « quelqu'un » à l'intérieur de la prison. Il avait ensuite forcé un automobiliste à lui remettre son véhicule et avait disparu dans la nature. Rivard était détenu en attente de son extradition aux États-Unis, où l'un de ses courriers avait décidé de tout dévoiler aux autorités, une fois pincé avec quelque soixante millions de dollars de drogue, de quoi contenter tous les héroïnomanes du pays de l'Oncle Sam durant plusieurs jours. Rivard a passé quatre mois en liberté avant d'être repris.

Un scandale politique a éclaté lorsque l'attaché politique d'un ministre du gouvernement canadien a offert une somme de vingt mille dollars à l'avocat retenu par le gouvernement américain pour s'occuper de l'extradition du trafiquant. Cet attaché politique a été condamné à deux ans de prison pour tentative d'obstruction à la justice. La carrière politique de plusieurs membres du gouvernement libéral de M. Pearson a été entachée par ce scandale.

Détenu à la prison de Lewisburg, en Pennsylvanie, Rivard y fut un prisonnier modèle, travaillant à la cuisine de l'établissement abritant mille trois cents détenus. Il s'y connaissait en restauration car il avait opéré durant des années *La Plage idéale*, à Auteuil, un endroit fréquenté par la jeunesse de plusieurs générations.

Lors de son expulsion des États-Unis, plusieurs journalistes, dont moi-même, se trouvaient déjà dans la métropole américaine pour le procès qu'y subissait Frank Cotroni, également pour importation de drogue. Le groupe de journalistes dont je faisais partie y a joué au chat et à la souris durant toute la semaine. Chacun était au courant de l'expulsion de Rivard prévue pour le vendredi suivant, mais ignorait que le secret était connu de tous. Je fus le seul à imaginer le subterfuge de la classe la plus dispendieuse. Ainsi, je pourrais descendre à l'autre partie de l'avion tandis que les autres passagers ne pourraient pas nous rejoindre.

Paul Dubois, un reporter du *Montreal Star*, a suivi la voiture dans laquelle Rivard avait été placé à sa sortie de prison jusqu'à une station-service, où il a pu se faire photographier avec le célèbre Montréalais et obtenir de lui une courte entrevue. Les autorités de l'Immigration américaine, voulant éviter des difficultés avec la meute de journalistes, avaient averti l'aéroport. L'avion était rempli de policiers qui venaient faire une balade de quelques heures à Montréal. J'ai amorcé une conversation avec le trafiquant dans l'appareil, et, dès que nous avons été prêts à quitter l'avion, je lui ai annoncé que j'irais le reconduire où il voulait. Par mesure de précaution, j'ai confisqué la valise du personnage en lui disant de me suivre. Certains journalistes croyaient que j'avais signé un contrat d'exclusivité avec Lucien Rivard pour écrire ses mémoires.

C'est ainsi que Rivard et moi avons pris un taxi pour le nord de la ville, où Marie, sa femme, l'attendait patiemment

J'ai obtenu un scoop en allant reconduire chez lui le célèbre
criminel Lucien Rivard, qui revenait au Canada après
plusieurs années dans un pénitencier américain.
(Photo : René Picard, *La Presse*.)

depuis des années. Rivard m'a confié qu'il était seulement de passage à Montréal et qu'il entendait bien aller s'installer au soleil quelque part. Quant à ses mémoires, Lucien n'y a jamais songé, préférant garder pour lui tous ses secrets. S'il avait choisi de raconter sa vie, son histoire aurait été palpitante car il a été l'un des piliers de la pègre montréalaise. Il a été perceur de coffres-forts dans le bon temps des cambriolages de banque au chalumeau à acétylène. Il a connu toutes les magouilles politiques des petites villes de l'île Jésus. Il connaissait les secrets de bien des politiciens. Bref, il en aurait eu beaucoup à dire. Il a fini par s'installer dans un condominium de l'île Patton, dans le quartier de Chomedey, à Laval. Il a voyagé à l'occasion. Aux dernières nouvelles, il avait beaucoup vieilli et souffrait d'une maladie semblable à celle d'Alzheimer.

*

J'ai reparlé du scandale Rivard en 1995 alors que j'avais découvert que le chauffeur du chef du Bloc québécois, Lucien Bouchard, à Ottawa était Gaston Clermont, un ancien hôtelier de Laval et un ami intime de Rivard à la belle époque. Clermont, Rivard et leurs épouses prenaient des vacances ensemble. La police surveillait aussi les amis de Rivard, tout autant que le trafiquant. Clermont était alors un hôtelier prospère, le propriétaire d'une entreprise de pavage et surtout un organisateur politique chevronné. C'est par lui que passait Rivard pour obtenir des faveurs de certains députés ou ministres, comme un changement de prison ou une libération conditionnelle hâtive pour un autre trafiquant d'héroïne.

J'étais convaincu que la seule révélation de la présence dans l'entourage immédiat de Lucien Bouchard d'un homme qui avait été mêlé à l'un des plus grands scandales politiques de l'histoire canadienne allait faire des vagues. Il n'en fut rien. M. Bouchard n'a pas eu le temps de me rencontrer pour discuter de l'affaire Clermont. Celle-ci était d'intérêt public puisque l'homme était payé à même les fonds publics après avoir travaillé bénévolement. L'organisateur en chef du Bloc québécois, Robert Dufour, a soutenu que les ennuis de Clermont à l'époque étaient dus au fait qu'il était un cabaretier et que certains de ses clients étaient des criminels connus. Quant à M. Clermont, il a dit qu'il allait quitter son poste de chauffeur et de garde du corps si sa présence était mal vue et pouvait nuire à M. Bouchard. La divulgation de ces informations n'a eu absolument aucune répercussion et M. Clermont a pu continuer sa carrière auprès du politicien le plus populaire du Québec durant bien des années.

*

Alvin « Creepy » Karpis est né à Montréal en 1908 mais c'est aux États-Unis qu'il a fait une célèbre carrière de gangster dans les années 20 et 30. C'est lui qui a permis à J. Edgard Hoover, le fameux grand patron du Federal Bureau of Investigation (FBI), d'effectuer sa toute première arrestation, en mai 1936. Un mois auparavant, comparaissant devant un comité du Sénat américain, le fameux Hoover avait paru insulté lorsqu'un politicien lui avait reproché de n'avoir personnellement jamais procédé à une seule arrestation. Karpis a dit plus tard que Hoover était arrivé lorsque tous les risques étaient passés. « Il était là pour les photographes », a-t-il déclaré.

Lorsque, en septembre 1969, j'ai eu une entrevue avec Karpis, j'avais dû me documenter sur le personnage car j'étais trop jeune pour avoir entendu parler des frasques de la bande de Ma Barker et Old Creepy Karpis. Le fameux criminel venait d'être expulsé des États-Unis après avoir passé trente-trois ans en prison, dont vingt-cinq à Alcatraz, le grand pénitencier de la côte ouest. Une seule condition avait été imposée pour sa remise en liberté, vu son âge : qu'il quitte le territoire américain.

Alvin Karpis fut un héros du monde criminel de l'entre-deux-guerres. Il est né à Montréal de parents lithuaniens et il s'appelait Albin Karpowitz, mais c'est à Topeka, au Texas, qu'il a fait ses premiers pas dans la vie et surtout dans sa vie de criminel. Il a été arrêté pour la première fois à l'âge de dix ans. D'école de réforme en prison, il s'est tissé un solide réseau d'amis par les voleurs. Il a notamment côtoyé durant une brève période le fameux couple de voleurs connu sous le nom de Bonnie & Clyde. D'après Karpis, Clyde Barrow n'était qu'un vulgaire assassin qui aimait tuer des policiers tandis que sa compagne Bonnie Parker était une imbécile. Il n'a pas fait long feu avec eux.

C'est dans une prison que Karpis s'est associé à Freddie Barker. Les deux bandits se sont ensuite distingués dans tout le pays, comme chefs du gang Karpis-Barker. Freddie avait quatre frères, et sa mère, Ma Barker, était alors devenue la pire criminelle des États-Unis, d'après le grand patron du FBI. La bande, comptant jusqu'à une vingtaine de membres, commettait des vols de banque ainsi que des enlèvements de riches citoyens pour obtenir de grosses rançons.

Dans ses mémoires, publiés après sa sortie de prison, Karpis racontait que le rôle de Ma Barker avait été nettement exagéré par la police. Elle n'était pas le chef de bande terrible auquel Hoover voulait faire croire. Le chef du FBI avait écrit que Ma était « la plus terrible, la plus vicieuse, la plus dangereuse et la plus intelligente des criminelles de la dernière décennie ». Karpis disait que la femme n'avait jamais été arrêtée et que ce n'était pas insulter sa mémoire que de dire qu'elle n'avait aucune intelligence criminelle pour diriger la bande de voyous dont il était l'un des chefs.

Ma était surnommée dans les journaux Bloody Mama, la « sanguinaire maman ». C'est le 16 janvier 1934 que Ma et son fils Freddie ont été localisés et cernés dans un chalet près du lac Weir, non loin d'Ocala, au centre de la Floride. La fusillade n'a pas duré longtemps. Les agents fédéraux ont lancé des grenades de gaz lacrymogène et tiré des volées de balles de gros calibre. Peu de coups de feu provenaient de l'intérieur de la maison. Après quelques minutes,

Ma Barker a été trouvée morte. Son fils Freddie aussi. Il avait été transpercé par quatorze projectiles. Karpis a quitté la Floride en vitesse.

C'est à La Nouvelle-Orléans qu'Alvin Karpis a rencontré les agents du FBI, en mai 1936. Il venait de quitter une maison et n'était pas armé. Il s'apprêtait à monter dans une voiture lorsque les policiers lui ont mis la main au collet. Les agents n'avaient même pas pris la précaution d'apporter des menottes, ce qui a fait dire à certains qu'on ne s'attendait pas à ramener le prisonnier vivant. C'est avec la cravate d'un agent que Karpis a été ligoté, et il a été conduit à la prison par J. Edgar Hoover lui-même.

De retour à Montréal, une ville qu'il ne connaissait absolument pas, Karpis a été pris en charge par l'Armée du Salut. Il a vécu quelque temps chez nous avant de s'installer en Espagne. Lorsque je l'ai rencontré, le lendemain de son arrivée à Montréal, il avait l'air d'un grand-père tranquille. Il parlait peu, mais racontait avec plaisir ses souvenirs de Hoover, qu'il ne tenait pas en grande estime, disant que le chef du FBI cherchait toujours la publicité. Il affirmait qu'il voulait désormais simplement profiter de la vie. Il est mort en Espagne en 1979, à soixante-douze ans.

*

L'Unité spéciale de correction (USC) était la prison des vrais durs. Y logeaient une soixantaine de détenus et autant de gardiens à l'intérieur même des murs du vaste complexe pénitentiaire de Saint-Vincent-de-Paul, à Laval. Ce pénitencier avait été construit en 1968 et avait coûté un peu plus de deux millions de dollars. C'était une prison à sécurité maximale où étaient enfermés les as de l'évasion, les cas les plus lourds dont on ne venait pas à bout ailleurs dans le système carcéral.

Des vedettes du crime se sont rencontrées dans cette prison. La liste de ceux qui ont défrayé la chronique est longue, mais les plus gros noms sont sans doute ceux de

Jacques Mesrine et de Richard Blass, deux personnages aux passés complètement opposés mais qui avaient en commun le besoin de provoquer, de faire sensation. Tous deux n'avaient aucun respect pour la vie des autres. Tous deux ont voulu aider leurs collègues emprisonnés et tous deux ont réussi des évasions spectaculaires. Tous deux aussi sont devenus des vedettes médiatiques. Ils ont tenu les journalistes occupés bien longtemps.

Jacques Mesrine est né en 1936 et s'est distingué comme parachutiste au sein de l'armée française, notamment lors de la guerre d'Algérie. Fuyant la justice française, il arrivé au Canada en 1968 avec Jeanne Schneider, sa compagne. Le couple s'est fait employer par un millionnaire handicapé de Saint-Hilaire et l'a enlevé pour obtenir une rançon de deux cent mille dollars.

En fuite, Mesrine et Schneider se sont rendus à deux reprises en Gaspésie, et c'est à leur deuxième visite qu'ils auraient volé et assassiné une vieille aubergiste de Percé, Mme Évelyne Le Bouthillier. Ils se sont ensuite sauvés au Texas, où ils ont été vite capturés par les autorités. Apprenant qu'il n'était recherché au Québec que pour l'enlèvement du millionnaire, Mesrine a renoncé à contester son expulsion des États-Unis et il a été ramené à Montréal. Il avait l'air d'une vedette de cinéma lorsque les policiers l'ont escorté hors de l'avion. Il faisait le jar, un cigare au bec. Il avait l'allure provocante qui devint plus tard sa marque de commerce. Il écopa de dix ans pour l'affaire de l'enlèvement du millionnaire et fut conduit au pénitencier de Saint-Vincent-de-Paul, où on lui attribua le numéro 5933. Ses geôliers ne se doutaient pas des ennuis que leur causerait ce personnage.

Mesrine sortit de prison pour aller subir un autre procès, cette fois à Montmagny pour le meurtre de l'aubergiste de Percé. Le procès fut ponctué de nombreux coups de théâtre et se termina par l'acquittement de Mesrine et de sa compagne. Le juge Paul Miquelon causa toute une surprise en admonestant les jurés qui venaient d'acquitter le couple. « Je suis lié par votre verdict, dit le juge, mais permettez-moi de vous dire que je ne partage pas du tout votre décision ; j'espère que vous pourrez dormir en paix avec votre conscience. » Puis, se tournant vers Mesrine et Schneider, il leur suggéra de prier pour demander à Mlle Le Bouthillier qu'elle les pardonne.

En prison, Mesrine se lia d'amitié avec les plus coriaces des détenus, des gars comme Jean-Paul Mercier, Albert Thibault et Pierre Vincent. Le 21 août 1972, Mesrine et Mercier s'évadèrent en compagnie de quatre autres bagnards. Le groupe se sépara et les fuyards s'attaquèrent à des banques et à des caisses populaires pour subvenir à leurs besoins. Le 3 septembre, le duo revint près du pénitencier pour une attaque en règle afin de tenter de faire évader des amis détenus. Ils voulaient réaliser une évasion massive à l'occasion d'une fête champêtre organisée pour les détenus et leurs familles. Les deux durs étaient fortement armés et ils espéraient protéger la fuite de leurs anciens collègues. Ce sont deux policiers de Laval en patrouille dans le secteur qui aperçurent la voiture suspecte des deux lascars, qui réussirent de justesse à s'enfuir.

Une semaine plus tard, le duo Mesrine-Mercier se fit surprendre par deux garde-chasse alors qu'ils essayaient de nouvelles armes sur un petit chemin isolé, le chemin de la Petite-Belgique, près du rang 12, à Saint-Louis-de-Blandford, non loin de l'autoroute 20. De sang-froid, ils abattirent les deux pères de famille venus s'enquérir de l'origine du tapage causé par les tirs, qui avait inquiété les gens du voisinage. Dans son livre, *L'Instinct de mort*, Mesrine a expliqué qu'ils avaient tiré sur les garde-chasse Médéric Côté et Ernest Saint-Pierre lorsque ceux-ci les avaient reconnus. « C'était eux ou nous », a-t-il écrit.

Les deux fugitifs s'enfuirent ensuite au Venezuela avec leurs compagnes, où ils menèrent la grande vie durant plusieurs jours, puis Mercier revint à Montréal tandis que Mesrine repartit pour la France.

Tous deux se sont fait arrêter assez rapidement. Mercier a réussi plus tard une nouvelle évasion, en compagnie de

Richard Blass, grâce à l'aide fournie par Jocelyne Deraîche, la compagne de Mesrine, elle aussi revenue au Canada après la capture de son ami. La carrière de Mesrine fut alors fulgurante. N'ayant plus rien à perdre, il multiplia les coups fumants à la suite d'une évasion du Palais de Justice de Compiègne, où il avait pris un juge en otage. Il commit hold-up sur hold-up. Il était de plus en plus audacieux. Capturé à nouveau, il fut emprisonné à la Santé, à Paris.

Mesrine s'est toujours amusé à rire des policiers et à les narguer. Il s'est même présenté dans un commissariat sous un déguisement alors qu'il était l'homme le plus recherché d'Amérique et d'Europe. Les journalistes furent aussi sa cible. L'un fut attaqué et poignardé et un autre a reçu des menaces de mort à la suite d'articles sur le personnage. Au Canada, Mesrine a été la vedette des médias. Il a aussi été traité aux petits oignons par le journal appartenant à son avocat montréalais, Me Raymond Daoust. Insatisfait de la manière dont ses faits et gestes étaient rapportés par les médias, le criminaliste avait décidé de lancer son propre journal pour obtenir une couverture qui lui donne satisfaction. L'hebdomadaire *Photo-Police* a fait une large place aux exploits de Mesrine, en les mettant en valeur. *Allô-Police*, pour sa part, a mis en évidence les horreurs qu'il a commises.

C'est le 2 novembre 1979 que Mesrine fut abattu par la police à Paris. Les policiers ont dit n'avoir voulu prendre aucun risque, vu les nombreuses menaces proférées à leur endroit par celui qui était devenu l'ennemi public numéro un en France. Il y avait deux grenades près de lui lorsqu'ils se sont approchés pour constater son décès.

*

Richard Blass n'avait pas le calibre de son ami Mesrine, mais son style et son goût pour le sang étaient tout à fait semblables. Il y avait trois frères Blass. Le nom de Michel refit surface plus tard, mais Mario était, disons-le, beaucoup moins fort et moins impliqué que ses frères dans le milieu local.

Blass était un petit criminel qui a connu une grande notoriété lorsque lui et sa bande d'amis, tous des Canadiens français, comme on disait alors, ont voulu éliminer « les Italiens », comme on désignait à l'époque, dans les médias, les grosses têtes de la Mafia locale. Cette petite guerre ethnique a débuté dans les cabarets, où les amis de Blass, très turbulents, se sont mis à dos Vincenzo Di Maulo, qui opérait notamment le bar *Le Petit Baril*, boulevard Saint-Laurent. Blass a alors perdu deux amis le 4 mai 1968, tués à la porte du bar de Di Maulo. Lui et son copain Robert Allard se sont juré que tous les Italiens allaient y passer. Pour préparer leur vengeance, ils ont décidé d'aller chercher les corps de leurs amis assassinés, Gilles Bienvenue et Albert Ouimet. Si la police n'était pas intervenue à temps, ils auraient exécuté leur plan, qui était de remplacer les corps de leurs amis au salon mortuaire par ceux de deux mafiosi. La guerre a duré quelque temps et des cadavres se sont ajoutés à la liste des victimes dans les deux camps. Un jour qu'ils avaient pris un coup, Blass et Allard ont été interceptés par des policiers en patrouille alors qu'ils allaient régler leurs comptes avec Frank Cotroni, dans l'est de la ville.

J'avais déjà parlé à Blass au téléphone, mais je l'ai vu pour la première fois alors qu'il venait de se faire abattre dans un garage du boulevard Saint-Michel. Il avait reçu trois balles à la tête. Malgré ses blessures, il trouva le moyen d'engueuler vertement un infirmier qui avait laissé rouler jusqu'à un mur la civière sur laquelle il reposait. « T'es pas obligé de me rachever, ostie ! » a-t-il lancé au jeune homme plutôt éberlué. Trois tueurs des Italiens avaient encore raté Blass. Certains l'avaient surnommé « le chat aux neuf vies » à cause des nombreux attentats commis contre sa personne et du fait qu'il s'en était toujours tiré. Mais, en ce 10 octobre 1968, les amis comme les ennemis de Blass croyaient bien que la chance avait tourné et que l'homme ne s'en sortirait pas vivant. Cependant, trois semaines plus tard, il fut amené sur ses deux pieds au tribunal pour tenter d'identifier ses agresseurs. Blass jura que les trois accusés n'étaient pas les hommes qui avaient attenté à sa vie.

Sa carrière a duré moins de dix ans, mais quelle carrière violente! Il a participé à de nombreux vols à main armée. La police a cité le nom de Blass comme suspect pour vingt meurtres, dont quinze commis au même endroit, le *Gargantua*, un bar de la rue Beaubien. Le 30 octobre 1974, Blass, accompagné de son complice Edgar Roussel avec qui il venait de s'évader de prison, a liquidé deux anciens partenaires criminels. Blass reprochait à Roger Lévesque, surnommé Seven-Up, de l'avoir dénoncé à la police, et à Raymond Laurin d'avoir fait échouer un vol qui avait conduit Blass en prison pour six ans. Le 25 janvier suivant, Blass retournait au *Gargantua*, cette fois pour éliminer un témoin d'une banale affaire d'incendie criminel pour lequel son frère Mario venait d'être inculpé. Il a abattu le gérant du bar, Réjean Fortin, pour l'empêcher de témoigner. Il a ensuite enfermé les douze clients présents dans une petite pièce où étaient entreposées des caisses de bière, puis il a mis le feu à plusieurs endroits avant de fuir. Les gens ont eu une fin atroce car ils étaient coincés dans le réduit, sans aucune possibilité de fuite.

Quelques heures après le carnage, j'ai rencontré Mario devant les débris du cabaret incendié. Il accepta de se laisser photographier et il défendit son frère, disant que ce dernier n'avait absolument rien à voir avec ce drame épouvantable. Richard Blass, lui, n'a communiqué avec aucun média comme il lui arrivait parfois de le faire. Il n'a jamais fait aucune déclaration sur sa participation à l'assassinat du gérant et des douze clients du *Gargantua*.

Durant sa cavale, il a fait prendre des photos de lui et de son complice Edgar Roussel dans leur cachette de Longueuil, puis dans celle de Rosemont. Il a envoyé ces photos notamment à André Rufiange, le chroniqueur du *Journal de Montréal*, accompagnées de lettres humoristiques car Rufiange avait posé des questions à Blass dans sa chronique quotidienne.

Après le drame de la rue Beaubien, les policiers ont accentué leurs recherches. Tous les amis de Blass ont été placés sur écoute électronique. Deux jeunes femmes ont même appris aux policiers que le fugitif préparait un coup encore plus spectaculaire que celui du *Gargantua*, sans préciser la nature exacte du projet funeste. Puis, le 23 janvier 1975, on localisait enfin Blass dans un petit appartement de Rosemont. Comme l'endroit était difficile à cerner et qu'on savait que Blass avait avec lui tout un arsenal, les policiers ont décidé d'attendre.

J'ai aussi appris par un contact que Blass était dans l'immeuble de Rosemont. Avec mon copain photographe Pierre McCann, je me suis posté à une bonne distance de l'immeuble. Nous avons vu des gens sortir de la maison et s'engouffrer dans une auto que la police a prise en filature. Quelques instants plus tard, j'ai appris que la « petite vieille » qui venait de partir était probablement Blass, bien déguisé.

J'ai alors informé mes collègues de l'équipe de nuit, qui ont pris la route des Laurentides, où nous savions que les policiers avaient suivi la voiture. Quelques heures à peine plus tard, Blass et ses amis étaient cernés. Une fusillade en règle éclata. Tandis que les trois autres occupants du chalet quittaient les lieux, Blass, d'après la version officielle, fut retrouvé une arme à la main dans sa chambre. Il avait été abattu d'une vingtaine de projectiles provenant de deux armes différentes. Il avait vingt-neuf ans.

La Mafia n'aura jamais été capable de tuer Blass, mais, ironie du sort, trois grands ennemis de Blass se sont fait capturer sur les lieux mêmes du meurtre du meilleur ami de Blass. Vincenzo Di Maulo et Giuseppe Armeni, ainsi qu'un troisième homme, étaient suivis de près par toute une escouade de policiers, le matin du 4 mai 1968, rue Jean-Talon. Robert Allard fut atteint par douze balles de calibre 38. Il est mort sur-le-champ tandis que le trio de tueurs tentait une fuite impossible. Les policiers qui les suivaient avaient été témoins du crime. Blass a eu sa vengeance.

*

Dans le milieu criminel, certains jeunes ont fait des carrières courtes mais remarquées. Ce fut le cas des frères Jean-Guy et Roland Giguère, deux jeunes de l'est de Montréal, qui furent assassinés par d'autres criminels avec qui ils étaient en compétition.

Jean-Guy Giguère n'avait surtout pas froid aux yeux. C'est pourquoi il a accepté certains « contrats » et commis certains meurtres que les autres tueurs refusaient d'exécuter. Grâce à un intermédiaire, j'ai rencontré à quelques reprises Giguère dans un de ses endroits favoris, un restaurant de Montréal-Nord. Même s'il parlait beaucoup, lui aussi refusait de se compromettre dans ses déclarations. Toutefois, il était assez volubile lorsqu'il s'agissait des crimes et des activités des autres personnages du milieu. Il avait accepté de me rencontrer à la condition que je ne le cite pas ou ne mentionne pas qu'il s'agissait d'une entrevue avec lui. « Ne va surtout pas écrire que tu as eu une entrevue exclusive avec moi ! » J'avais bien compris ses exigences, et ce que je voulais, c'était d'obtenir de l'information sur le milieu criminel de la bouche d'un gars au fait de tout ce qui se passait dans ce petit monde violent.

Le soir de la mort de Jean-Guy Giguère, le 23 août 1975, il y avait des gardes armés à l'intérieur du salon mortuaire de la rue Ontario, dans le quartier où les deux frères avaient grandi. Roland affirmait qu'il n'y avait rien de trop beau pour son frère. « Je viens de dépenser trois mille dollars pour des fleurs et six mille dollars pour le plus beau cercueil », disait-il. Il jurait aussi à qui voulait l'entendre qu'il allait venger la mémoire de Jean-Guy.

Le 9 août 1976, vers midi, deux cagoulards se présentaient dans une brasserie de la rue Fleury pour abattre Roland Giguère dans son bureau. Comme un employé tentait de contrecarrer leur fuite, les tueurs l'ont abattu. Plus tard, Donald Lavoie, le tueur des frères Dubois, avoua à la police avoir été l'un des tueurs de Giguère. « C'était un délateur », a-t-il raconté pour expliquer le meurtre.

*

Au plus fort de la guerre des motards, écrivant un autre chapitre de la vie des délateurs dans les affaires criminelles, j'y ai qualifié ces individus de « canaris », le terme utilisé en argot français. Deux de ces personnages détenus à Parthenais n'ont pas aimé se faire désigner ainsi. Un coup de téléphone a suffi à rassurer ces messieurs, qui s'étaient sentis insultés par l'usage du mot « canari », qu'ils avaient associé au mot « serin », utilisé au Québec pour désigner le « petit ami d'un homosexuel ».

Ces canaris emprisonnés ont souvent le temps de lire les journaux et de parler aux journalistes. C'est ainsi que j'ai eu des rencontres et de bonnes discussions sur le milieu criminel avec la plupart des délateurs qui ont défrayé la chronique au Québec depuis trente ans. Un seul a toujours résisté à toutes mes demandes et n'a jamais prononcé un seul mot publiquement. Il s'agit d'Yves « Apache » Trudeau, un membre en règle des Hells Angels qui a reconnu avoir commis quarante-trois meurtres en quinze ans. Il en a peutêtre commis plus, mais il ne se souvenait pas de tous ses crimes. Les policiers ont dû faire appel au journaliste que je suis pour tenter de lui rafraîchir la mémoire.

Trudeau a choisi d'avouer ses crimes et de témoigner contre ses anciens amis et associés, qui avaient décidé de le faire assassiner dans le cadre de la purge survenue en 1985 au sein des Hells Angels. La majorité des membres de l'organisation avait convenu de tuer presque tous les membres du « chapitre » de Laval de la bande, pour la raison que ceux-ci consommaient trop de drogue et étaient devenus une nuisance pour la bonne marche de l'organisation. En fait, Trudeau et son ami Michel « Mike » Blass étaient devenus les collecteurs de fonds d'Allan Ross, dit la Belette, le chef du gang de l'Ouest. Leurs manœuvres avaient fortement déplu aux dirigeants de la bande de motards.

En 1985, il était en cure de désintoxication lorsqu'il a appris qu'on voulait le tuer. Il n'a pas mis longtemps à décider de devenir délateur. Lorsque j'ai annoncé que Trudeau devenait le premier Hells Angels à se mettre à table, la nouvelle a été vite reprise par tous les médias et a fait sensation dans le milieu. C'était le dernier criminel qu'on aurait cru capable de devenir délateur.

Michel Blass est devenu délateur lui aussi et a avoué ses crimes. Également bénéficiaire d'une peine réduite, il a à nouveau été impliqué dans un meurtre crapuleux peu après sa remise en liberté. Depuis qu'on fait un usage intensif des délateurs au Québec, la plupart d'entre eux sont oubliés après leur sortie de prison. Trudeau, quant à lui, a obtenu une nouvelle identité et s'est perdu dans la nature. On raconte dans les milieux bien informés qu'il est tellement habile à camoufler les faits que même sa nouvelle compagne ignore tout de son passé pour le moins tumultueux. Le public croit que ces délateurs se font refaire le visage par la chirurgie plastique mais, à ma connaissance, aucun des criminels notoires qui ont témoigné contre leurs pairs n'a été opéré. Certains sont des experts en déguisement.

C'est le cas de Réal Simard, l'assassin à la solde de Frank Cotroni, que je n'ai pas reconnu quelques années après sa condamnation. Il discutait avec des policiers de la brigade antigang et s'amusait fortement du fait qu'il m'avait berné. Simard a écrit deux livres basés sur ses expériences. Plusieurs délateurs croient qu'ils vont réaliser une fortune en écrivant leurs mémoires ou en les faisant écrire par un journaliste expérimenté. L'opération est souvent décevante pour eux car le marché du livre étant ce qu'il est, peu d'ouvrages relatant des activités criminelles deviennent de grands succès de librairie.

La plupart des délateurs sont des criminels qui, soudain en grande difficulté, choisissent d'éviter le pire en racontant tous leurs secrets. Ils remettent ainsi leurs amis directement entre les mains des policiers. Ils perdent souvent alors leur compagnon ou leur compagne, qui la plupart du temps provient du même milieu qu'eux. De plus, comme ils ont vécu du crime toute leur vie, il leur est très difficile de travailler tous les jours pour gagner leur vie.

Les difficultés d'un changement d'identité sont aussi une source constante de conflits car le Québec n'est pas véritablement en mesure de recréer une histoire crédible pour ses délateurs. Car, en plus de fournir une nouvelle carte d'assurance sociale et un nouveau permis de conduire, il faut inventer toute une histoire au personnage et à sa famille, ce qui s'avère fortement compliqué. Ainsi, si le criminel veut retourner étudier, il lui faut fournir des pièces officielles attestant ses études antérieures. Le gouvernement ne peut même pas émettre un nouveau certificat de naissance pour le nouveau citoyen que devient le délateur. Plusieurs déchantent après quelques mois ou quelques années de collaboration.

D'autres s'ennuient et commettent gaffe sur gaffe en prison, où il leur est difficile d'assumer leur nouveau rôle d'ancien collaborateur de la justice. On ne pardonne pas facilement ce genre d'écart dans le milieu carcéral. Aimé Simard, surnommé Ace, avait été recruté comme tueur à gages par la famille des Hells Angels. C'était un contestataire avant sa condamnation et il l'est demeuré après. Il doit purger au moins douze ans d'une peine d'emprisonnement à vie imposée pour sa série d'homicides. Mais, à cause de son bouillant caractère, c'est pratiquement toujours au trou, en isolement, qu'il purge sa sentence, à Port-Cartier, dans des conditions très difficiles.

Si la plupart des délateurs sont des individus qui, une fois arrêtés, choisissent la voie la plus rapide pour sortir de prison, il existe des collaborateurs de police qui agissent de plein gré, sans avoir été pris la main dans le sac. C'est le cas du pilote d'avion Douglas Jaworski, qui s'est présenté au bureau de la Gendarmerie royale du Canada à l'aéroport international Lester B. Pearson de Toronto pour offrir ses services. Les policiers étaient incrédules car ce jeune homme bien mis, poli, leur offrait rien de moins que de piéger de très gros bonnets du cartel colombien de trafiquants de cocaïne.

Jaworski, bien sûr, ne voulait pas devenir informateur par grandeur d'âme. Il espérait que les autorités canadiennes, en échange de ses services, interviendraient auprès de la justice américaine, qui avait le jeune homme de vingt-neuf ans à l'œil pour blanchiment d'argent. En plus de bénéficier de la protection policière pour lui et sa famille, le jeune homme a empoché trois cent quatre-vingt mille dollars. Bien vite, les policiers ont modifié leur attitude face à Jaworski, qui est devenu un superinformateur qui a permis la plus grosse saisie de cocaïne jamais faite au Canada à cette époque, soit cinq cents kilos, et la saisie de millions en argent comptant. C'est ainsi que le jeune pilote, qui avait déjà travaillé pour les trafiquants colombiens, notamment en vendant ses services pour l'achat d'avions, est devenu un des hommes de confiance de Diego Caceydo, un caïd du cartel de Medellín. Jaworski s'est rendu à quelques reprises en Colombie pour préparer une grosse livraison. Il avait fait croire à ses patrons qu'il avait acheté une petite piste isolée au Nouveau-Brunswick. En plus de l'arrestation d'une vingtaine de personnes, Jaworski a conduit à la saisie, en avril 1998, de cinq cents kilos de pure cocaïne, ce qui avait une valeur marchande, au niveau de la rue, de deux cents millions de dollars.

Après un procès retentissant où il avait tenu la vedette, Jaworski m'a accordé sa première entrevue. Il triomphait, le jeune homme. Mais il reconnaissait aussi que son rôle dans l'arrestation des gros trafiquants colombiens et de leurs hommes de main mettait sa vie en danger. «Ils n'auront pas la satisfaction de me voir mort», m'a-t-il dit.

*

J'ai eu l'occasion de côtoyer durant des années deux personnages bien importants de la fameuse filière française de la drogue. C'est cette filière qui a alimenté longtemps les consommateurs américains en héroïne, laquelle était transformée dans des laboratoires clandestins de Marseille avant d'aboutir à New York via Montréal.

L'un de ces personnages était un informateur de police d'un calibre rarement vu, un chasseur de primes du nom de René-Quintin de Kercadio, un comte originaire de Bretagne. L'autre était Michel Mastantuono, un jeune cuisinier originaire de Marseille qui avait été l'amant de la comédienne québécoise Danielle Ouimet tout en étant importateur de drogue. Lorsqu'il a été pris par la Gendarmerie royale du Canada (GRC), il a vendu non seulement tous ses associés, mais aussi celle qui partageait sa vie dans un luxueux condominium d'Habitat 67, ce fameux complexe immobilier qui fait maintenant partie du paysage de Montréal.

J'ai obtenu une entrevue exclusive avec le comte de Kercadio à la fin de mai 1969. Ce fut l'un des derniers papiers importants que je signai avant de quitter la rédaction de *La Presse* pour une nouvelle carrière dans les médias électroniques. « Je suis un correspondant particulier », disait Kercadio. Les trafiquants d'héroïne et de cocaïne l'avaient surnommé le Boiteux, à cause de la claudication qui l'affectait depuis un accident d'avion survenu alors qu'il effectuait son service militaire en France. C'est du moins l'explication qu'il donnait. Il fallait bien le croire, même si je savais qu'il avait menti toute sa vie pour faire tomber les criminels dans ses pièges.

Pour l'entrevue, j'ai dû me soumettre à une série de conditions car le personnage voulait absolument s'assurer que ni moi ni lui n'étions suivis. Il se savait inscrit sur la liste noire de la Mafia et ce n'était pas un jeu mais une question de survie. Lors de l'entrevue, réalisée à New York, le fameux comte, qui avait fait emprisonner une cinquantaine des plus gros trafiquants de drogue du monde, m'a demandé avec insistance d'être son collaborateur pour écrire ses mémoires. J'ai refusé, non pas parce que son histoire n'était pas intéressante, loin de là, mais parce que je n'avais pas les moyens financiers de suivre le bonhomme même durant quelques jours. Il menait un train de vie royal. Il dépensait une fortune quotidiennement. Il était habitué aux plus grands hôtels et aux restaurants les plus chers. Sa marque de commerce, d'ailleurs, était une bouteille de champagne Dom Pérignon. Sa biographie, publiée en France quelques années plus tard, a connu un bon succès.

Il vivait au Mexique, mais avait des difficultés avec les polices de France, du Canada et des États-Unis. Il se disait malheureux de n'avoir pas réussi à épingler personnellement Frank Cotroni, ayant dû se contenter de le faire attraper par quatre de ses adjoints immédiats. Il blâmait un enquêteur privé de Montréal, aussi un criminel connu, d'avoir fait avorter son projet de coincer Cotroni. Kercadio rageait lorsqu'il parlait d'Edwin Pearson, un criminel qui avait appris les rudiments du droit lors de ses nombreux séjours au pénitencier. Embauché par Conrad Bouchard, le caïd montréalais, une des cibles du comte informateur, Pearson avait découvert, lors de ses recherches à Acapulco, une photographie de Kercadio en compagnie de Gilles Poissant, un des piliers de la brigade des stupéfiants de la GRC à Montréal. La diffusion de cette photo avait annulé toutes les chances de l'informateur d'effectuer de nouvelles prises, du moins au Québec.

Le comte avait bien tenté de gagner sa vie dans le milieu criminel, mais avait été arrêté à sa première tentative de faire le trafic de l'héroïne. Il avait été inculpé en France, où, heureusement pour lui, les peines étaient alors beaucoup moins importantes qu'en Amérique du Nord. Il s'en était tiré avec deux ans de taule. À sa sortie, il contacta les policiers américains en poste à Paris pour offrir ses services de « correspondant très particulier », comme il se décrivait lui-même.

Son plan était assez simple. Il avait des contacts chez les fournisseurs de drogue et des connaissances dans le milieu criminel au Canada et aux États-Unis. Les policiers n'avaient qu'à le laisser faire ses trafics et n'interviendraient qu'une fois les livraisons d'héroïne effectuées. Son plan a marché durant une dizaine d'années, puis il s'est retrouvé coincé à un certain moment alors qu'il tentait de jouer un tour aux policiers français et canadiens. René Quintin de

Kercadio voulait profiter de son rôle d'informateur pour passer en douce une autre quantité d'héroïne sans en avertir les autorités et réaliser ainsi sans risques un profit gigantesque. Son plan a échoué grâce à la présence d'un autre informateur de police dans sa bande. La police, sachant à quoi s'en tenir avec des personnages comme le comte, avait recruté son propre adjoint pour le tenir à l'œil.

Malgré cette tentative avortée de coup fourré, Kercadio a réussi à reprendre du service après avoir convaincu les policiers de sa bonne foi et de son repentir. Chaque année, il m'envoyait une carte de Noël avec une bouteille de champagne. Puis, une année, sa carte n'était pas dans mon courrier des fêtes. J'ai appris plus tard qu'il était mort au Mexique. Pendant un certain temps, les criminels montréalais avaient cru que le Boiteux était revenu chez nous, mais il ne s'agissait que d'une rumeur lancée par ceux qui craignaient comme la peste René Quintin de Kercadio. Mais, au fait, était-il bien un membre de l'aristocratie ? S'appelait-il vraiment de Kercadio ? Je me suis toujours posé beaucoup de questions au sujet de ce fascinant personnage qui aurait pu être issu d'un roman.

*

L'autre trafiquant français était Michel Mastantuono, qui s'est mis à table à New York en impliquant de gros acheteurs de la Mafia américaine et plusieurs intermédiaires, dont certains artistes québécois qui l'avaient aidé à faire passer en douce près de deux cents kilos d'héroïne entre Paris et la métropole américaine via le port de Montréal.

S'il n'avait été que barman, l'arrestation de Mastantuono aurait été une grosse nouvelle, mais personne ne se serait souvenu de son nom le lendemain. Toutefois, le barman de la boîte *Chez Clairette* était aussi l'amant de Danielle Ouimet, l'actrice québécoise qui avait été la première à se dénuder pour la caméra. Le film *Valérie* avait fait scandale dans les années 60 à cause de ses scènes jugées très osées pour l'époque, mais qui pourtant étaient bien innocentes comparativement à celles des films X d'aujourd'hui.

Mastantuono avait besoin d'argent lorsqu'il s'est amené à Montréal. Il aimait la vie luxueuse, mais son salaire à l'emploi de Clairette, la plus québécoise des Françaises de Montréal, n'arrivait pas à combler ses besoins. Il a vite découvert que deux compatriotes français avaient la vie facile et les poches pleines. Mastantuono, qui avait côtoyé des criminels depuis son enfance, n'a pas eu besoin de dessin pour comprendre que c'est la came qui était l'affaire de ses copains.

Edmond Taillet était un fantaisiste qui connaissait alors une certaine popularité en France. Il avait participé à plusieurs spectacles à Montréal au temps où Charles Aznavour et Pierre Roche formaient chez nous le plus connu des duos. Taillet était souvent à la boîte *Chez Clairette* avec Édouard Rimbaud, un auteur de romans policiers populaire en France sous le pseudonyme de Louis Salinas. Tous deux travaillaient pour des Corses de Marseille, Joseph Mari, dit le Frisé, et Jean-Baptiste Croce.

C'est finalement toute une filière artistique que les Français avaient mise sur pied. Ils avaient utilisé des amplificateurs entrés au Canada avec les instruments des musiciens de Johnny Halliday pour faire passer vingt-trois kilos d'héroïne. Ils utilisaient aussi les services de Jacques Bec, l'impresario du groupe Les Charlots, très populaire à cette époque.

À Montréal, Mastantuono organisa sa part du réseau. Il alla en France avec sa fiancée Danielle Ouimet et lui fournit l'argent pour l'achat d'une DS 21, une Citroën, qui fut bourrée de quarante kilos d'héroïne. La voiture fut ensuite acheminée par bateau à Montréal et livrée à la Mafia de New York par la comédienne et son ami. C'est ainsi que Mastantuono fut responsable de l'introduction aux États-Unis de cent quatre-vingt-dix kilos de pure came mortelle ou à tout le moins très dévastatrice. Il a été arrêté le 27 octobre 1971, mais n'a jamais impliqué directement sa fiancée

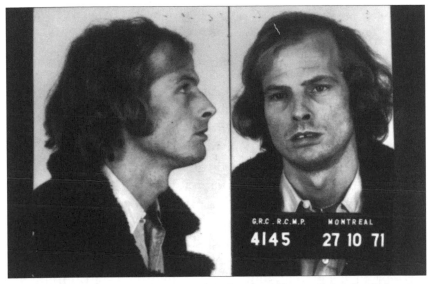

Michel Mastantuono, l'ex-fiancé de la comédienne Danielle Ouimet,
avait exporté près de deux cents kilos d'héroïne de la France
vers les États-Unis avec l'aide d'artistes bien connus.

Jean-Pierre Charbonneau et moi sommes des amis.
Nous avons été de féroces compétiteurs après que
Jean-Pierre eut fait un stage de quatre mois
à *La Presse* en ma compagnie, en 1970.

dans ses activités criminelles. Il a ensuite été condamné à cinq ans de prison et s'est mis à table en révélant les ramifications de son réseau.

Le 22 mars 1973, le jour même du début de la publication d'une série d'articles rapportant les faits et gestes des membres de la filière artistique, un avocat se disant mandaté par Mme Ouimet a fait parvenir à *La Presse* une mise en demeure lui enjoignant de cesser d'associer sa cliente à un réseau de trafiquants de drogue. Il disait que les articles publiés sous ma signature étaient « tendancieux, mensongers, libelleux et diffamatoires ». Il menaçait d'entamer des poursuites si la publication d'informations au sujet de sa cliente continuait. Il exigeait aussi la publication d'une rétractation. Malheureusement pour la comédienne, aucune demande de son procureur n'a été satisfaite. La publication s'est poursuivie.

Ce n'est qu'en novembre 1975 que la comédienne a reconnu avoir fait partie du réseau. Après de longues négociations, elle a avoué s'être rendue à Miami pour faciliter un contact entre deux trafiquants français qui demeuraient chez elle, à Habitat 67, à Montréal, et l'acheteur d'héroïne lié à la Mafia new-yorkaise. Mme Ouimet avait obtenu auparavant une immunité contre toute poursuite éventuelle et la promesse que ses aveux de culpabilité seraient soumis au tribunal à titre de circonstances atténuantes.

L'artiste n'avait plus le choix. La justice américaine avait absolument besoin de son témoignage pour corroborer celui de Mastantuono, qui expliquait ses rencontres avec les frères Joseph et Anthony Stassi, qui étaient parmi les principaux accusés. En 1976, les éditions de l'Homme ont publié l'histoire sous le titre de *Mastantuono*. Le trafiquant m'avait raconté sa version des faits et j'y avais ajouté des informations provenant des documents officiels soumis aux tribunaux, en plus d'informations que j'avais recueillies. Ce volume a été durant plusieurs semaines sur la liste des best-sellers des librairies québécoises.

En mars 1976, Danielle Ouimet s'en tirait avec une sentence suspendue et une période de probation de cinq ans.

Les mafiosi new-yorkais de la famille Gambino qui achetaient la drogue écopèrent de peines de vingt-cinq et trente ans de pénitencier, en plus d'amendes de deux cent soixante mille dollars. Michel Mastantuono a obtenu une nouvelle identité et s'est installé quelque part aux États-Unis. Personne n'a entendu parler de lui depuis.

*

Ma collaboration avec Jean-Pierre Charbonneau n'a pas été marquée que par des succès. Entre février et septembre 1976, nous avons travaillé ensemble à quelques enquêtes sur le crime organisé avant que Jean-Pierre n'abandonne définitivement le métier de journaliste pour entrer dans le monde de la politique.

En 1970, alors qu'il était stagiaire à *La Presse*, nous avons écrit une longue série d'articles sur le monde interlope du Québec. Les lecteurs ne l'ont jamais vue dans les pages du quotidien car il s'agissait d'articles beaucoup trop théoriques qui étaient l'œuvre de jeunes journalistes inexpérimentés. Toutefois, une deuxième recherche effectuée au début de 1976, à *La Presse*, constituait véritablement du bon travail. Nous avions enquêté sur les activités à Montréal d'un des rois de la pègre parisienne qui cherchait alors à y investir des millions de dollars dans l'immobilier. Nous en étions à notre première véritable aventure commune, ayant depuis quelques années été de féroces compétiteurs alors que Jean-Pierre était mon vis-à-vis à la rédaction du *Devoir*. Nos patrons trouvaient que les reportages étaient trop risqués, trop tendancieux.

Cependant, dans les mois qui ont suivi, les journaux et périodiques français ont largement diffusé toutes les informations que nous avions colligées plusieurs mois auparavant. Ironie du sort, en 1991, on reparla de cette saga concernant la pègre française lorsqu'un homme d'affaires lié à la famille Zemmour a tenté de racheter de la faillite la chaîne de magasins Pascal.

Gilbert Max Zemmour, qui s'était réfugié à Miami, a été assassiné le 28 juillet 1983. Il était la trente-neuvième victime d'une sanglante guerre de gangs déclenchée à la suite de frictions internes avec ses employés ou associés. Aucun de ces règlements de comptes n'a donné lieu à des accusations devant la justice. Quatre des cinq frères Zemmour, natifs de Sétif, en Algérie, sont morts sous les balles en France depuis leur arrivée dans le milieu en 1955. Gilbert Max, qui, à une certaine époque, était devenu le porte-parole de la famille pour les médias, a toujours maintenu que celle-ci était victime de calomnies policières. L'histoire de cette famille criminelle a fait l'objet d'un film, *Le Grand Pardon*, mettant en vedette le comédien français Roger Hanin dans le rôle du chef du clan des Bettoun. Dans le film, la famille fictive avait les mêmes activités de financement que les fameux Zemmour, la bande des Z comme les appelaient les Parisiens.

C'est dans le racket de la protection que cette famille s'est fait connaître, d'abord auprès des commerçants juifs du quartier du Sentier et du faubourg Montmartre. Avec le temps, la bande de Pieds-Noirs en vint à compter pas moins de deux cents membres, y compris ce que les policiers français qualifiaient de « seconds couteaux » et de « troisièmes gâchettes ». C'est lors d'une fusillade avec des policiers au bar *Le Thélème*, boulevard Saint-Germain, le 28 février 1975, que le vent a tourné pour les Zemmour. Un policier a été blessé, tandis qu'un Zemmour, William, a été tué, son frère Edgar, grièvement blessé, et leur oncle Edmond, également blessé. Une équipe de policiers de la brigade anti-gang s'était amenée au bar pour interrompre une réunion de famille. Les Z, toutefois, auraient cru qu'il s'agissait d'une attaque de leurs ennemis.

Une semaine plus tard, Gilbert Max Zemmour, qui venait de s'installer à Montréal, était refoulé à la frontière alors qu'il revenait de Miami, où il avait acheté un appartement dispendieux. Le Canada lui reprochait de ne pas avoir respecté les conditions de son permis de résidence temporaire. Il avait loué un appartement pour trois ans et avait pris des engagements à long terme, y compris d'amener sa famille avec lui, alors qu'il ne devait séjourner chez nous que durant quelques mois.

C'est après cette expulsion forcée que nous avons eu vent des déboires du pégriot français tant à Montréal qu'à sa base d'affaires dans les quartiers chauds de Paris et ailleurs en Europe. Car, après ses débuts à Montmartre, la famille des Z avait drôlement progressé et agrandi son réseau d'influence. Après avoir contrôlé plusieurs prostituées, les frères et leurs hommes de main exploitaient des commerces divers liés à l'industrie du sexe, en plus de posséder des cabarets gérés par des prête-noms. Ils avaient aussi entrepris des affaires immobilières.

À son arrivée au Canada, en 1974, Zemmour et son associé Paul Bacry ont déclaré que leur fortune provenait d'héritages. Zemmour a révélé plus tard que l'argent provenait du Maroc, sans vouloir fournir trop de détails. À Montréal, Gilbert Zemmour et ses associés ont réussi à acheter une série d'immeubles et à lancer trois projets majeurs de construction. Ils avaient, disait-on, une somme de cinq millions de dollars à la banque et des garanties importantes de banques de Suisse. Je me suis rendu sur Pine Tree Drive, à Miami Beach, pour tenter d'obtenir de Zemmour des explications et des renseignements. Il a refusé toute entrevue et il n'y avait absolument pas moyen de lui faire changer d'idée.

Un policier français, le commissaire Roger Le Taillanter, écrivit après avoir pris sa retraite que les Zemmour avaient toujours refusé de s'impliquer dans le trafic de la drogue, « par respect pour leurs enfants », selon l'ex-patron de la brigade antidrogue. Dans un livre paru en 1986 aux éditions Julliard sous le titre *Les Derniers Seigneurs de la pègre*, le policier expliquait comment les Z avaient voulu implanter à Paris un système semblable à celui utilisé par les parrains de la Mafia. Ils rêvaient de régner en maîtres absolus sur le milieu français. Leur appétit était peut-être trop vorace, ce qui leur a valu beaucoup d'adversaires et d'ennemis.

6

Une forte compétition

Même lorsque nous sommes plusieurs journalistes à travailler sur une affaire, il y a presque toujours moyen de faire bande à part. Je l'ai déjà dit et répété : je ne suis jamais satisfait de mon travail à moins d'en avoir obtenu plus que mes collègues. C'est là un défi à moi-même qui m'aide à trouver encore aujourd'hui une réelle satisfaction à effectuer mon travail. J'aime fouiller des dossiers mais, même si je déteste les conférences de presse, je veux bien les couvrir puisque je n'ai pas le choix, mais le moins souvent possible.

En fait, nous, journalistes, sommes devenus des figurants pour les réseaux d'information continue. Bien souvent, les divers organismes attendent le signal de départ de leur conférence de presse du réalisateur de la chaîne RDI. Alors commence la série de questions souvent insipides de journalistes qui aiment s'entendre ou se voir à la télévision. Pour ma part, j'évite le plus possible de poser des questions.

J'ai déjà obtenu une exclusivité lors d'une conférence de presse de la Gendarmerie royale du Canada concernant une importante saisie de drogue en Nouvelle-Écosse. L'officier qui expliquait les détails de l'intervention policière parla d'infiltration au passage en racontant comment l'enquête s'était déroulée, mais pas un seul journaliste ne releva ce détail majeur. À l'écart des collègues, j'ai discrètement posé les bonnes questions et découvert qu'un homme de confiance des trafiquants travaillait pour la police. Il était devenu agent source, ce qui, dans le langage policier, désigne un criminel qui va témoigner éventuellement. Un informateur, d'autre part, est celui qui fournit des informations mais dont l'identité sera jalousement gardée secrète par la police. Le lendemain de cette fameuse conférence de presse tenue à Montréal, ma nouvelle, qui avait été retransmise sur les fils de presse, faisait la manchette ailleurs au pays.

Une autre fois où j'ai eu l'avantage sur mes collègues remonte à septembre 1975. C'était une époque où les journalistes devaient travailler fort pour savoir ce qui se passait dans les brigades de police, car les forces de l'ordre ne faisaient pas encore une utilisation intensive des services de relations publiques. Lors d'une opération majeure, la GRC a fini par accepter les demandes répétées des journalistes qui suivaient de près les enquêtes de la brigade montréalaise des stupéfiants. Frank Roach, de la CBC, Jean-Pierre Charbonneau, du *Devoir*, et moi, reporter à *La Presse*, avons été invités à suivre les dernières heures d'une grosse enquête.

L'opération Zapata était menée depuis des mois. Des enquêteurs avaient suivi les trafiquants en Espagne et au Maroc dans leurs démarches pour l'importation de sept cents kilos de haschisch, une grosse quantité pour l'époque. Le dossier était complet avant même que la drogue n'arrive au port de Montréal. Les policiers avaient accumulé suffisamment de preuves pour inculper vingt-cinq personnes, dont un directeur d'école, un fonctionnaire provincial, et aussi un agent de la Sûreté du Québec qui agissait comme spécialiste de la contre-surveillance. Il devait découvrir si la police était aux trousses des trafiquants.

Donc, durant deux jours, nous avons suivi toutes les opérations de filature de la police à partir du port de Montréal. Ce qui devait se conclure en quelques heures a pris deux jours. Notre ami de la télévision a alors décidé de laisser un cameraman à sa place, tandis que mon copain Charbonneau, coincé par le temps, n'a rapporté que l'officiel de la saisie policière. Pour ma part, j'ai raconté en long et en large comment les policiers s'y étaient pris pour filer les trafiquants, comment ils avaient installé des microphones dans le véhicule récréatif où la drogue avait été dissimulée, dans une cachette fabriquée à l'intérieur du réservoir d'essence ainsi que dans les murs du véhicule.

C'était une des rares fois où la police avait accepté d'inclure des journalistes dans une grosse enquête. Nous étions véritablement aux premières loges. J'avais décidé de suivre l'équipe qui avait été postée à l'arrière du petit entrepôt de Saint-Eustache où les trafiquants avaient établi leur quartier général. Les trafiquants n'avaient même pas eu le temps de lever les bras en l'air que j'avais déjà pris quelques photos.

Les gens qui ne sont pas du métier me demandent souvent comment un journaliste qui a écrit pour *La Presse* peut-il « s'habituer » ensuite au style du *Journal de Montréal*. Ils sont toujours surpris d'apprendre qu'il n'y a entre les deux quotidiens aucune différence ni dans la cueillette ni dans l'écriture des nouvelles. Ce qui est différent, c'est le traitement accordé aux articles. Au quotidien de la rue Saint-Jacques, j'écrivais un long texte accompagné de plusieurs photos. Au *Journal de Montréal*, j'aurais écrit les mêmes informations mais dans un long texte principal et deux textes secondaires, ce qui permet une mise en pages différente.

Je me souviens bien de mon ami Charbonneau qui pestait devant la lenteur de la fin de l'enquête. Plus l'heure avançait, moins il ne lui restait de temps pour écrire son papier, car l'heure de tombée du *Devoir* était vers 21 heures.

Mais c'étaient les trafiquants qui devaient donner le signal de l'intervention des agents. Ils avaient annoncé fièrement qu'ils ouvriraient une bouteille de champagne lorsqu'ils sortiraient le premier sachet de drogue de sa cachette. Ils ont eu beaucoup de difficulté à retirer le réservoir de sous le véhicule. Durant près de deux heures, grâce au microphone-espion, nous avons pu les entendre peiner.

Puis, soudainement, les policiers ont entendu le bruit familier d'un bouchon de champagne qui saute. C'était le moment choisi pour capturer les délinquants.

*

Il n'y a pas que les criminels qui sont amenés en prison. Même les journalistes peuvent goûter à cette médecine. C'est ce qui m'est arrivé à Palerme, en Sicile, en mai 1996. Mon crime : j'avais pris des photos de l'extérieur de la prison d'Ucciardone, un immeuble vieux de huit siècles situé en plein centre de la capitale de l'île. Heureusement que j'avais pu sauver mon négatif, car pour un journaliste c'est une question de principe : personne, absolument personne ne doit lui indiquer quelle photo prendre ou ne pas prendre. À moins que la loi ne nous l'interdise. C'était le cas en Italie, où il faut apparemment des permissions nombreuses pour photographier les propriétés de l'État ou même ses fonctionnaires.

Je ne me suis même pas rendu compte de la commotion que j'avais créée chez les gardiens des portes de l'auguste maison carcérale ainsi que chez les militaires fort nombreux postés sur les trottoirs extérieurs. Je suis entré dans l'église située de l'autre côté de la rue, juste en face de la porte principale de l'immense pénitencier. Le curé m'a reçu à bras ouverts. Les Italiens ont la réputation d'être volubiles, mais le curé Paolo Turturo était particulièrement loquace. Il me révéla d'abord qu'il était le cousin du comédien John Turturo, connu autant en Italie qu'aux États-Unis. Le prêtre, un ancien boxeur alors âgé de cinquante ans, n'avait pas froid aux yeux. Il organisait des manifestations avec des enfants devant la façade de la prison pour contester et dénoncer la Mafia, ce qui lui avait valu le dépôt d'une bombe à la porte de sa sacristie.

Le bon curé n'a pas hésité à aider le journaliste lorsqu'un jeune paroissien est venu lui dire que des soldats entouraient l'église et attendaient un photographe à sa sortie.

Le prêtre m'a demandé si j'avais pris des photos des militaires ou de la prison. Il m'invita à lui laisser mon négatif. J'ai alors placé une pellicule vierge dans l'appareil. Lorsque j'ai quitté l'église, les militaires m'attendaient pour m'escorter jusqu'au patron de la prison car j'étais bel et bien soupçonné d'avoir pris des clichés illicites. J'ai trouvé l'événement plutôt amusant, mais non mon chauffeur-interprète, qui avait été laissé en plan sur le trottoir.

À l'intérieur, les gardiens s'amusaient de ma présence. Avec mon italien et leur français ou leur anglais approximatifs, nous avons eu un plaisir fou à discuter. Le plus ironique, c'est que j'avais fait des démarches afin d'aller visiter cette prison et surtout deux criminels montréalais qui s'y trouvaient. C'est dans cette prison qu'on a construit une section toute neuve pour y tenir le maxiprocès de Palerme. On peut accueillir quatre cents accusés en même temps dans le fameux bunker tout neuf. C'est là que Tomasso Buscetta, l'un des plus importants mafiosi à se mettre à table, a témoigné contre ses anciens amis.

J'ai passé deux heures à attendre un procès-verbal de la saisie de ma pellicule... vierge. Deux heures où j'ai entrevu une partie de la vie de la prison à travers le quartier des gardes, le va-et-vient des détenus et de leurs visiteurs. Une prison, c'est une prison, même si elle a été construite au XIe siècle. Il y a un mur qui est au centre de la vie des prisonniers, comme à Bordeaux, à Saint-Vincent-de-Paul ou à Donnacona.

Ma visite en Sicile m'a conduit sur les traces des organisations criminelles actives au Canada. J'ai rencontré des policiers et des juges italiens, qui commençaient à peine à entrevoir de grands succès contre la pieuvre criminelle aux tentacules qui commençaient à raccourcir. Depuis, des dizaines de criminels notoires sont devenus des *pentiti*, des repentis, des « balances » comme on dit en France ou des délateurs comme on les appelle simplement chez nous. Lors de cette enquête sur les activités de la Mafia entre la Sicile et Montréal, j'ai obtenu beaucoup de nouveaux éléments sur la carrière des membres de la famille des Caruana et des Cuntrera, un groupe quasi indépendant qui s'est hissé au premier plan du trafic international des drogues et du blanchiment d'argent. Alfonso Caruana, le chef du clan, était alors recherché partout dans le monde à la suite d'une condamnation à Palerme.

Il se ferait coffrer plus tard avec ses frères en voulant reprendre ses activités de trafiquant entre Montréal, Toronto, le Mexique et le Venezuela. Les Caruana-Cuntrera sont toujours une famille intimement liée à celle de Nicolo Rizzuto, le parrain des parrains du Canada, qui y gère les activités des « hommes d'honneur ».

J'ai eu la chance d'interroger Alfonso quelques mois plus tard. Il avait été convoqué devant un juge à Montréal et, dans le corridor, je l'ai suivi jusqu'à l'ascenseur pour tenter de lui arracher des réponses à une longue série de questions. Le mafioso n'a jamais bronché. Il avait toujours un regard impassible et pas un mot n'est sorti de sa bouche. Il n'a même pas paru choqué lorsque certaines questions embêtantes lui ont été posées. Plus tard, lorsque les agents de la brigade spéciale du crime organisé de Toronto ont mis sur pied le projet Omerta afin de tenter de le prendre en défaut, ils ont constaté que le mot « omerta » avait toute sa signification avec Alfonso Caruana.

Un an après ma longue enquête sur la Mafia en Sicile, je me suis dirigé vers l'Asie pour compléter cette enquête sur le trafic international des drogues. J'ai rencontré quelques Canadiens qui vivaient dans l'enfer des prisons thaïlandaises et, au Pakistan, quelques policiers canadiens en poste là-bas pour une agence de l'Organisation des Nations unies (ONU). J'ai pu aussi observer de près les horreurs de la guerre civile en Afghanistan.

Alain Olivier était un consommateur d'héroïne et il avait déjà effectué un voyage en Thaïlande comme messager pour un trafiquant d'héroïne québécois. C'était du commerce sur une petite échelle, servant à ces individus en partie à survivre et à payer leur drogue, qui était fort coûteuse

Devant un panneau de circulation percé par de nombreux projectiles
d'arme à feu, à Corleone, en Sicile, un des hauts lieux de la Mafia.

En reportage en Asie, à la recherche d'informations
sur les trafiquants de drogue.

ici. À cette époque, il n'était pas rare pour les consommateurs de se rendre eux-mêmes en Asie pour s'expédier directement au Canada, via la poste royale, quelques onces d'héroïne dans des enveloppes bien ordinaires. La loi canadienne leur facilitait la tâche puisque les douaniers et les policiers n'avaient pas le droit d'ouvrir eux-mêmes le courrier de première classe.

Olivier, un petit gars de Drummondville, n'a pas eu de chance à son dernier voyage puisque celui qu'il croyait être un ami était en fait un informateur de la GRC en Colombie-Britannique. Lui qui se disait capable d'acheter et d'importer de grosses quantités de drogue s'est retrouvé à quémander de la drogue dans tous les endroits connus des *pushers* de la ville de Chiang Mai, dans le nord de la Thaïlande. Mais il n'a pu trouver qu'un kilo pour son acheteur, qui était en fait un agent secret de la brigade des stupéfiants de la GRC à Vancouver. La transaction a tourné au drame. L'acheteur et le vendeur de drogue se sont mis à se quereller dans la boîte arrière d'une camionnette. Lorsque les policiers sont intervenus, le conducteur a démarré en trombe, projetant l'agent secret canadien sur le pavé. Il est mort sur le coup.

En prison, Olivier a soutenu que le policier était mort d'un coup de feu tiré par ses propres collègues, ce qui, de toute façon, ne changeait rien à son sort, puisque c'était la peine capitale qu'il risquait lors de son arrestation. Sa peine a été commuée en emprisonnement à vie et c'est un être déçu, amer, que j'ai brièvement rencontré dans le quartier des visiteurs de la prison de Bangkwang. Les cellules où les prisonniers étaient amenés pour y rencontrer leurs visiteurs étaient situées juste à côté d'un magnifique jardin de fleurs et d'arbustes. C'était bien le seul endroit magnifique dans cette immense prison, d'après Olivier. À travers deux grillages, le Québécois m'a raconté les difficultés de la vie de détenu. Il disait que les prisons canadiennes étaient des palaces en comparaison des cellules de Bangkwang. Il n'avait même pas droit à un lit et devait dormir à même le sol. Après huit ans de réclusion, le jeune homme était devenu révolté contre les policiers qui l'avaient entraîné dans un piège.

Ses comparses du Québec, aussi impliqués que lui et même plus, avaient depuis longtemps bénéficié d'une libération conditionnelle. Mais lui a dû attendre encore plusieurs mois avant d'être transféré au Canada pour y finir de purger sa peine grâce à un programme d'échange de prisonniers. En fait, il a presque immédiatement été transféré dans une maison de transition, puis a été mis en liberté surveillée.

J'ai trouvé aussi à Peshawar, au Pakistan, le principal fournisseur de haschisch des grosses organisations criminelles de Montréal. Rehmat Shaw Afridi n'était pas seulement un gros fournisseur de drogue, mais aussi l'éditeur du principal journal de l'endroit, *The Frontier Post*. Cette ville située à la frontière la plus dangereuse du monde et où tout peut s'acheter, du canon à l'arme de poing, comporte le marché le plus risqué de toute la région. Afridi a tout simplement refusé de me voir. Toutefois, il parlait régulièrement aux gros importateurs de drogue de Montréal. Son nom figure toujours sur la liste des accusés dans au moins deux affaires d'importation de stupéfiants toujours en attente de procédure en Cour du Québec, à Montréal.

Durant cette enquête en Asie, j'ai eu l'occasion d'aller dans les coins les plus chauds de Thaïlande. J'ai même visité un véritable bordel, que j'ai décrit en long et en large à mes lecteurs. Toutefois, je n'y ai consommé qu'une bière. Un de mes amis m'a fait le commentaire suivant après la lecture de mon reportage : « Ou bien tu es niaiseux ou bien tu es un sacré menteur ! » J'ai pourtant écrit seulement la vérité.

7

De bons moments de télévision

J'ai toujours préféré le journalisme écrit, mais, à l'occasion, j'ai énormément aimé travailler avec des collègues de la télévision. J'ai même eu beaucoup de satisfaction à faire partie, durant cinq ans, de l'équipe de l'émission d'affaires publiques *the fifth estate* du réseau anglais de Radio-Canada.

C'est en 1975 que j'ai connu ma première expérience de télévision, alors que Les Neremberg et Brian McKenna, de la CBC, m'ont demandé de participer à la recherche pour un documentaire à la suite du décès de Richard Blass. Il s'agissait de repérer les compagnons d'école du desperado québécois et de montrer la différence entre ceux qui avaient mené une vie criminelle et ceux qui étaient devenus des personnes plus utiles à la société. Mais la recherche était difficile car la plupart des personnes qui avaient connu Blass en bas âge étaient soit en prison ou décédées de mort violente. Il y avait, bien sûr, les proches du bandit qui acceptaient de parler de lui, mais les rares autres personnes qui l'avaient connu refusaient de paraître à la télévision.

Les réalisateurs décidèrent de réorienter leur production, vu les pépins rencontrés. C'est ainsi que le reportage sur Blass est devenu une série de trois émissions d'une heure, sur le crime désorganisé, sur le crime mal organisé et, enfin, sur le crime organisé. Pour la première fois au Canada, une équipe de télévision filmerait des criminels à leur insu. Notre projet était ambitieux car nous voulions suivre à la trace nul autre que le grand patron de la Mafia au Canada : Vincent Cotroni.

Nous croyions que la filature des gros mafiosi serait compliquée, mais la réalité a été plutôt amusante. Cotroni aurait collaboré avec nous que notre travail n'aurait pas été plus facile. En fait, M. Vic, comme certains l'appelaient, avait beaucoup de difficulté à voir, ce qui le rendait très prudent au volant de sa Cadillac dernier modèle. Ce fut donc pratiquement un jeu d'enfant que de le suivre et de le filmer avec une caméra cachée à bord d'une banale camionnette. C'est ainsi que nous avons pu capter sur film quelques-unes des rencontres du grand patron avec ses collaborateurs.

Pour le document sur Blass, nous avons pu réunir des amis du jeune Montréalais, qui ont accepté de raconter l'envers de la personnalité du criminel. Une des entrevues de l'émission fut tournée dans un cabaret alors inoccupé de la rue Sainte-Catherine. Le fameux *Club 281* est devenu depuis un endroit couru par beaucoup de femmes en visite à Montréal car ce fut le premier bar de danseurs nus à exister au Canada. Quant à notre émission intitulée *Settling Accounts* («Règlements de comptes»), elle a permis à l'équipe de remporter un prix Anik pour le meilleur documentaire présenté à la télévision d'État en 1975.

Deux ans plus tard, c'est une équipe de producteurs de Toronto qui a fait appel à mes services pour participer à une série de documentaires sur le crime organisé au Canada. C'était la deuxième série appelée *Connections* que la CBC entreprenait. En 1976, une première enquête semblable avait fait sensation lors de sa diffusion, et, avec la reprise ambitieuse du projet, la série allait battre des records de côte d'écoute.

Durant plus d'un an, avec les réalisateurs William Macadam et Martyn Burke et mon collègue recherchiste James Dubro, j'ai relevé la trace des plus grands criminels du pays et inventé de nouvelles techniques pour démontrer la présence du crime organisé au Canada, présence à laquelle plusieurs politiciens ne voulaient pas croire. « Il n'y a pas de pègre en Ontario », répétait souvent le solliciteur général de l'Ontario, M. Allan Lawrence.

L'équipe travaillait dans le plus grand secret, dans des bureaux loués à l'extérieur des locaux habituels de la société d'État. Le projet avait pour nom de code « Commerce ». Toutefois, c'étaient de bien drôles de commerces que nous examinions. Nous avons fait près de deux mille entrevues et tourné une trentaine de milliers de mètres de film, soit cinquante heures d'images, dans tout le Canada, aux États-Unis et en Europe.

Nous avons engagé un ancien criminel du nom de Frank Angelo pour monter une opération d'agent secret contre des criminels. Notre homme se proposait de vendre des obligations volées à de gros bonnets du milieu tandis que notre équipe enregistrerait et filmerait la scène dans un hôtel de Vancouver. Nous avons aussi exposé les activités de la pègre dans le racket de la protection, la fraude. Montréal était évidemment au centre de plusieurs des reportages. On y montrait notamment comment une bande de jeunes motards récemment affiliée aux Hells Angels s'apprêtait à éliminer toute compétition dans la région de Montréal. J'y reviendrai plus loin...

C'est au cours de cette recherche que j'ai contacté un motard québécois pour lui demander de m'aider à retrouver cinq jeunes qui étaient disparus depuis quelques années. Je savais, par des sources du milieu criminel et du milieu policier, que Guy Filion avait été mêlé à cet enlèvement, survenu dans le quartier de Rosemont le 5 juin 1975. Plusieurs disaient que Filion et un de ses hommes de main, Gilles Forget, avaient assassiné les jeunes et les avaient enterrés dans les environs de Terrebonne.

Filion était un des dirigeants des Devil's Disciples, l'une des trois bandes les plus actives au Québec dans les années 70. À la suite de disputes internes relatives au partage des profits de transactions de drogue, la guerre avait éclaté au sein de la bande. Des attentats à la mitraillette et des attaques à la bombe avaient déchiré la famille des Devil's, laissant plusieurs cadavres. Filion, lui, avait survécu à ses anciens amis. Une semaine après l'enlèvement des cinq jeunes dans une brasserie de la rue d'Iberville pour des raisons plutôt obscures, un des auteurs de l'enlèvement avait été assassiné dans la même brasserie, en compagnie de Pierre « Napo » Saint-Jean, un autre motard de la bande. J'ai décidé de tenter ma chance auprès de Filion et de son frère Raymond, qui était son associé.

Je n'arrivais pas à retrouver Guy Filion, qui se cachait depuis que sa compagne avait été tuée alors que les assassins voulaient l'abattre. Je suis allé voir Raymond Filion chez lui, boulevard Sainte-Rose, dans le quartier du même nom, à Laval. J'étais plutôt nerveux lorsque j'ai frappé à la porte de sa résidence. D'un ton bourru, le costaud m'a demandé pourquoi j'étais là. J'avais décidé de l'aborder sous l'angle de la tranquillité des familles des jeunes disparus. Je lui ai raconté que j'avais appris qu'il pourrait me mettre en contact avec des individus qui seraient en mesure de dire où les cinq jeunes avaient été enterrés, ou encore transmettre un message à ces individus. Les parents de ces jeunes seraient sûrement soulagés de retrouver les restes de leurs enfants, car il n'y a rien de pire en de telles circonstances que d'être dans l'incertitude.

Filion m'a regardé d'un air incrédule. « Pourquoi tu me demandes ça ? a-t-il répliqué. Je ne sais absolument rien de toute cette histoire. Travailles-tu pour la police ? T'es pas sérieux de me poser de telles questions. » J'ai bien essayé de le convaincre que tout ce que j'espérais, c'était qu'il passe le mot dans le milieu. Si quelqu'un était courant de certains faits, possédait certaines informations, je serais heureux de tenter d'aider les familles. Non seulement cette aide aux familles était-elle ma préoccupation première, mais il est évident qu'une telle découverte aurait aussi défrayé la chronique. J'ai quitté la résidence de Filion après quelques minutes de discussion, sans vraiment espérer de résultat concret. J'avais malheureusement raison. Personne ne m'a jamais contacté pour me dévoiler les circonstances ni le lieu de la sépulture des cinq jeunes clients de la brasserie.

Le 14 août 1983, Guy Filion a été abattu dans un restaurant de la rue Saint-Hubert. Son assassin n'a jamais été inquiété. Filion a fini ses jours dans le quartier où il avait grandi. Il a connu une carrière bien différente de celle de deux de ses voisins immédiats, Jean Ostiguy et Richard McGinnis. Ceux-ci ont fait une brillante carrière dans la police. Ostiguy a pris sa retraite avec le grade d'inspecteur-chef tandis que McGinnis s'est rendu jusqu'au poste de directeur adjoint, responsable des enquêtes criminelles. Les deux policiers ont souvent eu à enquêter sur leurs ex-confrères de la petite école du quartier de Villeray. Chacun son boulot!

Le 10 octobre 1983, Raymond Filion a été tué devant sa résidence de Sainte-Rose par Yves « Apache » Trudeau, des Hells Angels, le pire tueur que le Canada ait jamais connu. C'est Trudeau lui-même qui a avoué ce meurtre lorsqu'il s'est mis à table en 1985.

Dans le cadre du même reportage, j'ai aussi rencontré Georges Lemay, l'un des criminels canadiens les plus connus. Lemay est aujourd'hui un retraité, un collectionneur de timbres. Tout comme moi, il est né à Shawinigan. À l'époque du reportage, toutefois, il était très actif dans le monde criminel montréalais. Il s'occupait de monter un laboratoire de PEC, une drogue chimique fort dangereuse pour la santé. Durant trois mois, les policiers de la Gendarmerie royale du Canada ont eu Lemay à l'œil de façon constante. C'est durant cette même période que j'ai pris contact avec le célèbre Montréalais pour lui parler de son coup le plus spectaculaire, soit le cambriolage de la chambre forte d'une banque.

Le 1er juillet 1961, à la tête d'une bande d'astucieux cambrioleurs, Lemay avait dévalisé les coffres d'une succursale de la Banque de Nouvelle-Écosse, rue Sainte-Catherine, s'emparant de bijoux, de documents de grande valeur et d'une fortune en argent comptant. Le butin était fabuleux, mais personne n'en a jamais su la valeur réelle. Dans ce quartier où plusieurs industriels s'affairaient, la rumeur publique voulait qu'ils aient à leur disposition beaucoup d'argent liquide à l'abri des regards inquisiteurs du fisc.

Lemay s'amusait de mes questions. Il était toujours prêt à dévoiler des choses importantes, mais savait s'arrêter sans avoir rien dit. Il avait été trouvé coupable du vol et avait purgé sa peine. C'est d'ailleurs en prison que j'avais établi mon premier contact avec lui. Il avait consenti à m'accorder une entrevue sur les circonstances du vol. C'était un conteur-né. Il m'a confié, par exemple, qu'un seul casier avait été laissé intact. En fait, disait-il, les voleurs avaient découvert dans un coffre, avec d'importantes valeurs, des dessous féminins. Ils avaient pris l'argent et laissé les petites culottes roses à leur place…

Officiellement, le vol commis le 1er juillet 1961 avait rapporté cinq cent vingt-huit mille dollars à ses auteurs, qui avaient travaillé d'arrache-pied pour percer un tunnel et se rendre dans la chambre forte à partir d'un immeuble voisin. La rumeur publique et les gens bien informés parlaient d'un butin d'environ cinq millions de dollars. Ce n'est que cinq ans après le vol que Lemay a pu être repéré en Floride. Il vivait à Fort Lauderdale avec sa nouvelle femme et son enfant, sur un luxueux yacht. Il a fallu la diffusion de sa photographie lors de la première transmission d'images par le satellite *Early Bird* pour que la police puisse enfin lui mettre la main au collet.

Lemay a toujours étonné par son audace et son cabotinage. Lui qui avait eu toutes les polices de Floride à ses trousses en 1952 lors de la disparition mystérieuse de sa première femme près de Tom Harbor, dans le sud de l'État, avait justement choisi la même région pour s'y cacher. La disparition d'Huguette Daoust, la sœur du criminaliste, avait fait jaser durant des années. D'après Lemay, sa femme était allée chercher des vêtements dans la voiture alors qu'il était sur un quai. Elle n'a jamais été revue depuis.

Lemay blaguait avec le journaliste quelque trente ans plus tard en expliquant que les requins prenaient facilement des habitudes. «Tu les nourris tous les jours avec de la viande crue et ils t'attendent le lendemain à la même heure au même endroit», disait-il avec un sourire. «Y a-t-il un lien à faire avec la disparition de ta femme?» lui ai-je demandé. «Bien sûr que non!» a-t-il répondu, toujours avec le sourire.

Incarcéré à la prison du comté de Dade après son arrestation du 6 mai 1965, Lemay, a-t-on dit, s'était évadé en sortant par une fenêtre du septième étage pour se laisser descendre jusqu'au sol à l'aide d'un câble téléphonique. Cependant, lors de nos entretiens, Lemay disait plutôt qu'une grosse somme d'argent lui avait permis de sortir de la prison par la grande porte. C'est finalement le 19 août 1966 que le couple avait été arrêté à Las Vegas.

Après un procès spectaculaire, Lemay a écopé de huit ans de prison en 1969 pour le cambriolage des trois cent soixante-dix-sept coffrets de sûreté. Plus tard, il fut aussi inculpé pour meurtre, mais fut acquitté. Il fut ensuite condamné à huit ans de pénitencier en 1979 pour son laboratoire de drogues. La dernière fois que je l'ai vu, c'était lors de son arrestation pour ce laboratoire, installé à Rivière-des-Prairies. Il avait perdu temporairement son sourire et il a même tenté de se cacher le visage avec les mains. Toutefois, cette manœuvre a plutôt donné une superphoto à mon collègue Robert Nadon, de *La Presse*. Informé de l'arrestation, je m'étais rendu avec Nadon à Rivière-des-Prairies. Lemay, assis dans la voiture de police, a répondu en blaguant à quelques questions.

Ce n'est que beaucoup plus tard que Lemay a appris comment il avait été piégé par la police. Lui qui utilisait des ruses de Sioux pour tenter de déjouer la surveillance policière avait installé son laboratoire de drogue juste en face d'un commerce appartenant aux frères Violi, de la Mafia. C'est tout à fait par hasard qu'une équipe de surveillance de la police de Montréal avait découvert Lemay dans la 4e Avenue alors qu'elle épiait les allées et venues d'un criminel italien apparenté aux Violi et qui était mêlé à l'enlèvement du petit-fils du milliardaire américain J. Paul Getty, à qui on avait réclamé une rançon de plusieurs millions de dollars. Sérieux, les ravisseurs avaient envoyé une oreille de leur otage à sa famille. Lemay aurait dû choisir un endroit plus discret pour installer ses fioles.

*

En 1979, j'ai décidé de vivre de nouvelles expériences et de réorienter ma carrière. La salle de rédaction de *La Presse*, après plus d'un an d'absence pour l'expérience *Connections* à Toronto, me paraissait plutôt terne. L'équipe se remettait difficilement de la longue grève de huit mois et la direction était déçue de la façon dont le conflit avait été réglé. L'entreprise a alors offert des primes de séparation à tous ceux qui voulaient partir. J'ai dû prendre une décision en deux jours. J'avais trente-cinq ans et je me suis dit que je devais examiner d'autres horizons. Je croyais alors que je pouvais transformer un de mes passe-temps en un travail qui deviendrait une partie de mon gagne-pain. C'est ainsi que je me suis retrouvé fermier à Saint-Cuthbert, près de Berthierville. Je croyais alors que ma passion pour les abeilles pourrait me procurer assez d'argent pour vivre et que je pourrais profiter des longs mois d'hiver pour me consacrer à une nouvelle carrière de journaliste pigiste.

Les choses ont tourné autrement. Mon expérience d'apiculteur n'a duré que cinq ans, le temps de réaliser qu'il n'y avait pas de marché au Québec pour une apiculture commerciale. Je suis devenu président des apiculteurs de ma région et secrétaire de la Fédération des apiculteurs du Québec, ce qui m'a donné l'occasion de rencontrer des gens extraordinaires dans tous les coins de la province.

Cette période de ma vie où je travaillais dur physiquement m'a laissé de très bons souvenirs. Un journaliste travaille toujours dans l'abstrait. Le journal du jour n'est plus

J'avais cru que je pourrais faire une nouvelle carrière
comme apiculteur.

En visite dans un centre de désintoxication pour héroïnomanes,
à Rawalpindi, au Pakistan.

que matière à recyclage le lendemain. Le métier d'apiculteur est un métier solitaire. On a le temps de penser. Le travail dans les ruches est un travail de minutie. Les jours d'été ne sont jamais assez longs pour effectuer tous les travaux requis afin que les ruches soient le plus productives possible. La période de récolte est courte et les ruches doivent être à leur pleine force pour que l'on puisse profiter de la récolte.

Un apiculteur doit se promener d'un rucher à l'autre dans la campagne car aujourd'hui les champs sont utilisés pour des grandes cultures qui ne laissent que peu de place aux fleurs des champs. Il faut un excellent sens de l'organisation pour opérer deux cents ruches. Le travail d'apiculteur exige de bonnes qualités d'observation tout comme le travail de journaliste. Chercher la reine et examiner sa production demande que l'on examine la plupart des rayons d'une ruche. Aussi, comme dans le travail de journaliste, il y a des risques. À force de jouer dans la ruche et d'y déranger les abeilles, celles-ci réagissent et attaquent l'intrus avec leur seul moyen de défense : la piqûre.

Le venin d'abeille, dit-on, est un excellent médicament contre l'arthrite. Si c'est le cas, je dois être complètement immunisé contre cette maladie, vu les milliers de piqûres d'abeille que j'ai reçues. Ma vie d'apiculteur était un beau rêve, mais la réalité était très exigeante. Tout en poursuivant l'expérience, je suis vite revenu à ma passion première, ma seule véritable passion d'ailleurs, le journalisme.

Dès le lendemain de l'annonce de mon départ de *La Presse*, j'avais eu une offre de mon collègue Brian McKenna, devenu réalisateur de l'émission *the fifth estate*, à Toronto. Il me demandait si je pouvais consacrer quelques semaines à un projet de recherche sur une affaire de corruption. J'ai immédiatement accepté et ce contrat de six semaines s'est prolongé durant cinq années merveilleuses.

L'émission d'affaires publiques de la Canadian Broadcasting Corporation est la plus vieille du genre au monde. C'est sur cette émission que le réseau américain CBS s'est basé pour créer son fameux *60 minutes*. Mes patrons,

Robin Taylor et Ron Haggart, étaient des professionnels. Haggart était un de ces vieux journalistes au nez fin, un gars capable de mettre des projets complexes en marche et de les mener à bon port. Robin, lui, était le capitaine de ce navire composé de forces diverses. L'équipe était basée à Toronto, tandis que McKenna et moi travaillions à Montréal. Anton Koschany, qui devint plus tard le grand patron de *W-5*, l'émission d'affaires publiques du réseau concurrent CTV, était à Vancouver.

C'est alors que j'ai travaillé avec Mme Adrienne Clarkson, qui est actuellement gouverneur général du Canada. À l'époque, nous l'appelions simplement Adrienne. C'était une travailleuse acharnée, qui savait créer un bon climat dans l'équipe qui l'entourait. Il y avait trois animateurs affectés à l'émission lorsque je me suis joint à l'équipe. Les deux autres étaient Eric Malling et Ian Parker. L'émission comportait habituellement trois segments et les animateurs avaient constamment plusieurs projets en marche avec différents réalisateurs ou délégués. Le contenu des dossiers était préparé et discuté en équipe. Le présentateur effectuait lui-même les grandes entrevues, mais le réalisateur exécutait souvent une partie du reportage en l'absence de l'animateur. C'est ainsi qu'une partie de l'équipe pouvait être à l'autre bout du monde et qu'on pouvait travailler sur deux ou trois dossiers différents.

Mon travail de réalisateur délégué consistait à faire la recherche, à effectuer certaines entrevues et à planifier les prochains tournages. Mon premier véritable dossier découlait d'une recherche entreprise mais non complétée par la Commission d'enquête sur le crime organisé au Québec, la CECO. Les commissaires avaient appris que des gens gravitant dans l'entourage du crime organisé avaient des entrées auprès des dirigeants de la Régie des alcools du Québec pour obtenir des faveurs, placer certains produits sur les tablettes, et aussi pour se graisser la patte dans de grands projets de construction. La CECO avait aussi découvert que les grandes distilleries utilisaient presque toutes un système de contribution politique basé sur un pourcentage de leurs ventes non seulement au Québec mais dans la plupart des provinces canadiennes.

Bien que la CECO eût transmis son rapport au gouvernement du Québec, le solliciteur général de l'époque, M. Fernand Lalonde, avait refusé de dévoiler le contenu du document. J'avais obtenu une copie du fameux rapport et j'en avais fait une série d'articles dans *La Presse* en décembre 1975. Mais les hommes politiques n'avaient pas donné suite aux découvertes de la commission d'enquête, qui comparait à de l'extorsion, un acte criminel, ces pratiques des fournisseurs de l'État de lier leurs contributions aux caisses électorales des partis politiques.

L'équipe de l'émission avait convenu de fouiller les dossiers des Palais de Justice du pays où des policiers avaient poursuivi les enquêtes de la CECO en vue de porter des accusations devant les tribunaux. J'ai alors personnellement fouillé les dossiers des tribunaux du Québec et de l'Ontario, où des perquisitions avaient eu lieu. J'ai découvert une mine de renseignements dans les rapports que devaient faire les policiers au juge qui avait émis le mandat leur permettant d'effectuer des fouilles. Les détectives avaient établi la liste détaillée de tous les chèques qu'ils avaient trouvés lors des fouilles dans les bureaux de presque toutes les distilleries faisant affaire avec les régies d'État qui ont le monopole de la vente des alcools dans les provinces. On pouvait y lire les noms des destinataires des chèques et les montants versés aux caisses électorales. Le parti au pouvoir recevait la majorité des cadeaux, mais les gens de l'opposition n'étaient pas oubliés pour autant, sauf que l'argent dont ils bénéficiaient était beaucoup moindre.

Nous avons alors agi comme des comptables en additionnant et en comparant les montants versés selon les partis politiques qui en avaient bénéficié. Nous avons eu un gros problème à Halifax, où les employés du tribunal refusaient de nous donner accès à des documents publics. Après avoir insisté auprès des fonctionnaires et demandé l'intervention du juge signataire des mandats, j'étais toujours confronté au même refus. J'ai alors fait appel au contentieux de la CBC à Toronto, où Me Danny Henry était pratiquement occupé à plein temps par les problèmes juridiques de notre groupe de fouineurs invétérés. Mais l'avocat expérimenté n'a pas eu plus de succès que moi. Nous avons alors convenu de faire refaire la même démarche que la mienne par un journaliste de la CBC à Halifax, accompagné d'un avocat. Nous voulions, le cas échéant, pouvoir porter cette affaire devant les tribunaux et nous étions prêts à aller jusqu'au bout. Nous avions raison de bien nous préparer, car ce dossier fut porté devant la Cour suprême du Canada, qui nous a donné raison sur toute la ligne.

Cet appel à la Cour suprême fut aussi l'une des déceptions de ma carrière car, même si j'avais été l'artisan de cette contestation, l'arrêt officiel du tribunal qui sert toujours de jurisprudence s'appelle l'arrêt McIntyre, du nom de Linden McIntyre, qui avait fait les démarches officielles après moi. Linden, qui menait déjà une belle carrière, est devenu plus tard l'un des animateurs de la même émission. Malheureusement pour nous, lorsque le tribunal a permis de rendre public le contenu des mandats de perquisition, notre émission avait déjà été diffusée. Toutefois, tous les grands médias ont repris et poursuivi les recherches que nous avions très bien amorcées.

Pour une facette de ce reportage, nous étions allés fouiller du côté de Philadelphie, en Pennsylvanie, où une société d'État faisait affaire avec des compagnies canadiennes. Un des responsables américains s'était mis à courir pour éviter de répondre aux questions de l'animateur, ce qui donne de la bonne télévision mais pas tellement une bonne image du fuyard.

*

Certains dossiers n'aboutissent pas à l'écran, tandis que d'autres prennent des mois avant de se concrétiser. Un dossier pourtant spectaculaire qui ne s'est jamais rendu devant le public fut celui de l'infiltration du milieu de la boxe professionnelle par le crime organisé. J'ai repris ce dossier quelques mois plus tard. Un dossier qui m'a pris beaucoup de temps fut celui de la mise en œuvre d'une entrevue avec un tueur à gages. Il a fallu des mois pour réussir à asseoir Donald Lavoie devant une caméra, mais l'entrevue qu'il a accordée à Hana Gartner fut du jamais vu à la télévision.

C'était en effet la première fois qu'un tueur racontait et avouait des meurtres devant des millions de téléspectateurs. Ce segment de l'émission, intitulé *Hitman*, a eu un énorme succès. Lavoie s'est montré franc et très direct dans ses réponses. Hana n'a pas ménagé le tueur, lui posant des questions incisives, mais Lavoie savait se défendre même devant la caméra. Contrairement à la plupart des bandits, Lavoie n'avait pas demandé de traitement de faveur. Il était face à la caméra. À une question qu'il trouvait trop osée, il a ordonné de tout arrêter, sur un ton qui ne permettait aucune autre option… Mais l'entrevue s'est ensuite poursuivie jusqu'à ce que l'animatrice ait épuisé ses questions.

Les policiers responsables du dossier de Lavoie, qui avait accepté de témoigner contre ses anciens amis du clan des frères Dubois du quartier de Saint-Henri, avaient eux aussi consenti à être interviewés pour l'émission. Richard McGinnis, le contrôleur de Lavoie, et le capitaine détective Julien Giguère, le chef de la brigade antigang de Montréal, ont tous deux soutenu que le tueur avait changé leur vie. « Il ne faut pas oublier les horreurs que ce criminel a commises mais un homme peut changer », disait McGinnis. Il avait raison puisque, près de vingt ans plus tard, Donald Lavoie ne semble pas s'être remis au crime. On dit qu'il mène une vie paisible quelque part dans un endroit que la police ne veut surtout pas révéler. Lors de l'entrevue, Lavoie se disait un être marqué. « Je suis un homme mort », a-t-il confié à Mme Gartner. « J'attends la balle qui va me frapper. J'aimerais pouvoir voir venir cette mort, ajoutait-il, mais je sais que je ne verrai absolument rien. » La vie semble lui avoir donné tort puisqu'il est toujours vivant.

Après la diffusion du reportage, les critiques ont été unanimes à vanter cette réussite journalistique. Personnellement, j'en étais très fier. J'avais consacré presque deux ans à la préparation de ce reportage. J'avais aussi réussi à franchir des barrières, à présenter de l'inédit. La satisfaction de l'équipe a aussi contribué à mon bonheur. Lorsque nous réussissions un coup d'éclat, tous en étaient fiers. Encore récemment, Hana Gartner, qui continue de faire sa marque à la télévision, me disait combien elle espérait réaliser une autre entrevue aussi intense que celle-là. Mais elle souhaitait que, cette fois, ce soit moi qui m'installe devant la caméra... Peut-être qu'un jour elle aura cette occasion.

*

Comme journaliste de la presse écrite, je travaille presque constamment seul, avec la collaboration d'un photographe. C'est à l'époque où j'ai œuvré pour la télévision que j'ai le plus apprécié le travail d'équipe.

Je venais de me joindre à l'équipe de *the fifth estate* lorsqu'un de mes contacts m'a appris que la Gendarmerie royale du Canada enquêtait depuis l'été sur les activités de deux hauts fonctionnaires du Pakistan venus à Montréal pour organiser l'achat de pièces essentielles à la fabrication de la fameuse bombe atomique que ce pays cherchait à construire depuis des années. L'affaire était d'envergure internationale puisqu'elle impliquait des services de renseignements étrangers, le MI-5 des Britanniques et la Central Intelligence Agency des Américains (CIA).

J'appris qu'au Canada ce dossier était mené par le service de sécurité de la Gendarmerie royale du Canada. C'était avant la création de l'agence civile que l'on connaît aujourd'hui sous le nom de Service canadien de renseignements de sécurité (SCRS). Durant deux semaines, soit entre le 7 et le 21 juillet 1980, les agents très secrets de la GRC ont suivi à la trace deux envoyés du Pakistan. MM. Anwar Ali et I. A. Bhatty. Tous deux devaient en principe venir à Montréal pour effectuer du travail consulaire dans les bureaux de la délégation pakistanaise. La filature a démontré que les deux hommes n'avaient jamais mis les pieds dans les bureaux du consulat local, alors installé rue Drummond. Toutefois, grâce à des informations provenant de sources étrangères, des communications des deux diplomates enregistrées à leur insu, de leur filature et de l'enquête, les agents de la GRC savaient très bien ce que les visiteurs étaient venus faire. Comme lors d'autres tentatives semblables dans le monde, les deux envoyés achetaient de façon discrète des pièces essentielles à la mise en place du programme nucléaire militaire de leur pays : la bombe islamique.

Les informations que j'avais obtenues étaient de la dynamite journalistique. J'étais à peu près certain qu'aucun autre journaliste ne pouvait acquérir les secrets policiers que j'avais en main. Nous aurions donc tout le temps voulu pour préparer un grand reportage. Je me souviens que Brian McKenna, mon collègue, était au comble de la joie lorsque je suis revenu d'un rendez-vous ultrasecret avec un de mes bons informateurs. Nous avons aussitôt mis en branle la grosse machine. Ron Haggart aussi sautait de joie. Il affecta Eric Malling comme animateur. Puis, tous trois, nous avons mis en commun tout ce que nous connaissions de cette affaire, de l'histoire du projet pakistanais. Nous avons demandé la collaboration de Virginia Nelson, une experte-recherchiste qui travaillait à Toronto, et nous avons retenu les services en France de Vera Murray, une journaliste canadienne qui suivait les déplacements de son époux Don Murray, correspondant international de Radio-Canada à l'étranger. C'est ainsi qu'en peu de temps nous avons constitué un gros dossier à partir des informations publiées dans les journaux internationaux. Nous avons aussi appris que la BBC, en Angleterre, avait produit un grand reportage sur l'ambitieux projet pakistanais quelques mois auparavant.

L'ancien Premier ministre du Pakistan Ali Bhutto avait déjà écrit que son pays était prêt à tout, même à ne pas manger, pour fabriquer la bombe atomique, la bombe islamique. « S'il y a une bombe hindoue, une bombe juive, une bombe chrétienne, une bombe communiste, pourquoi pas une bombe islamique ? » D'ailleurs cette fameuse bombe était aussi un projet chèrement caressé par la Libye du colonel Muammar al-Kadhafi, qui, croyait-on à l'époque, finançait secrètement le projet de recherche des Pakistanais, trop pauvres pour assumer tous les frais nécessaires à la fabrication de la première bombe nucléaire du monde islamique. Kadhafi croyait, probablement avec raison, que s'il effectuait ces travaux dans son pays les services secrets israéliens ne lui permettraient jamais de compléter les recherches. Tel-Aviv aurait tout fait pour empêcher qu'un de ses voisins dispose de la puissance nucléaire dans son arsenal.

Le projet de la fabrication d'une bombe atomique au Pakistan était dirigé par un scientifique qui avait déjà été expulsé des Pays-Bas, un brillant métallurgiste du nom d'Abdul Qadar Khan, un homme charmant, intelligent et apprécié de ses collègues et voisins. Cet homme avait copié clandestinement, pour lui et son pays, des informations secrètes du laboratoire où il travaillait, à l'intérieur de l'usine de traitement des gaz d'Almelo, près d'Amsterdam. On y produisait de l'uranium enrichi devant être utilisé dans diverses installations nucléaires un peu partout dans le monde. Abdul Qadar Khan n'avait travaillé que dix-sept jours à Almelo, mais il en était reparti avec des informations de grande valeur, dont la liste des principaux fournisseurs étrangers. De retour à Islamabad, il avait créé un service chargé de parcourir le monde avec pour mission d'acheter les pièces manquant à la fabrication des centrifugeuses à gaz essentielles au développement de la bombe. Les deux diplomates pakistanais venus à Montréal et surveillés par la police étaient justement des employés du docteur Abdul Qadar Khan.

Le 15 septembre, la GRC a déposé une seule accusation, en vertu de la Loi des douanes et accises. Nous étions soulagés car la mise en accusation de deux entreprises et de trois citoyens de Montréal est passée complètement inaperçue dans les médias. Une fois la surveillance du service de sécurité amorcée, le dossier a été transféré à la section des enquêtes criminelles de la GRC, puisque la décision avait été prise de déposer des accusations devant le tribunal, ce qui est plutôt exceptionnel quand la sécurité du pays est en cause. Souvent les choses se règlent au niveau diplomatique. Il suffit de l'expulsion d'un ou deux diplomates et le dossier est mis aux archives. Pas cette fois cependant, le Canada considérant que la vente de pièces électroniques pouvant servir à la fabrication d'une bombe atomique était une affaire trop sérieuse pour être classée en douce.

Le Canada s'était déjà fait avoir par l'Inde, qui avait réussi à faire exploser son propre engin atomique le 18 mai 1974. L'Inde avait notamment utilisé la technologie canadienne fournie avec un réacteur Candu, un appareil servant seulement à des fins civiles, pour son projet secret. D'ailleurs, il ne s'agissait peut-être que d'une coïncidence, mais les cinq pays qui avaient acheté des réacteurs canadiens pour produire de l'électricité étaient aussi les mêmes qui étaient alors soupçonnés de s'être lancés dans une course à l'arme atomique. Il s'agissait de l'Inde, du Pakistan, de l'Argentine, de la Corée-du-Sud et de Taiwan.

L'affaire officielle a débuté à Mirabel, le 29 août 1980, lorsque les autorités canadiennes ont saisi un chargement de pièces électroniques destinées à la compagnie Tech Equipment d'Islamabad. Le tout avait une valeur déclarée de cinquante-six mille dollars. Ce n'était pas la seule expédition de pièces du genre à quitter Montréal. La GRC et les douaniers agissaient ce jour-là en vertu de la Loi des douanes, qui interdit d'exporter du Canada des pièces électroniques de ce genre sans avoir obtenu un permis. Certaines catégories de produits, comme les pièces militaires ou les composantes atomiques, ne peuvent être expédiées du Canada sans les permis requis.

C'est après cette saisie que l'équipe de *the fifth estate* est entrée en action. Nous avons d'abord suivi et filmé toutes les personnes impliquées dans cette expédition contestée par la GRC et les douaniers. Puis nous avons effectué une deuxième série de surveillances. Cette fois, notre ami Malling, muni d'un microphone dissimulé sous sa chemise, est allé poser des questions précises aux trois personnes qui avaient été accusées d'avoir expédié les pièces. Nous avons obtenu des réponses polies, mais le trio répétait en chœur qu'il n'y avait rien d'illégal, rien de compromettant dans leur action. Ils disaient aussi que les pièces qu'ils avaient achetées servaient à la fabrication d'*inverters*, des régulateurs de courant électrique pour l'industrie textile. Un des expéditeurs, un homme d'affaires de Saint-Laurent, était particulièrement volubile. Eric Malling l'a rencontré à quelques reprises et lui a parlé plusieurs fois au téléphone afin de solliciter une entrevue complète devant la caméra. Un autre individu, un ingénieur à l'emploi d'une agence du gouvernement du Canada, était toujours très poli avec Malling, mais répétait qu'il n'accorderait une entrevue qu'à la fin des procédures judiciaires.

Nous étions bien préparés pour cette entrevue avec cet homme, un immigré d'origine pakistanaise devenu citoyen canadien. Le jour de la saisie de Mirabel, les policiers avaient fouillé son appartement. Les enquêteurs avaient aussi pris soin de maintenir ce scientifique sous étroite surveillance. Le lendemain, notre homme se rendit à la gare Centrale et retira une série de papiers et de documents divers du casier numéro 262. Il jeta une partie des documents dans une poubelle et ces papiers ont servi de preuve contre lui et ses associés lors de leur procès.

Cette entrevue de Malling avec l'ingénieur était en soi tout un exploit. Nous avons accosté l'homme alors qu'il quittait son domicile, un appartement situé non loin de l'université McGill, dans le centre-ville de Montréal. Ce que nous n'avions pas prévu, c'est qu'il ferait un temps de chien en cette matinée de novembre. Il y avait presque un centimètre de glace sur les trottoirs et les véhicules lorsque Malling, marchant à côté du scientifique, cherchait à lui tirer les vers du nez. L'homme d'une cinquantaine d'années resta toujours poli et calme, et il répétait la même phrase : « Pas de commentaires actuellement, je parlerai plus tard. » Il ne voulait rien dire concernant les papiers jetés à la gare Centrale ni expliquer pourquoi il avait choisi de les placer dans une consigne de gare.

Le cameraman Bill Casey a réussi à capter toute la scène, qui a duré plusieurs bonnes minutes, en marchant à reculons sur un sol très instable. Lorsque Malling a fait une chute, c'est l'accusé, un homme digne, qui s'est arrêté pour l'aider à se relever. Quelques pas plus loin, c'est notre invité récalcitrant qui glissait à son tour. Malling lui rendit la pareille. Tous deux riaient devant l'ironie de la situation. Mais ce n'était pas fini puisque, arrivé à son véhicule, l'homme a été obligé d'en déglacer les vitres tandis que Malling continuait inlassablement à lui poser des questions.

Brian McKenna, qui devait aller à Paris pour un autre reportage, en a profité pour tourner certaines images et poursuivre la recherche en France, où les Pakistanais avaient aussi obtenu une partie de ce qu'ils cherchaient. Il a également fait un saut à Londres, où une entrevue avait été prévue avec Anthony Wedgwood-Ben, un ancien ministre britannique de l'Énergie qui révélait que son gouvernement aussi avait fait interdire l'expédition d'*inverters* parce qu'ils faisaient sans aucun doute partie du projet de fabrication de la bombe pakistanaise. On avait aussi interdit la vente sans permis de toutes les composantes de ces appareils.

Après l'Angleterre, c'est vers le Canada que nous nous sommes tournés ensuite jusqu'à l'intervention de la GRC. Pour compléter notre travail de recherche et demander des explications aux représentants du Pakistan, nous avons sollicité une entrevue avec l'ambassadeur Eltaf A. Sheikh. Cette entrevue s'est déroulée à l'ambassade du Pakistan à Ottawa, le 2 décembre 1980, en fin d'après-midi, quelques heures avant la mise en ondes de notre premier reportage.

Nous savions que la nouvelle ferait beaucoup de bruit et nous avions décidé de faire cette entrevue avant la diffusion du premier reportage, sachant qu'il serait difficile de l'obtenir après.

C'est moi qui devais faire les démarches auprès de l'attaché de presse de l'ambassade pakistanaise. Une règle journalistique que j'ai toujours strictement appliquée veut que l'on ne doive jamais mentir ni s'identifier faussement. Toutefois, cette règle ne signifie pas que nous sommes obligés de dire toute la vérité en même temps… C'est ainsi que j'ai sollicité une entrevue avec l'ambassadeur pour discuter du commerce entre nos deux pays. D'ailleurs, nous avions choisi pour notre émission un titre de travail assez flou pour ne pas attirer l'attention de quiconque : «Import-export». Mais Malling et McKenna, une fois installés dans le bureau de l'ambassadeur, ont dévoilé leur jeu dès le début de l'entrevue. Désagréablement surpris, l'homme a alors défendu les diplomates de son pays, affirmant que rien d'illégal n'avait été commis par quiconque. Il a défendu aussi l'action des trois Canadiens impliqués dans ces transactions. Mais, après plusieurs minutes où il avait répondu aux questions incisives de Malling, l'ambassadeur en a eu assez. Il disait vouloir annuler l'entrevue. Il croyait que notre équipe violait les règles internationales. «Je n'ai rien de plus à discuter», a-t-il dit. Puis, sur un ton péremptoire, il a conclu : «Messieurs vous pouvez partir.»

Les réactions à l'émission ont été très fortes. Durant un certain temps, des questions ont été posées aux Communes. Le lendemain de la diffusion de la première émission, le ministère fédéral de la Justice remplaçait l'accusation initiale par le dépôt de vingt-huit nouveaux chefs d'accusation, dont onze étaient liés à l'exportation de pièces électroniques classifiées dans la section de l'équipement atomique et qu'il est interdit d'exporter du Canada sans permis. Quatorze autres accusations découlaient de l'importation des États-Unis d'autres composantes électroniques et de leur expédition vers le Pakistan, toujours sans les permis appropriés. Les accusés étaient passibles d'amendes pouvant aller jusqu'à vingt-cinq mille dollars ainsi que de peines de prison d'un maximum de cinq ans. C'est notamment l'actuel ministre de la Sécurité publique du Québec, Serge Ménard, qui a plaidé la cause de certains membres du trio. Cette cause s'est rendue jusqu'en Cour suprême. Puis le dossier a été clos quelques années plus tard par un verdict de culpabilité pour une seule des vingt-huit accusations initiales. Les trois hommes ont été condamnés à une amende.

Le trio avait aussi inscrit une poursuite civile réclamant cent soixante-quinze mille dollars de dommages-intérêts à la CBC. Je n'ai pas entendu parler du dossier avant 1994, alors que l'avocat de la corporation de la Couronne a présenté une requête pour faire rejeter les procédures puisque, dans un cas, rien n'avait bougé depuis treize ans. Cette requête a été rejetée. En 1996, un avocat retenu par les trois accusés a entrepris de faire revivre la vieille poursuite civile. Étant à l'origine des reportages, j'ai été longuement interrogé. C'est incroyable comment on peut oublier certains éléments importants et se rappeler des faits quasi anodins. Toutefois, ayant revu les émissions et lu divers documents, j'ai pu assez bien me souvenir des faits importants.

Le 28 mai 1998, le Pakistan faisait exploser sa première bombe nucléaire.

Depuis, ce dossier est retombé dans l'oubli.

*

En 1992, j'ai accepté l'invitation du réalisateur de l'émission *911* du réseau TVA pour devenir le troisième animateur de cette émission portant sur les activités policières. Il s'agissait d'un nouveau défi, quelque chose que je pouvais réaliser en plus de mon travail de journaliste. J'avais une petite expérience derrière la caméra, mais je n'avais jamais été reporter de télévision. Il y avait évidemment toute une différence entre les nombreuses entrevues que j'avais accordées à mes collègues de l'électronique tout au long de ma carrière et mon nouveau rôle. Gaétan Girouard et Benoît Johnson étaient les deux piliers de cette émission qui durait depuis quelques années. C'est l'un d'eux qui avait eu l'idée de faire appel à mes cheveux gris pour apporter du sang neuf à cette équipe. J'ai alors découvert comment les deux jeunes hommes avaient acquis toute une expérience en télévision malgré leur jeune âge. Benoît Johnson était méticuleux et ses montages étaient faits avec une précision toute militaire. Quant à Gaétan Girouard, c'était un travailleur infatigable. Il voulait toujours être présent lors des événements importants. Il était sur la brèche à toute heure du jour et de la nuit. J'ai ressorti quelques vieux dossiers, comme le voulait l'équipe, et j'ai appris une nouvelle facette de ce métier. C'est à cette époque que j'ai découvert à quel point les artisans de la télévision sont connus du public. Un soir où je venais de terminer le montage d'un reportage, j'ai été intercepté dans la rue Christophe-Colomb par une voiture de patrouille de la police de la CUM. Tandis qu'un agent remplissait un constat pour un phare défectueux, l'autre policier, m'ayant reconnu, a commencé à me poser des questions sur mon travail à la télévision. Je n'ai pas récolté de billet, mais, comme tout citoyen dans le même cas, j'ai bénéficié d'un avis de quarante-huit heures pour faire effectuer les réparations.

J'ai pu aussi apporter une exclusivité à cette émission. En effet, j'ai été invité à assister à la destruction de la cargaison complète d'un avion bourré de cocaïne qui venait d'être saisi à Casey, en Haute-Mauricie. J'ai assisté à la destruction en compagnie de mon collègue photographe Gilles Lafrance et d'un cameraman de l'émission *911*. Mes patrons du *Journal de Montréal* nous permettent de collaborer avec d'autres organes de presse à la condition que cela ne se fasse pas au détriment de l'information transmise à nos lecteurs. Dans le cas de l'incinération des quatre mille trois cent vingt-trois kilos de cocaïne, c'était possible de combiner mon emploi principal et ma collaboration à la télévision. Les trafiquants de drogue auraient sûrement pleuré à chaudes larmes s'ils avaient vu ce qui arrivait aux cent cinquante-deux gros ballots de coke.

Il y avait pour un milliard de dollars de drogue dans cet avion qui arrivait de Colombie et qui avait été détecté par un programme particulier impliquant les policiers et militaires de plusieurs pays. Sept personnes ont été condamnées, dont le pilote Raymond Boulanger, dit Cowboy. La police croyait que plusieurs organisations criminelles s'étaient associées pour partager les risques de cette importation. Malgré la gigantesque saisie, le prix de la cocaïne dans les bars du Québec n'a même pas augmenté d'un dollar, ce qui prouve que l'approvisionnement était suffisant.

Cette destruction sous haute sécurité a eu lieu à l'incinérateur de déchets de la rue des Carrières, à Montréal. Auparavant, les policiers avaient pris un échantillon dans chacun des quatre mille trois cent vingt-trois sachets de cocaïne. Il avait fallu cinq jours à neuf personnes pour procéder à cet échantillonnage. Les policiers ont jeté la drogue dans les deux gros vide-ordures, la faisant brûler à une température très élevée. Aucune émanation ne pouvait être sentie à l'extérieur. Toutefois, j'ai personnellement respiré une forte poussière remplie de cette fameuse poudre en passant entre les deux vide-ordures au moment où un policier y envoyait un gros paquet. J'ai subi les effets inattendus de cette reniflade.

Quelques années plus tard, j'ai pu interroger le pilote Boulanger, qui, une fois en libération conditionnelle, s'était rendu en Colombie, contrairement aux conditions de sa remise en liberté. Il avait été de nouveau arrêté puis expulsé vers le Canada, qui avait émis un mandat pour son arrestation. De retour dans sa prison, l'Institut Leclerc, à Laval, Boulanger jurait qu'il n'avait pas remis les gants pour trafiquer la cocaïne à nouveau. Il disait avoir exploré de nouvelles routes aériennes pour transporter des légumes de la Colombie vers le Venezuela. J'ai écrit ce qu'il m'avait déclaré, tout en expliquant clairement aux lecteurs que des doutes subsistaient dans mon esprit. Ces doutes ont été confirmés peu après lorsque j'ai pris connaissance de certains documents que Boulanger avait avec lui lors de son arrestation sud-américaine. Il possédait des cartes sur lesquelles étaient indiquées des routes aériennes sûres et des pistes d'atterrissage isolées de la Gaspésie et de la côte nord du Saint-Laurent. Tout un détour pour un voyage entre la Colombie et le Venezuela...

Ce genre d'exclusivité obtenue par un journaliste met généralement ses collègues en colère contre les autorités qui en sont à l'origine. La destruction de la drogue de Casey deux semaines après sa saisie n'a pas manqué de provoquer des remous dans la petite communauté des journalistes spécialisés dans la couverture des activités policières et judiciaires. Quelques années plus tard, dans son journal interne du nom de *Poney Express*, le service des relations publiques de la Gendarmerie royale du Canada expliquait aux membres de la division québécoise de la police fédérale les effets pervers d'une exclusivité accordée à un organe de presse. On a alors utilisé un autre de mes scoops pour démontrer pourquoi les autres médias s'étaient mis en colère.

8

Plusieurs dossiers explosifs

Ma connaissance du domaine du sport était très limitée. Dans mon enfance, j'avais été photographié avec mon frère Gaston en compagnie du célèbre gardien de but Jacques Plante, un gars originaire de Shawinigan et qui avait été le compagnon de classe de mon oncle Gaétan Philibert. La sœur de mon père avait aussi épousé en secondes noces Arthur Béliveau, ce qui ne faisait pas du Grand Jean mon cousin, mais m'avait permis d'obtenir quelques rondelles provenant du Forum. Mes voisins ne me croyaient pas toujours, mais c'était bien vrai.

En 1984, j'ai mis la main sur des documents policiers faisant état de l'infiltration du milieu de la boxe professionnelle par la Mafia. J'avais entendu parler, comme tout le monde, des exploits des frères Hilton, mais je n'avais aucune idée de l'impact qu'allait avoir la publication de cette nouvelle. Nous possédions des informations mais personne n'acceptait de raconter son histoire devant la caméra, ce qui fait que ce projet n'a jamais abouti sur les ondes de la télévision d'État.

Toutefois, lorsque j'ai décidé de retourner travailler pour un quotidien, en 1984, j'ai repris ce dossier. C'est un peu par hasard que je me suis retrouvé embauché par *Le Journal de Montréal*. J'aurais pu tout aussi bien me retrouver au *Devoir* ou retourner à *La Presse*. C'est mon ami Claude Masson qui était directeur de l'information à cette époque à *La Presse*. Lorsque je lui ai annoncé mon départ de la télévision, il m'a dit qu'il y aurait sûrement des réticences à mon retour dans la salle de la rédaction, notamment de la part des journalistes en poste dans ce secteur. Quant au *Devoir*, j'y avais effectué quelques collaborations et Mme Lise Bissonnette, la rédactrice en chef de l'époque, espérait faire revivre un secteur que Jean-Pierre Charbonneau avait bien exploité pour les lecteurs de son journal. D'ailleurs, *Le Devoir* y avait fait sa marque dans les années 50 alors que Gérard Pelletier avait produit une longue série d'articles sur la corruption et le vice commercialisé à Montréal, avec Me Pacifique Plante, le bras droit du futur maire Jean Drapeau dans une célèbre campagne de salubrité publique.

Durant mon séjour à la CBC, j'avais gardé un bon contact avec mes collègues de la scène judiciaire en fréquentant régulièrement la salle de presse du Palais de Justice de Montréal. C'est là que j'ai confié à mon ami Ives Beaudin mon projet de revenir à l'écriture quotidienne. Il en a fait part à ses patrons, qui aussitôt m'ont téléphoné.

C'est ainsi qu'en moins de deux heures, autour d'un lunch, j'ai été embauché par *Le Journal de Montréal*. La direction du quotidien avait décidé d'ajouter un autre journaliste de faits divers à son équipe du week-end puisque le concurrent, *La Presse*, qui paraissait six fois la semaine, venait d'annoncer qu'il paraîtrait dorénavant aussi le dimanche.

Dès que je fus embauché, Jean-François Lebrun me demanda si j'avais un projet d'article pour parution une dizaine de jours plus tard. Lorsque je lui ai dit que je préparais un dossier sur la famille des boxeurs Hilton, qui était sous le joug de Frank Cotroni, il est resté bouche bée.

À la fin de 1984, il y avait des poursuites inscrites contre moi à trois des quotidiens de Montréal, en plus d'une autre me visant conjointement avec Radio-Canada. On nous réclamait des millions, mais toutes ces poursuites ont été abandonnées. Une seule a été réglée hors cour et c'est celle qui avait été intentée contre moi par les boxeurs de la

Mon frère Gaston et moi étions
heureux comme des rois lorsque
Jacques Plante, alors au faîte de sa
carrière de gardien de but dans la
Ligue nationale de hockey, a visité
notre famille.

La carrière des frères boxeurs Hilton
a souvent fait l'objet de reportages
en dehors du domaine des sports,
principalement dans le domaine
judiciaire, avec les nombreux
déboires de l'aîné, Davey.

famille Hilton, qui affirmaient que j'avais terni leur réputation. Après des dizaines de milliers de dollars en frais d'avocat, le dossier a été fermé. J'avais exigé que les Hilton nous versent un chèque de cent dollars à titre de dédommagement. Je tenais à ce chèque exemplaire pour faire comprendre à ceux qui me poursuivaient sous divers prétextes que nous nous défendrions « à l'os », selon l'expression populaire. Je n'ai jamais su d'ailleurs si le chèque avait été encaissé ou s'il y avait des fonds suffisants pour le couvrir dans le compte en banque des boxeurs. Quant à leur réputation, les Hilton se sont chargés eux-mêmes de la démolir. Mais en 1984 Davey Hilton était au faîte de sa gloire, un boxeur qui aurait pu atteindre les plus hauts sommets, n'eussent été son manque d'intelligence, celui de sa famille et la présence de la Mafia.

Le 9 mars 1984, j'ai fait une entrée remarquée dans la salle de rédaction du *Journal de Montréal*, alors installé rue Port-Royal, à Ahuntsic. Même l'éditeur André Grou est venu se présenter et voulait en savoir un peu plus sur mon dossier. Tous les cadres qui étaient au courant de celui-ci exultaient. Ils tiraient une énorme satisfaction du fait que le journal pourrait se démarquer même en présence de la nouvelle édition du concurrent.

Je savais que les dossiers sur le monde du sport avaient toujours un immense impact dans le public. J'avais réalisé cela au milieu des années 70 lorsque, en pleines séries éliminatoires de la coupe Stanley, du temps où les Canadiens y participaient, j'avais appris l'existence d'un complot pour procéder à l'enlèvement du joueur étoile Guy Lafleur. Des trafiquants de drogue que la Gendarmerie royale du Canada avait à l'œil désiraient profiter de la période des séries éliminatoires pour enlever Lafleur et l'échanger contre une très grosse somme d'argent. Les policiers avaient fait avorter le complot.

Pour le samedi qui suivait mon entrée au journal, j'ai préparé une série de textes annonçant la dissolution de la CECO, la Commission d'enquête sur le crime organisé, dont le mandat allait prendre fin incessamment. Je décrivais aussi les changements survenus depuis deux ans au sein de la pègre locale. J'expliquais en détail la chute de l'empire Cotroni et la montée du clan des Siciliens, dirigé par les Rizzuto père et fils. Nicolo et Vito Rizzuto avaient vécu en exil durant quelque temps, mais étaient revenus à Montréal y reprendre le terrain perdu. À la fin du reportage, une petite note annonçait la suite : « Demain : la Mafia et la boxe ». La curiosité des collègues était piquée. Le lendemain, le reportage intitulé « Frank Cotroni le parrain des Hilton » allait déchaîner le « merveilleux monde du sport » et le public en général. Ce dimanche-là, le quotidien *La Presse* avait prévu tout un battage publicitaire pour le lancement du nouveau-né. Toutefois, dans tous les bulletins de nouvelles de tous les médias de Montréal, c'était l'affaire de l'infiltration du monde de la boxe par la Mafia qui faisait la manchette.

J'avais mis la main sur une copie d'un rapport policier rédigé au terme d'une enquête appelée « Borgia » sur les ramifications de la Mafia à Montréal. Durant deux ans, des policiers de Montréal, de la Sûreté du Québec et de la Gendarmerie royale du Canada avaient surveillé la bande dirigée par Frank Cotroni. Les détectives avaient découvert que Cotroni avait dépensé d'importantes sommes d'argent depuis quatre ans pour assurer la subsistance, le logement, le transport et même l'entraînement des Hilton. Cette implication de Cotroni dans le monde de la boxe lui permettait de se servir de cette couverture pour ses rencontres avec d'autres associations criminelles dans tout le pays. En plus d'un contrôle sur les jeunes frères Hilton, Cotroni avait aussi la main haute sur la promotion de la boxe. Il profitait des galas de boxe pour tenir des réunions au sommet. Ce fut le cas à Cornwall et à Winnipeg, où je l'avais personnellement suivi durant trois jours en juin 1982. Cotroni avait voyagé sous un faux nom et avait été accueilli comme un roi à sa descente d'avion. Le rapport policier faisait aussi état des liens entre Cotroni et les boxeurs Eddie Melo, Nick Furlano et John Degazio. On rappelait aussi que Melo avait été arrêté avec une arme cachée sur lui alors qu'il sortait d'une boîte de nuit en compagnie de Frank Cotroni. Le mafioso avait d'ailleurs dû témoigner au procès intenté au boxeur torontois, qui avait été acquitté malgré le témoignage d'un policier.

Les émissions sportives de la radio québécoise n'ont parlé que de ces révélations durant plusieurs jours. La Commission athlétique de Montréal, un organisme paramunicipal qui supervisait les sports de combat à l'époque, a admis son impuissance à faire enquête sur la Mafia. Le président de la Commission, M. Paul-Émile Sauvageau, a demandé au ministre de la Justice québécois, Pierre-Marc Johnson, de faire la lumière sur l'infiltration du crime organisé dans le sport. Plutôt que de lancer une enquête publique, le ministre de la Justice a donné au juge Raymond Bernier, de la Cour du Québec, le mandat de présider un comité d'étude possédant le pouvoir d'assigner des témoins. Un peu plus d'un an plus tard, le juge remettait son rapport, après avoir interrogé cent cinq témoins et confirmé toutes les allégations faites dans la série d'articles du mois de mars 1984. Toutefois, le gouvernement décida de garder le document secret. Le juge Bernier a rendu publique la partie de son rapport traitant des lacunes constatées dans les diverses réglementations ainsi que des solutions proposées pour améliorer la sécurité du sport et le sort des boxeurs. Mais la partie la plus intéressante, celle de l'implication du crime organisé dans le sport professionnel, était gardée secrète. Un véritable défi pour un journaliste comme moi.

Je me suis mis à contacter toutes les personnes qui, à mon avis, pouvaient m'être utiles afin d'obtenir une copie du fameux rapport resté secret. Il m'a fallu des mois. Puis, le 12 avril 1986, je commençais à publier la série complète de toutes les constatations relatives aux magouilles de la Mafia. Le comité Bernier avait confirmé que Cotroni était l'âme dirigeante de la boxe, qu'il avait investi beaucoup d'argent dans la carrière des « Fighting Hilton », comme on les appelait, et que ses hommes de main cherchaient même à intimider certains patrons de presse. Le comité avait découvert des faits prouvant que Cotroni imposait ses vues au promoteur Henri Spitzer, qui avait tenté de minimiser l'influence de Cotroni lors de son témoignage devant le comité d'étude. Le juge Bernier avait aussi conclu que Cotroni avait vendu les Hilton au promoteur américain Don King pour une poignée de dollars. Enfin, le comité avait établi qu'une dizaine de personnages de la Mafia locale et des criminels de Toronto avaient la main haute sur le monde de la boxe professionnelle.

Après cette enquête, la carrière des frères Hilton, Davey et Alex principalement, a connu déboire sur déboire. L'alcool aidant, les boxeurs ont commencé à s'illustrer beaucoup plus dans la rue que dans le ring. Ils ont été impliqués dans un hold-up dans un *Dunkin' Donuts*, un genre d'établissement où les criminels disposant d'un minimum d'intelligence évitent de se rendre, à cause de la réputation qu'ont ces commerces d'accueillir beaucoup de policiers. Les bagarres et les arrestations se sont multipliées. Puis ce qui semble être le coup le plus solide asséné à la carrière de Davey Hilton est survenu le 15 avril 1999 lorsqu'il a été arrêté et accusé d'avoir agressé sexuellement des jeunes filles mineures.

Avant de dévoiler publiquement cette histoire, j'ai rencontré Davey Hilton au gymnase où il s'entraînait, dans le sud-ouest de Montréal. Toujours très poli comme à son habitude lorsqu'il n'est pas saoul, Davey Hilton a expliqué que ces accusations n'étaient qu'un tissu de mensonges concoctés par son épouse, dont il vivait séparé. Il disait qu'il s'agissait d'un coup monté et qu'il n'avait jamais agressé les deux adolescentes. Toutefois, cette version des faits n'a pas été retenue au procès. La juge Rolande Matte a préféré croire la version des deux jeunes filles et a déclaré Hilton coupable. La Couronne réclamait sept ans de prison tandis que la défense soutenait qu'une peine de trois ans serait adéquate. La juge Matte a plutôt été tentée par la suggestion de Me Hélène Di Salvo et a imposé sept ans de pénitencier au boxeur, vu l'absence de remords de ce dernier.

Un autre des protégés de Cotroni a refait surface en avril 2001. Cette fois, c'est comme victime d'un meurtre qu'Eddie Melo a fait parler de lui une dernière fois. Celui qui était devenu homme de main pour Cotroni puis criminel en tout genre à Toronto a été abattu à coups d'arme à feu alors qu'il sortait d'un bar sportif de Peel, en banlieue de la Ville reine. Melo, que certains rêvaient encore de voir boxer à Montréal, avait été l'une des grandes vedettes du sport dans les années 70. Le 15 octobre 1985, le gérant officiel des frères Hilton, Me Frank Shoofey, avait subi un sort analogue. Revenant d'une audience de la Commission athlétique de Montréal qui avait institué une enquête au sujet d'un combat de boxe devant se tenir à Montréal quelques jours plus tard, il a été abattu à la porte de son bureau de la rue Cherrier vers 23 heures. Avec mon collègue le photographe Luc Bélisle, j'avais discuté pendant plusieurs minutes avec Me Shoofey à la porte des bureaux de la Commission. Deux heures plus tard, il était abattu de plusieurs balles à la tête en sortant de son bureau.

Ce crime est toujours demeuré impuni bien que la brigade des homicides de la police de la Communauté urbaine de Montréal ait réussi à identifier les tueurs, les intermédiaires et même les commanditaires du crime. Même si un criminel a avoué le crime et dénoncé ses complices, le dossier n'a pu être apporté au tribunal. La police a fait passer le test du détecteur de mensonge au tueur volubile, mais celui-ci a menti sur certains points, notamment pour protéger un complice qu'il ne voulait pas identifier. Comment croire un tel témoin qui dit la vérité à certains moments et qui ment lorsque cela fait son affaire ?

Me Shoofey s'était fait connaître comme le défenseur de la veuve, de l'orphelin et de nombreux criminels petits et gros. C'est cette défense de pégreux qui avait bloqué tous ses rêves de se présenter en politique, le Parti libéral du Québec l'ayant constamment rejeté comme candidat. Toutefois, la police a toujours cru que Me Shoofey avait été assassiné parce qu'il défendait trop bien les intérêts des frères

Hilton. L'avocat s'était vivement opposé à la signature de tout contrat avec Don King, l'Américain gourmand. C'est Cotroni qui avait eu le dessus en arrangeant la signature du contrat via son propre avocat américain. Le jour de la signature du contrat avec King, on avait fait boire un coup à Dave Hilton père. Il avait empoché quelques dizaines de milliers de dollars et avait consenti à remettre la carrière de ses fils à l'équipe de Don King. Depuis quinze ans, les policiers ont souvent tenté de reprendre l'enquête sur l'assassinat de l'avocat, mais ce fut toujours peine perdue.

*

Au cours de ma carrière, somme toute assez longue, je ne croyais pas avoir rencontré personnellement d'espions internationaux de grande envergure ou même de petits espions. Toutefois, longtemps après certaines rencontres, j'ai découvert que les personnes respectables que j'avais croisées avaient un côté caché à leur curriculum.

C'est à la prison de Saint-Vincent-de-Paul que j'ai croisé mon premier espion véritable. J'avais été invité par des bénévoles du groupe Arcade à participer à une activité culturelle avec des prisonniers. Un des organisateurs de l'événement était un ancien professeur d'université du nom de Raymond Boyer, un individu distingué, un véritable aristocrate qu'on disait immensément riche. L'homme se dévouait à la cause des détenus, il se faisait un devoir d'aider les plus démunis des pensionnaires du vieux pénitencier de Laval.

J'ignorais alors que le professeur Boyer était aussi l'un des rares Canadiens à avoir été condamnés pour espionnage au profit de l'Union des Républiques socialistes soviétiques, l'URSS. C'est en 1947 que son nom avait défrayé la chronique. Traître à la patrie ou idéaliste, le professeur avait été condamné à deux ans de pénitencier pour avoir passé des secrets, pas si secrets après tout, à l'URSS via Fred Rose, le seul député des Communes à s'être fait élire sous la bannière du Parti communiste canadien.

L'affaire des espions soviétiques, à la fin de la Deuxième Guerre mondiale, avait provoqué le début de la guerre froide avec Moscou. C'est un commis de l'ambassade de l'URSS à Ottawa qui avait vendu la mèche en quittant son poste plutôt que d'être rapatrié chez lui. Igor Gouzenko avait sorti des boîtes de documents, mais personne ne semblait vouloir de lui au gouvernement du Canada. Le diplomate espion avait dû s'y prendre à deux fois pour qu'on l'écoute et qu'on agisse sur ses indications. Plus tard, il a accordé de nombreuses entrevues pour tenter d'obtenir une meilleure compensation en échange de sa collaboration. Il participait toujours à des émissions de télévision ou accordait des entrevues avec une cagoule ou un sac de papier sur la tête. Il est mort en 1982.

Le professeur Boyer, le député montréalais Fred Rose et dix autres personnes ont été arrêtés et condamnés pour avoir fait partie de ce grand réseau d'espionnage soviétique. Le professeur Boyer a changé de carrière à sa sortie de prison. Il a fait des études de criminologie pour être mieux en mesure d'aider ses anciens camarades de détention. Il était docteur en chimie lorsqu'il avait passé les secrets de l'explosif RDX, qui était manufacturé dans une usine de Shawinigan sans aucune surveillance particulière. Bien plus, le Canada était prêt à envoyer des échantillons d'explosif à Moscou à la fin de la guerre, mais les Alliés avaient refusé. Néanmoins, on avait transmis aux Soviétiques toute la documentation sur les recherches effectuées ici. Mais c'était pour avoir fait passer ses documents via les réseaux d'espionnage que le professeur millionnaire avait été condamné.

Plus tard, c'est un policier de la GRC qui aurait été un traître pour son service et son pays qui m'a exposé les rudiments du métier d'agent de contre-espionnage pour la police, qui s'occupait alors de contrer les activités des espions étrangers chez nous. Gilles Brunet était le fils d'un ancien gradé de la GRC devenu directeur de la Police provinciale du Québec et à qui l'on a fait appel pour réformer les mœurs policières provinciales après la mort de Maurice Duplessis. Josaphat Brunet a été le premier officier responsable de la section de sécurité et de renseignements de la GRC à Montréal, en 1956. Il a fait une carrière remarquée.

Gilles Brunet était affecté à la section B de la GRC à Montréal, le groupe chargé de surveiller les agents étrangers au service de l'URSS et de ses satellites. Il était très bien coté. Au début des années 70, j'avais eu quelques rencontres discrètes, sinon secrètes, avec Brunet. J'étais intéressé alors par un important dossier d'espionnage soviétique au Canada impliquant rien de moins que le grand patron des services secrets de la GRC à Ottawa, Leslie Jim Bennett. La rumeur courait depuis des mois que Bennett était soupçonné d'être un traître. D'origine britannique, il était un des premiers civils à avoir obtenu un poste dans la haute direction de la police. Brunet, tout comme plusieurs de ses collègues, était au courant des rumeurs sur les soupçons pesant sur le grand patron.

Pour un simple journaliste, de nombreuses rumeurs ne constituent pas une preuve, ce qui m'a empêché d'écrire sur le sujet. En 1972, Bennett a quitté la GRC après avoir été longuement interrogé. Beaucoup plus tard, soit en mars 1993, il a été lavé de tout soupçon, et c'est un espion soviétique devenu transfuge qui a révélé le gros secret. Plusieurs années après le départ de Bennett, le colonel Oleg Kalouguine dévoilait que depuis des années le KGB avait une taupe au sein du service de contre-espionnage de la GRC à Montréal. Ce n'est qu'en 1991 qu'on a appris l'identité de cette taupe : Gilles Brunet. Une enquête interne avait été instituée par les supérieurs. On confirma alors que le train de vie fastueux de l'ancien policier pouvait s'expliquer par les centaines de milliers de dollars que les Soviétiques disaient lui avoir versé pour des services exceptionnels. Mais tout cela est-il vrai ? Gilles Brunet est décédé en 1984, des suites de troubles cardiaques. Onze ans auparavant, le policier s'était battu durant des années contre ses supérieurs qui lui interdisaient de fréquenter Mitchell Bronfman, un membre de la célèbre famille de milliardaires.

Brunet et son collègue et ami Donald McCleary fréquentaient socialement Bronfman, mais la police avait appris que l'homme d'affaires avait également des relations avec William Obront, le financier de Vincent Cotroni, alors chef de la Mafia canadienne. Les deux policiers ont refusé d'obéir aux ordres de leurs patrons et ont finalement été congédiés. L'acharnement qu'a mis la direction de la GRC dans son enquête sur Brunet s'est expliquée partiellement plus tard par la révélation qu'il était un traître. Mais personne n'a jamais pu tirer ce dossier au clair car les autorités canadiennes n'ont jamais permis d'en savoir davantage. Le dossier Brunet est mort avec le personnage.

*

De tout temps, les affaires d'espionnage ont passionné le public, et les médias se sont régalés de découvrir et de publier certaines sagas rocambolesques ou certaines affaires juteuses. Une de ces histoires qui ont fait sensation a été publiée le 6 décembre 1974.

En manchette, *La Presse* dévoilait qu'un espion soviétique avait été désigné pour agir comme représentant de son pays auprès du Comité organisateur des jeux Olympiques de 1976 à Montréal. Il agissait en quelque sorte comme un ambassadeur auprès du COJO, comme on appelait familièrement le comité.

J'avais accumulé depuis plusieurs années une bonne documentation sur les affaires d'espionnage, petites et grosses, qui s'étaient déroulées un peu partout dans le monde. J'avais indexé plusieurs documents publics, des articles de journaux et des livres, de façon à me retrouver facilement dans cette longue liste de noms de personnages ayant attiré l'attention.

En 1974, j'avais demandé et obtenu la liste du personnel de tous les pays représentés auprès du COJO. En réalité, je

la presse

LE PLUS GRAND
QUOTIDIEN
FRANÇAIS
D'AMÉRIQUE

MONTRÉAL
VENDREDI 6 DÉCEMBRE 1974
90e ANNÉE, No 291,
50 PAGES, 4 CAHIERS

DERNIÈRE ÉDITION 20c
ABITIBI · CÔTE-NORD 25c

MÉTÉO
Généralement ensoleillé
Minimum : 20° — Maximum : 35°
Demain : Plutôt nuageux, et plus doux
Prévisions — Détails à la page A2

Un ancien espion au poste d'attaché olympique de l'URSS auprès du Cojo

par Michel AUGER

«C'est à un spécialiste de l'espionnage que l'Union soviétique a confié le poste d'attaché olympique auprès du Comité organisateur des Jeux olympiques de Montréal.

Depuis plusieurs années, Aleksandr S. Grecko, un diplomate de 37 ans, recontre des divers services de renseignements occidentaux comme un membre du KGB, le service d'espionnage du Kremlin. Il est né et a fait interdit de séjour en Angleterre depuis 1971.

Il est tant qu'attaché auprès du COJO pour l'URSS, M. Grecko se trouve pas en permanence à Montréal, mais y vient lorsque ses obligations le nécessitent.

Il est venu au Canada récemment. Le 14 novembre dernier il a notamment rendu visite au premier ministre Pierre Elliott Trudeau à qui il a remis une plaque et un chandail d'entraînement de l'équipe de hockey qui a représenté le Canada lors de la dernière série Canada-Russie.

À titre de vice-président du Comité de relations internationales au ministère des Sports de l'URSS, M. Grecko avait été l'un des principaux organisateurs de cette dernière rencontre Canada-Russie au hockey.

Il faisait aussi partie à Vienne de la délégation russe qui a obtenu les Jeux olympiques pour la ville de Moscou en 1980.

M. Grecko a été actif dans les services d'espionnage au moins jusqu'en 1971, année où a survécu aujourd'hui, personne ne peut dire s'il est toujours actif.

«Une chose est certaine, toutefois à confier ce poste aussi important de LA PRESSE, sa formation en matière d'espionnage dans

un service de renseignements peuvent encore aujourd'hui lui être utiles.»

Carrière d'espion

Sa carrière dans l'espionnage s'est surtout poursuivie en Angleterre entre les années 1967 et 1971.

Il a séjourné dans ce pays d'abord comme étudiant à l'Université de Londres puis comme diplomate auprès de l'ambassade russe où il occupait le poste de troisième secrétaire.

Le 24 septembre 1971, il est déclaré persona non grata par les autorités britanniques à la suite des révélations faites par Oleg Adolfovich Lyalin, un officier important du Département V, la section du KGB spécialisée dans la reconnaissance à l'étranger des points vitaux des pays de l'Ouest qui pourraient être sabotés.

Le tremblage Lyalin ayant décidé de tout raconter aux autorités du contre-espionnage britannique, plusieurs diplomates en poste à Londres avaient regagné Moscou dès que la disparition de Lyalin fut connue par ses anciens collègues.

Outre les 15 diplomates qui avaient quitté précipitamment la Grande-Bretagne, le gouvernement de ce pays en a expulsé 90 autres, le 24 septembre 1971.

Le gouvernement britannique avait pris cette décision sans précédent dans les annales de l'espionnage russe après qu'il eut démontré à leurs satisfaction, que les membres des diplomates étaient occupés à d'autres tâches que celles prévues aux conventions extra-diplomatiques des Russes en expulsés ou déclarés personas non grata constituaient en une vaste campagne.

Voir ESPION, page A4

Aleksandr S. Grecko, à l'extrême droite, était photographié au cours du mois de novembre en compagnie du premier ministre Trudeau auquel le directeur des sports du Collège Loyola remettait un chandail d'entraînement de l'équipe de Hockey-Canada.

La nouvelle faisant état de la présence d'un espion soviétique aux jeux Olympiques de Montréal en 1976 a fait sensation.

n'étais intéressé que par l'identité des délégués des pays d'Europe de l'Est, mais si je n'avais demandé que cette courte liste, ma requête aurait paru trop évidente.

En comparant la liste officielle avec mon système d'archives, j'ai trouvé un nom similaire dans les deux listes : Aleksandr S. Gresko. Pour les services de sécurité britanniques, il s'agissait d'un espion expulsé de Londres en 1971 à la suite de la découverte d'un superréseau d'espionnage. Pour les Soviétiques, Gresko était le vice-président du Comité des relations internationales du ministère des Sports. Les Canadiens s'intéressant au hockey avaient entendu parler de lui à titre de représentant de Moscou dans les fameuses séries de 1974 opposant les joueurs de hockey du Canada à ceux de l'URSS, alors réputés comme étant de forts compétiteurs pour les vedettes canadiennes.

Mais, même si les deux noms étaient identiques, je n'étais pas encore certain que le représentant sportif et l'espion étaient le même homme. C'est un de mes bons contacts qui allait me confirmer que le Gresko attaché au COJO était bien l'espion. Alors que je lui demandais s'il était possible d'obtenir une photo de ce personnage intrigant, mon interlocuteur s'est esclaffé en me disant qu'une photo de l'individu en compagnie du Premier ministre Pierre Elliott Trudeau avait paru dans certains médias. Gresko avait participé à une cérémonie d'échange de chandails entre les deux équipes de hockey en présence de M. Trudeau. Plusieurs journaux n'avaient pas utilisé cette photo mais, comme c'est la coutume, elle avait été mise dans les archives. C'est là que j'ai trouvé le document. Il ne me restait plus qu'à communiquer avec l'espion pour lui demander ses commentaires et sa version des faits.

Comme ce n'est pas tous les jours qu'un journaliste peut interroger un espion, j'avais bien préparé mon appel. Toutefois, cette conversation n'a pas tellement coûté cher en frais d'interurbain car Gresko n'a répondu qu'à quelques questions. Il disait que les accusations portées contre lui étaient un tissu de mensonges fabriqués par les services de renseignements occidentaux. Il niait catégoriquement avoir commis des gestes ou participé à des activités contraires à son statut de diplomate. Par la suite, il n'a jamais remis les pieds à Montréal, où, ont expliqué ses collègues, « son travail était terminé ».

Dans les jours qui ont suivi ces révélations, les partis d'opposition s'en sont donné à cœur joie aux Communes pour tenter de mettre le gouvernement Trudeau dans l'embarras. Toutefois, le Premier ministre ne semblait pas s'en faire outre mesure. Il affirmait que le gouvernement et la GRC savaient, avant et durant son voyage, quelles avaient été les activités passées de Gresko. Un député d'opposition se demandait même si Ottawa n'avait pas fait un affront à la Grande-Bretagne en acceptant ici et jusque dans le bureau du Premier ministre un espion expulsé de Londres trois ans auparavant.

Durant les Olympiques, alors que certains athlètes de l'URSS ont demandé l'asile politique au Canada, des journaux soviétiques ont affirmé que les services secrets canadiens avaient infiltré les délégations sportives soviétiques afin de tenter de persuader des athlètes communistes de passer à l'Ouest.

*

Si les services de sécurité surveillaient étroitement les syndicats dans les années 70 et 80, c'était surtout à cause de l'infiltration d'éléments subversifs dans leurs rangs, expliquait-on. Mais, pour surveiller les syndiqués, il fallait évidemment des informateurs. L'un d'eux s'appelait Marc-André Boivin. Il était un permanent de la CSN, un employé chargé d'organiser les mouvements de contestation lors des conflits ouvriers. Boivin était un militant d'extrême gauche, un militant pour la paix dans le monde. Il a été recruté comme informateur par le service de sécurité de la GRC, puis transféré dans les rangs des employés du Service canadien de renseignements de sécurité lorsque l'organisme a été créé pour reprendre le rôle jusque-là assumé par la police fédérale.

En juin 1987, la Sûreté du Québec arrêtait quatre employés de la CSN pour avoir posé des bombes dans les hôtels de l'homme d'affaires Raymond Malenfant, en conflit avec ses employés alors qu'il était propriétaire du célèbre Manoir Richelieu situé à La Malbaie, dans Charlevoix. Ce que les policiers ignoraient, c'est qu'un des détenus était un informateur de haut calibre du SCRS. Ayant appris, encore une fois grâce à un bon contact, le rôle exact de Marc-André Boivin, j'ai écrit un article sur le sujet, que *Le Journal de Montréal* a publié bien en évidence en page 3. J'y racontais que l'homme travaillait pour la police et le SCRS depuis des années. J'écrivais aussi qu'il avait même participé à des voyages spéciaux à l'étranger et qu'il en avait fait rapport à ses véritables patrons.

C'est un excellent scoop que j'ai publié cette journée-là. Mais si moi et mes collègues du journal étions fiers de notre coup, il semble que personne à la salle des nouvelles de Radio-Canada n'a pris la peine de lire notre quotidien. En effet, le lendemain soir, le journaliste Normand Lester reprenait la même nouvelle en affirmant qu'il s'agissait d'une exclusivité…

C'est le même Lester qui, en septembre 1987, a sorti un bon scoop dans le domaine du renseignement canadien. Lester avait plusieurs sources dans le domaine, c'est bien connu. Il a fait un grand reportage qui mentionnait l'infiltration de plusieurs syndicats canadiens, dont la Centrale de l'enseignement du Québec (CEQ), devenue depuis la Centrale des syndicats du Québec (CSQ). Je croyais alors que Radio-Canada ne faisait que diffuser un premier reportage préparatoire à la diffusion d'autres révélations dans les jours suivants. C'est en effet une pratique courante dans le métier de journaliste que d'échelonner sur plusieurs jours une série de grosses nouvelles, de façon à maintenir l'intérêt des lecteurs ou des auditeurs.

C'est en écoutant Lester que j'ai pris la décision de publier aussitôt un dossier concernant un important personnage du monde syndical du Québec soupçonné d'être un agent de Moscou depuis au moins vingt ans. C'est le genre de nouvelle qu'on peut lire dans les journaux étrangers mais qu'on voit rarement au Canada. Depuis des années, j'accumulais des informations sur le cas Agnaïeff, attendant le moment propice pour les publier.

Michel Agnaïeff n'était pas que syndicaliste, il était aussi le président de la section québécoise du Nouveau Parti démocratique (NPD). À la CEQ, il était directeur général de la centrale, la troisième en importance de la province. Originaire d'Égypte, où il était né de parents d'origine russe, cet homme avait immigré au Canada dans les années 60. Mais, peu après son arrivée, les services de sécurité l'avaient mis sous haute surveillance constante. On ne l'avait pratiquement pas quitté des yeux pendant plus de vingt ans. Le service de contre-espionnage le croyait un agent d'influence travaillant pour le compte d'une puissance étrangère.

Avant de publier une pleine page d'informations sur lui, je suis allé interroger le syndicaliste-politicien. Il nia toute collusion étrangère. Agnaïeff me dit qu'il était probablement une cible de choix pour la police puisqu'il était né à l'étranger de parents russes et qu'il avait lui-même travaillé pour une compagnie soviétique. De plus, ajouta-t-il, il avait participé à la plupart des grandes luttes et il évoluait dans les mouvements de gauche québécois depuis vingt ans. Agnaïeff avait porté plainte contre le SCRS auprès du CSARS, le Comité de surveillance des activités de renseignements au Canada, mais l'organisme avait jugé que les autorités avaient des raisons sérieuses de le placer sous une telle surveillance.

*

Durant une dizaine d'années, soit entre 1963 et 1972, le mouvement terroriste au Québec a donné lieu à de nombreux événements qui ont marqué à jamais l'histoire du pays. J'étais un journaliste inexpérimenté au moment où le

Front de libération du Québec (FLQ) est né. En 1964, j'ai assisté de loin à l'arrestation d'un groupe de felquistes qui s'étaient amenés en Mauricie pour y établir un camp d'entraînement sur une petite ferme de Saint-Boniface. Le jeune journaliste que j'étais n'a rien obtenu d'important, toutes les nouvelles ayant été publiées par les «vieux pros» du métier, tous de Montréal.

Quelques années plus tard, à l'époque des grosses manifestations de 1968 et de la deuxième vague du FLQ, je savais comment faire pour obtenir des informations de première main. Ainsi, en 1970, lors du déclenchement de la crise d'Octobre par l'enlèvement du diplomate britannique James Richard Cross, j'ai pu dévoiler une exclusivité. C'est moi qui ai révélé le premier, dès le lendemain de l'enlèvement survenu rue Redpath Crescent, dans le centre-ville, que Jacques Lanctôt était activement recherché par la police. Le lien avait été facile à faire pour un journaliste car Lanctôt avait réussi à fuir la police et la justice quelques mois auparavant. Il était entré dans la clandestinité après avoir été arrêté pour un complot d'enlèvement. Des policiers en patrouille rue Saint-Denis avaient surpris deux jeunes hommes à bord d'une camionnette qui contenait une grosse boîte capable de contenir un adulte de forte taille. Ils avaient en leur possession un fusil à canon scié et une liasse de documents divers.

Traitée comme un simple cas de routine, l'affaire avait failli passer inaperçue. Les deux hommes avaient été envoyés au Palais de Justice, accusés de simple possession d'arme. Les policiers avaient cru que le duo s'apprêtait à commettre un simple vol à main armé dans un commerce. Ils avaient tort. Les deux jeunes s'en allaient enlever le consul des États-Unis à Montréal. Ce n'est que quelques heures plus tard, lorsque les détectives affectés à la Section antiterroriste de la police de Montréal (SAT) avaient vu les noms des suspects sur la liste des gens arrêtés dans les dernières heures, qu'on avait réalisé l'importance des arrestations. Depuis cet incident survenu en mars, Lanctôt vivait dans la

Jeune journaliste, j'ai tenté d'obtenir des informations
du ministre de la Justice, Jérôme Choquette, en 1970,
au beau milieu de la crise d'Octobre.

clandestinité. Le communiqué envoyé après l'enlèvement du diplomate Cross, la méthode de procéder des ravisseurs et les divers indices recueillis par les policiers ne laissaient planer aucun doute : Jacques Lanctôt était au nombre des ravisseurs.

Durant les deux mois suivants, les nouvelles exclusives fusaient de toutes parts. Un des journalistes qui ont obtenu beaucoup de ces exclusivités était un homme qui avait fait une très longue carrière au *Toronto Star*, ce qui était tout à son honneur. Mais moi, journaliste de six ans d'expérience à Montréal, j'ai deviné que c'était de Montréal que le collègue de Toronto obtenait ses meilleures exclusivités. Il était aussi évident que ses informateurs étaient des policiers de la Gendarmerie royale du Canada. J'ai alors décidé de m'attaquer directement au problème en me faisant aussi de bons contacts au sein de la GRC.

À cette époque, la police fédérale avait une politique de communication plutôt simple. Les journalistes obtenaient presque toujours la même réponse : « Pas de commentaires. » C'est pourquoi j'ai commencé à préparer des reportages sur des sujets peu ou pas controversés. J'ai aussi réalisé que les agents fédéraux réussissaient souvent de bons coups dans les affaires de drogue et qu'il était évidemment plus facile de leur délier la langue au sujet de leurs réussites. Les questions embarrassantes seraient posées plus tard.

Après la crise d'Octobre, j'ai couvert plusieurs dossiers d'espionnage et mon acharnement à me faire de nouveaux contacts serait bien récompensé. J'avais aussi, au cours des années, établi un bon réseau dans les divers services de police, principalement la police de Montréal, qui allait devenir celle de la Communauté urbaine de Montréal en 1972, et la Sûreté du Québec, qui a changé de nom au moins quatre fois au cours de ma carrière.

Un dossier qui m'a donné beaucoup de satisfaction en 1975 fut celui d'une série de reportages sur les activités policières visant le FLQ, particulièrement durant la crise d'Octobre. Par une série d'entrevues avec plusieurs acteurs importants de l'enquête, j'ai réussi à raconter en détail comment les policiers avaient réussi à retrouver le diplomate Cross et à capturer ses ravisseurs.

De tout temps, les faits et gestes des felquistes ont donné lieu à diverses thèses sur le nombre des cellules du groupe et leur importance. Plusieurs individus, dont de nombreux journalistes, ont voulu créer des mythes, souvent à partir de peu d'informations, de faits mal interprétés ou de données tout simplement fausses. Pour ces années 70, les exemples de faits tordus sont nombreux. Plusieurs voyaient des complots partout. On croyait qu'Ottawa était responsable d'opérations diverses visant à contrer la montée du mouvement indépendantiste au Québec. Plusieurs croyaient que des éléments étrangers étaient à l'œuvre dans cette province. Le patronat et la CIA étaient souvent mis dans le même panier.

L'un des meilleurs exemples de la création d'un mythe est le « coup de la Brink's », qui eut lieu lors des élections provinciales de 1973. Plusieurs politiciens soutenaient depuis ce jour d'avril 1973 que de grosses entreprises avaient organisé le transfert de valeurs du Québec vers l'Ontario de façon à créer un mouvement de panique dans la population. Ce plan diabolique, croyait-on en certains milieux, voulait démontrer que l'élection de députés du Parti québécois entraînerait un exode important de capitaux. C'est la parution d'une photographie en première page du *Montreal Star* qui avait dévoilé ce prétendu plan secret. La photographie, prise à Belleville, en Ontario, et transmise par la Presse canadienne, montrait des convoyeurs de fonds transférant de gros sacs de valeurs d'un camion à un autre. En fait, il s'agissait d'une très banale panne d'un camion blindé de la compagnie de transport. La parution de cette photographie, le jour même de l'élection, dans un journal anglophone, n'avait même pas attiré l'attention. Ce n'est que le lendemain qu'on a commencé à faire état de l'incident en le dénaturant. Un autre mythe était né.

L'influence des puissances étrangères a aussi donné lieu à bien des thèses tant dans le camp souverainiste que dans le camp fédéraliste. Mais les policiers spécialistes du renseignement ont toujours fait d'énormes efforts afin de démêler le vrai du faux dans ces thèses de complot ou d'infiltration dans le monde économique et surtout politique.

*

En octobre 1976, l'univers politique québécois était en ébullition. Le Parti québécois avait le vent dans les voiles alors que tout allait mal pour les libéraux de Robert Bourassa qui se lançaient en campagne électorale. Le gouvernement venait de traverser plusieurs crises et un vent de scandale soufflait sur Québec. Les « affaires » se multipliaient. Au beau milieu de la campagne électorale, je dévoilais aux lecteurs de *La Presse* l'existence d'un service ultrasecret au sein de l'appareil gouvernemental québécois : le Centre d'analyse et de documentation (CAD). Le gouvernement Bourassa, voulant diversifier ses sources de renseignements, avait créé le CAD afin d'y compiler les informations provenant de divers milieux, dont les services de renseignements policiers. Le CAD avait des moyens exceptionnels à sa disposition et, à l'époque, les lois sur la protection des renseignements personnels étaient beaucoup moins contraignantes que les lois actuelles. Le service avait aussi à l'œil plusieurs fonctionnaires. De plus, aucune loi ne régissant alors l'usage des tables d'écoute, la surveillance électronique était pratiquée de façon discrète par les agents de renseignements des principales forces policières.

La GRC n'avait pas de difficulté à faire de l'écoute car, en vertu des diverses législations sur la sécurité nationale et de la Loi des secrets officiels, les agents fédéraux de renseignements de sécurité avaient le champ libre. Pour les affaires criminelles, la police fédérale, officiellement, ne pratiquait pas l'écoute, sauf que… la GRC subventionnait secrètement le service municipal de police de Westmount, qui était mieux équipé que tous les autres services de police du Canada. Un agent était même affecté à la seule tâche de diriger le service d'écoute, dans une municipalité où aucune enquête ne nécessitait l'usage de cet instrument. La police de Montréal, comme la police provinciale, utilisait cette technique d'enquête comme source de renseignements. Cependant, jamais il n'était question de l'utilisation de l'écoute électronique dans des enquêtes. Les policiers toutefois s'en servaient pour découvrir des crimes et, bien souvent, arrêter des criminels en flagrant délit.

Un tel cas fut celui de la manipulation de l'horloge du Forum de Montréal par les mafiosi du clan Cotroni dans les années 70. Organisateurs d'une loterie basée sur la minute et la seconde du dernier but de la partie de hockey, les criminels avaient imaginé qu'ils réaliseraient de meilleurs profits en manipulant le cadran officiel de la patinoire du Forum. Par les statistiques, les amateurs savaient que c'était dans les dernières minutes de jeu d'une période qu'il se comptait le plus de buts. C'est ainsi que, certains soirs, les vendeurs de « pool » de hockey retiraient plusieurs des minutes et secondes où les joueurs étaient le plus susceptibles de compter des points.

Un policier de la CUM, le lieutenant Steve Olynik, a déclaré sous serment, lors du procès des manipulateurs de l'horloge, qu'il avait personnellement remarqué, en assistant à certains matchs, que le préposé à l'horloge n'arrêtait pas immédiatement le système d'horlogerie lorsque les buts étaient marqués... Donc, les officiers de police et les hauts fonctionnaires du CAD avaient une banque incomparable de renseignements dans leurs dossiers, de quoi permettre de mieux gérer les crises et de mieux informer le gouvernement, expliquait-on.

On a vite comparé le CAD au FBI ou à la CIA ou encore à la DST française. Toutefois, le Premier ministre Robert Bourassa, en confirmant l'existence du centre, a affirmé qu'il s'agissait d'un service tout à fait inoffensif qui ne faisait que recueillir des informations de sources publiques. Il a nié énergiquement toute action illégale effectuée par ce service. Il a nié aussi vigoureusement l'existence de toute forme d'enquête au Québec comme à l'étranger.

Le Parti québécois, pour sa part, dénonçait la création de cette section secrète et spéciale. Dès que l'élection fut gagnée, le nouveau Premier ministre, René Lévesque, et son ministre de la Justice, Marc-André Bédard, annonçaient la destruction des archives du CAD et le démantèlement de l'organisme. Le tout fut entouré d'un fort battage publicitaire. Toutefois, le gouvernement n'a jamais voulu confirmer la destruction complète de tous les dossiers compilés par le CAD. Créé en 1971, le centre avait monté trente mille dossiers sur des individus, six mille sur des organismes. Il y avait aussi près de deux mille dossiers ouverts sur des événements particuliers, a-t-on appris après la fin du démantèlement.

En ces années 70, les tensions constantes entre Québec, Ottawa et Paris retenaient l'attention du public, des politiciens, des policiers et des agents des services de renseignements. Certains voyaient des espions partout. Un de ces espions dont le nom était sur toutes les lèvres était Philippe Rossillon. Le Premier ministre Pierre Elliott Trudeau l'avait qualifié d'espion français chargé d'aider et de financer les mouvements québécois. Il était proche de certains terroristes et s'activait à promouvoir la cause du français au Canada. Rossillon avait lui-même dévoilé que c'était lui qui était à l'origine du fameux « Vive le Québec libre ! » lancé par le président de la France, Charles de Gaulle, lors de sa fameuse allocution de juillet 1967 sur le balcon de l'hôtel de ville de Montréal. Chaud partisan de l'indépendance du Québec et ardent promoteur du fait français en Amérique, Rossillon fut qualifié d'indésirable par les autorités canadiennes et n'a pas remis les pieds au Québec durant cinq ans. Il était un membre du réseau « Patrie et Progrès », un regroupement de hauts fonctionnaires français voués à la promotion de la francophonie dans le monde. Souvent ses actions étaient inconnues de ses propres patrons.

Ce qu'on savait publiquement, c'est qu'Ottawa suivait de très près les activités de plusieurs diplomates ou agents de diverses sociétés françaises qui étaient soupçonnés de promouvoir la cause de l'indépendance du Québec, par des gestes et de l'argent. Les dénonciations d'Ottawa ont fait la manchette durant deux décennies. Toutefois, ce qu'on ne savait pas à l'époque, c'est que le service de sécurité de la Sûreté du Québec s'intéressait aussi à Rossillon et à d'autres personnages liés à la France à titre d'agents d'influence et de protecteurs de certains individus, dont au moins un membre du Front de Libération du Québec, devenu depuis haut fonctionnaire de la France.

Durant des années, la SQ menait de son côté l'opération Fleur de Lys, visant à démontrer l'influence des « agents subversifs étrangers Philippe Rossillon et Xavier Deniau » auprès des divers membres du FLQ. Par une fuite des services secrets, un député de l'opposition conservatrice, M. Tom Cossitt, a déclaré en 1978 que M. Deniau était un des espions de la France au Canada. M. Deniau a toujours été considéré à Québec comme un grand ami de la cause. Il était secrétaire général de l'Association internationale des parlementaires de langue française. Le Premier ministre René Lévesque l'a décoré de l'ordre des Francophones d'Amérique. Ce n'est que plusieurs années après cette enquête que j'ai mis la main sur divers documents, encore inédits aujourd'hui, démontrant l'intérêt de la police québécoise pour les agents d'influence du gouvernement français auprès des terroristes du FLQ ou des fonctionnaires du gouvernement du Québec.

Gilles Stéphane Pruneau, décédé il y a quelques années, était le seul membre connu du FLQ à n'avoir jamais subi les foudres de la justice canadienne. Il avait dix-neuf ans en 1963 lorsqu'il a fui le Canada pour se réfugier en France, puis en Algérie. Pruneau faisait partie de la première vague felquiste. Le rapport de l'opération Fleur de Lys le décrit comme ayant participé à une série d'explosions à la bombe dans des boîtes aux lettres de Westmount. Une de ces explosions avait grièvement blessé un artificier des forces armées canadiennes, Walter Leja, qui est demeuré paralysé pour le reste de sa vie. Le fuyard était encore accusé, au temps de la rédaction du rapport, d'avoir comploté avec les felquistes Mario Bachand, Jean-Denis Lamoureux, François Gagnon et Pierre Schneider pour cette série d'attentats. Bachand a été assassiné à Paris le 29 mars 1971, dans des circonstances qui n'ont pas encore été éclaircies. Quant à Jean-Denis Lamoureux et à Pierre Schneider, ils ont tous deux mené une vie rangée après avoir purgé des peines de prison. Tous deux sont devenus journalistes. Tous deux ont aussi été mes patrons durant quelques années.

Pierre Schneider a été longtemps chroniqueur de faits divers et d'affaires judiciaires. Quant à Lamoureux, il a été souvent ostracisé par un animateur radiophonique de Québec qui en avait fait sa tête de Turc préférée, surtout après qu'il eut été nommé attaché de presse du Premier ministre René Lévesque. Je n'ai jamais eu aucun problème professionnel avec ces deux hommes, qui effectuaient leur travail en respectant les règles de notre métier.

Le rapport de l'opération Fleur de Lys déclarait que Pruneau, en Algérie, coordonnait les efforts du mouvement séparatiste québécois et servait de liaison avec al-Fatah qui, en 1969, avait financé l'opération McGill pour un montant de mille cinq cents dollars. L'auteur du rapport, gardé jalousement secret par la SQ et le gouvernement depuis sa rédaction, cherchait à étudier le rôle joué par sept ressortissants étrangers qui avaient été actifs dans le FLQ durant les quelque dix années de ses activités. Après avoir infiltré les rangs des mouvements indépendantistes, ces personnages, d'après le rapport, avaient « lancé l'idée de la rentabilité du terrorisme. Leur travail à l'intérieur de ce mouvement a permis d'influencer et d'endoctriner certains de ces militants les plus aptes à former les premières cellules du Québec et à structurer une organisation terroriste ». L'officier de la SQ rédacteur du document s'interrogeait sur le fait que ces individus aient été incités à agir par les autorités de certains pays étrangers. Il mentionnait la France et un autre pays, une puissance du bloc de l'Est, écrivait-il, agissant par l'intermédiaire de ressortissants étrangers liés à la France.

Le rapport de l'opération Fleur de Lys mentionnait aussi l'influence « d'agents de la France », dont Rossillon. On peut lire dans le document une lettre du trouble-fête Rossillon qui suggère à des hauts fonctionnaires français qu'une des façons d'aider le Québec à devenir un État français et souverain serait d'intensifier l'immigration française au Québec. « Le sort du Québec, écrivait Rossillon le 24 novembre 1967, dépend du résultat de la bataille de l'immigration. Tous les autres aspects du problème québécois, y compris la coopération franco-québécoise, apparaissent comme secondaires, sinon dérisoires, en comparaison de cette question. »

Notant les intérêts du fonctionnaire français, la police avait aussi établi ses relations avec plusieurs hauts fonctionnaires québécois, dont certains, d'origine française, occupaient à l'époque des postes stratégiques au sein du ministère québécois de l'Immigration. Le service de sécurité de la SQ avait de très bonnes sources puisque le rapport reproduisait in extenso des extraits de télex envoyés à l'étranger par les hauts fonctionnaire québécois. Le document faisait grand état de communications codées entre plusieurs individus dans lesquelles il était mentionné un « Centre » ainsi que l'implication dans cet organisme de l'ex-felquiste Pruneau.

De la façon dont les communications interceptées étaient écrites et de l'utilisation du code, les policiers chargés de cette surveillance concluaient à des activités sinon clandestines, du moins conduites à des fins officielles de façon cachée. C'est à partir d'informations accumulées dans son opération Fleur de Lys que la SQ voulait faire qualifier de risques à la sécurité de l'État deux hauts fonctionnaires québécois, dont un était sous-ministre et l'autre un important directeur de service. L'allégeance de ceux-ci était plutôt à la France qu'à leur employeur.

*

Pour un journaliste, il n'y a pas de mauvaise information, et c'est souvent de façon bien indirecte que nous sommes mis sur la piste d'une grosse histoire. C'est ainsi qu'à la fin de l'été 1998 un de mes bons informateurs me suggérait de m'intéresser à une arrestation très banale survenue à la Bibliothèque municipale de Westmount.

Un vol de cendrier, rien que cela.

Connaissant la qualité de cet informateur, j'ai su immédiatement qu'il ne s'agissait pas d'une blague. Ce fut en fait le début d'une autre belle aventure journalistique qui allait me procurer de bonnes exclusivités pour mon journal et aussi me mettre sur la piste d'un des plus gros réseaux de terrorisme international, celui d'Oussama Ben Laden, l'homme que les États-Unis craignent le plus au monde.

Ce vol de cendrier allait aussi me faire découvrir une partie, bien infime toutefois, de l'actuel monde du renseignement de sécurité au Canada. « Plus ça change, plus c'est pareil », m'avait affirmé mon interlocuteur en faisant référence à des agissements bizarres de la part du personnel du Service canadien de renseignements de sécurité (SCRS). Il soutenait même que les méthodes étonnantes du service de sécurité de la Gendarmerie royale du Canada révélées dans les années 60 et 70 n'étaient que de la petite bière en comparaison des tactiques utilisées aujourd'hui par les agents secrets du SCRS.

Deux commissions d'enquête, celle du juge McDonald, créée par Ottawa, et la commission Keable, créée par Québec, avaient enquêté à la fin des années 70 sur les méthodes et les techniques d'enquête utilisées par les agents de renseignements contre le FLQ, le mouvement indépendantiste et d'autres organisations tant officielles que clandestines.

Donc, la piste du vol de cendrier n'en était pas une facile à exploiter. L'individu arrêté par un agent de sécurité en juin 1998 était un converti à l'islam, un Québécois pure laine devenu ardent défenseur de la pensée islamique et qui s'était donné la mission de propager cette doctrine chez nous. Appelons-le Youssef pour les besoins du récit.

C'est la section des enquêtes sur la sécurité nationale de la GRC qui était aux trousses de Youssef. L'homme d'âge mûr était soupçonné par les agents fédéraux d'avoir fait des menaces à un juge français et d'avoir voulu provoquer la panique dans le métro de Montréal en menaçant d'y placer une bombe bactériologique en mars 1998. Il était sous surveillance depuis plusieurs jours lorsqu'il s'est rendu à la Bibliothèque municipale de Westmount pour y utiliser un ordinateur disponible au public. Les policiers n'avaient pas de mandat d'arrestation mais possédaient beaucoup d'éléments pour le relier aux menaces. Un des agents affectés à la surveillance a alors vu l'individu placer un cendrier dans ses effets personnels. C'est le genre de geste qu'il fallait qu'il pose pour que les policiers puissent intervenir officiellement et légalement. La GRC a prévenu un agent de sécurité de la Ville, qui a demandé au visiteur de vider son sac. Le cendrier fut découvert. Youssef a été arrêté, ses effets personnels ont été confisqués. Parmi les documents en sa possession se trouvait un communiqué du Jihad islamique, en tous points semblable à dix-huit autres communiqués qui avaient été envoyés à des journalistes et à des hommes publics. Le document a été soumis à des expertises poussées.

L'un de ces communiqués avait été transmis aux bureaux du *Journal de Montréal*, prévenant de la présence d'une bombe bactériologique dans le métro montréalais. Les autorités avaient fait évacuer plusieurs stations et c'est à la station Fabre, rue Jean-Talon, qu'un colis suspect avait été trouvé. Bien qu'ils ne soient pas entraînés à la manipulation des bombes bactériologiques, ce sont les artificiers de l'escouade technique de la police de la CUM qui avaient été désignés pour neutraliser l'engin. Heureusement que le dispositif n'était en rien relié à une bombe bactériologique car, en présence d'un véritable acte de bioterrorisme, nos policiers auraient été fort mal protégés. Ceux-ci sont entraînés et équipés pour neutraliser des explosifs mais n'ont pas les moyens de s'occuper d'objets bactériologiques ou radio-actifs.

Les résultats des analyses d'écriture n'ont pas tardé à confirmer les soupçons de la GRC. Non seulement la majorité des communiqués provenait du même ordinateur et de la même imprimante, mais des analyses d'ADN et la comparaison d'empreintes digitales reliaient le suspect aux enveloppes dans lesquelles les communiqués avaient été acheminés. Youssef n'a jamais été accusé pour le vol du cendrier, ni pour les menaces d'attentat et l'envoi de ces communiqués pour le moins incendiaires. L'individu avait aussi écrit des lettres à un juge d'instruction français, le juge Jean-Louis Bruguière, chargé d'éclaircir une série d'attentats à la bombe commis en France et imputés à des « terroristes islamiques ». Certains avaient vu dans ces écrits des menaces au magistrat.

Youssef était bien connu des agents secrets et des policiers chargés de la lutte antiterroriste, mais ce qui était moins connu, c'est qu'il était aussi un informateur payé par le SCRS. Donc, pendant que le service civil de sécurité faisait des représentations au gouvernement sur les dangers du bioterrorisme à l'aube du nouveau millénaire, c'est en utilisant de l'argent d'Ottawa qu'un individu expédiait aux journaux et à d'autres organismes des menaces signées Abu Jihad.

Cette découverte devait provoquer une véritable guerre entre la GRC et le SCRS. Les agents du service civil ne répondant pas assez vite ou cachant trop de choses à leurs vis-à-vis de la GRC, ceux-ci ont même rédigé une demande de mandat de perquisition pour aller fouiller dans les dossiers du service de sécurité fédéral !

Les menaces visant le juge Bruguière n'étaient pas une petite affaire de routine, vu l'importance de ce magistrat parisien. Spécialiste des affaires de terrorisme islamique en France, le juge s'est fait toute une réputation en pourchassant les plus gros bonnets du terrorisme international. C'est lui qui s'est occupé du dossier de Carlos, le terroriste numéro un durant un quart de siècle et qui a été condamné et emprisonné en France. Illich Ramirez Sanchez, utilisant le nom de guerre de Carlos, avait multiplié les attaques mortelles dans le monde, dont l'une sur le village olympique de Munich en 1972 qui avait fait une série de victimes au sein de la délégation israélienne.

Depuis 1996, le juge Bruguière était sur la piste d'un autre réseau islamique, qui avait Montréal comme base d'opérations. D'après les enquêtes françaises, le chef du groupe était Fateh Kamel, un Algérien qui avait obtenu la nationalité canadienne. Cet importateur marié à une Québécoise demeurait à l'île Perrot, en banlieue ouest de Montréal, avec femme et enfants. Il menait apparemment une vie paisible.

Bien que Fateh Kamel niât avec vigueur être associé au terrorisme international, un journal français l'a décrit l'an dernier comme étant le Carlos des terroristes islamiques. Les enquêtes internationales liaient ce beau jeune homme à un réseau d'extrémistes entraînés à la guerre en Afghanistan et maintenant financés par le maître de la terreur, le milliardaire saoudien Oussama Ben Laden. Réfugié en Afghanistan, ce terroriste qui finance des actions punitives contre les ennemis de l'islam est à l'origine du groupe de Montréal, pensent tous les policiers du monde occidental.

Ces extrémistes se sont lancés dans une guerre sainte, le jihad, visant ceux qui refusent de se soumettre aux lois islamiques. Le juge Bruguière était venu à Montréal à plusieurs reprises après 1996 pour enquêter sur Kamel, qui voyageait beaucoup dans le monde. Les pouvoirs d'un juge d'instruction de France sont très étendus. Il peut ordonner la détention d'un suspect de façon préventive et pendant de longues périodes. Ici, semble-t-il, le magistrat était passablement frustré de ne pas pouvoir agir aussi efficacement qu'il le pouvait chez lui. Les deux systèmes judiciaires étant fort différents, un mandat d'arrêt contre Kamel n'avait pu être obtenu à Montréal. Toutefois, son arrestation n'a été que retardée puisque le Montréalais voyageur a été interpellé en Jordanie et expulsé vers la France. Il était accusé à

Paris d'avoir aidé des terroristes. En Italie, en Turquie, en France et au Canada, son nom était associé à des groupes radicaux ou terroristes. Certains l'appelaient Mustapha le terroriste, d'autres, El Fateh ou simplement Fateh.

Les autorités françaises et canadiennes cherchaient à découvrir des preuves de l'implication de personnes vivant en territoire canadien dans une opération visant à procurer aux terroristes islamiques des éléments qui leur auraient permis de procéder à une explosion nucléaire. Des complices du groupe de Montréal travaillaient apparemment à cette commande passée par Oussama Ben Laden. Le millionnaire avait offert aux cercles bien informés une somme d'un million et demi de dollars américains pour l'achat d'uranium et des autres composantes d'un engin atomique afin d'accentuer sa guerre sainte contre les USA.

Le juge Bruguière avait entrepris de suivre la trace de Fateh Kamel à partir d'informations obtenues à Roubaix, près de Lille, en France, lors de la destruction d'un immeuble où s'était réfugié un groupe de terroristes. Plutôt que de se rendre, les individus cernés avaient mis le feu à leur logement et tiré sur les policiers. Quatre terroristes étaient morts. Ce groupe effectuait de gros vols à main armée pour financer ses activités.

Kamel était le lien entre les faussaires capables de fabriquer un faux passeport et quelqu'un capable d'en obtenir un véritable du gouvernement du Canada sous un faux prétexte. La piste des juges français les ayant menés à Montréal, c'est dans un appartement d'Anjou que la GRC a découvert le pot aux roses. Lors d'une perquisition, on y a trouvé divers documents compromettants. La liste des appels téléphoniques effectués du modeste logis de la place de la Malicorne, près de la rue Beaubien, à Anjou, a démontré un réseau de contacts internationaux impliqués à divers niveaux dans la préparation d'opérations d'éclats ou l'assistance à des terroristes. Plusieurs des individus contactés par les locataires du logis étaient associés à des organisations religieuses ou humanitaires qui cachaient en fait des unités terroristes.

L'appartement d'Anjou avait abrité plusieurs individus au cours des mois précédents, dont, principalement, Ahmed Ressam, Mustapha Labsi et Abdel Boumesbeur, trois Algériens ayant obtenu leur statut de réfugié politique au Canada, et un Bosniaque du nom de Saïd Atmani, que plusieurs connaissaient sous le surnom de Karim. C'était le quartier général de la cellule montréalaise de moudjahidin dont le patron était Kamel.

Atmani était considéré comme le bras droit de Fateh Kamel. Ressam avait un petit commerce, tout comme Kamel, mais d'autres membres du groupe avaient des revenus provenant de petites fraudes, de petits vols commis dans les voitures garées dans le centre-ville de Montréal. Ces hommes qui vivaient pauvrement utilisaient une partie de leurs revenus pour « aider la cause », ont révélé des policiers de la Communauté urbaine de Montréal lors d'une fameuse conférence de presse tenue le 16 décembre 1999. C'était une occasion plutôt rare pour un journaliste que d'assister à un point de presse où des policiers parlaient ouvertement d'enquêtes généralement effectuées dans le plus grand secret. Ils soutenaient que le réseau de voleurs était de mèche avec les terroristes islamiques.

Le même matin, j'ai appris que, la veille, un certain Ahmed Ressam, vivant à Montréal, avait été arrêté en tentant d'entrer aux États-Unis avec quatre puissantes bombes et divers objets utiles à une organisation terroriste. Nous étions à quelques jours du début du nouveau millénaire et cette nouvelle allait faire beaucoup, beaucoup de bruit. Ressam, qui avait été l'objet de recherches à Montréal, avait complètement disparu de la circulation. On apprendrait plus tard qu'il était allé en Afghanistan pour s'entraîner à occuper de plus hautes fonctions dans l'organisation. C'est en Afghanistan que la plupart des terroristes islamiques se sont entraînés. Plusieurs d'entre eux y étaient allés se battre aux côtés de leurs frères musulmans contre l'envahisseur soviétique durant les années 80. Plus tard, un bon nombre d'entre eux ont été utilisés par Oussama Ben Laden, qui a installé son organisation, nommée Al Qaeda, dans un coin secret du pays, afin de porter dans le monde sa guerre contre tous les États ennemis de l'islam.

C'était une surprise que de voir réapparaître Ahmed Ressam à Port Angeles, dans l'État de Washington, en provenance de Colombie-Britannique. C'est une simple vérification de routine qui avait entraîné son arrestation. On s'était aperçu que le nouvel arrivant était passablement nerveux. Il avait utilisé une carte du magasin Costco pour s'identifier plutôt que d'exhiber un permis de conduire. Devant les questions de plus en plus embêtantes de l'agent des services d'immigration, Ressam avait tenté de fuir à pied. Il avait été attrapé quelques rues plus loin par plusieurs agents. Il s'était identifié avec de faux documents en utilisant les noms de Beni Alexandre Noris et de Mario Roig. Il disait habiter un appartement de la rue du Fort, à Montréal, et être âgé de vingt-huit ans. Dans ses poches, il avait un bout de papier portant le numéro de téléphone d'un appartement de Brooklyn et le nom de Ghani. C'est par les empreintes digitales que le nom de Ressam a été accolé au dossier du terroriste détenu. Bien vite, cette arrestation a ameuté tous les services d'enquête américains.

J'ai publié la nouvelle de l'arrestation du terroriste montréalais dans l'édition du 17 décembre 1999 du *Journal de Montréal*. Ce que je ne savais pas alors, c'est que très peu de détails avaient filtré jusque-là à propos de l'arrestation, vu l'extrême nervosité des autorités américaines à la suite de la découverte tout à fait fortuite d'un gros complot terroriste. J'ai été fort surpris de constater que la publication des informations que j'avais découvertes à Montréal constituait un scoop de grande importance dans ma carrière.

Dès l'arrestation du terroriste, les autorités américaines ont lancé dans le plus grand secret l'opération Borderbom, menée par le FBI et une équipe antiterroriste formée aux États-Unis après les attaques à la bombe contre les ambassades américaines au Kenya et en Tanzanie en 1998, qui avaient fait deux cent vingt-quatre morts dont neuf Américains. Ce n'est que quelques heures après la parution de notre journal que les détails de l'arrestation de Ressam, maintenant positivement identifié, ont été communiqués, en même temps que la nouvelle de sa comparution devant la justice à Seattle. Le FBI a aussi placé sous écoute le téléphone du dénommé Ghani. En fait, il s'agissait d'Abdel Ghani Meskini, qui, une fois arrêté, confesserait ses crimes et se dirait prêt à témoigner.

Quelques jours plus tard, j'ai obtenu la seule photographie existante de Ressam, prise lors d'une de ses arrestations pour fraude quelques années auparavant. Encore aujourd'hui, c'est la seule photographie du personnage qui ait été diffusée dans les médias, à part celle où l'on voit un vague individu sur le siège arrière d'une voiture de police à son arrivée au Palais de Justice pour la première fois après son arrestation.

Quelques jours plus tard encore, lors de l'arrestation d'un autre suspect dans cette affaire, Moktar Haouari, j'ai obtenu une autre photographie, dont la publication allait provoquer toute une méprise. Un agent de surveillance à l'emploi du SCRS, m'a-t-on expliqué après, avait mal identifié Haouari lors d'une séance de surveillance dans un endroit public. Je n'avais donc pas publié la bonne photographie, et le journal et moi avons dû faire amende honorable. C'est l'une des pires choses pour un journaliste ou un média que de devoir informer ses lecteurs à la suite d'une telle méprise. Dans ce cas-ci, j'ai effectué une entrevue avec l'individu faussement identifié comme le personnage arrêté par la police et nous avons placé ce nouvel article bien en évidence. Nous avons aussi publié une mise au point détaillée, de façon à clarifier une fois pour toutes les circonstances de la méprise.

L'enquête a donné lieu à plusieurs rebondissements. C'est encore moi qui avais découvert la résidence secrète de la place de la Malicorne. Grâce à des documents divers obtenus de sources officielles, à diverses enquêtes de journalistes canadiens, américains et européens, l'importance du groupe de terroristes montréalais devenait de plus en plus évidente.

Le 6 avril 2000, une offre de récompense peu commune était faite pour la capture d'un Montréalais ami et associé de Ressam, Abdelmajid Dahoumane. Ce jeune homme, également d'origine algérienne, était soupçonné d'avoir été le complice de Ressam dans le complot terroriste américain. C'est lui qui aurait assemblé les engins explosifs avec le détenu dans un motel de Vancouver. C'était la première fois, comme journaliste, que j'assistais à une conférence de presse aussi suivie par les médias pour annoncer une récompense. Ce n'était rien de moins que cinq millions de dollars américains que Washington offrait pour la capture du jeune Dahoumane. Jamais autant d'argent n'avait été avancé au Canada dans une enquête policière. C'était toutefois la deuxième fois que Washington offrait autant de millions pour la capture d'un terroriste, le premier ayant été Oussama Ben Laden lui-même, le cerveau et financier supposé de la plupart des grosses attaques effectuées contre les États-Unis depuis dix ans. Dahoumane a été arrêté en Algérie l'an dernier. Depuis, le Secrétariat d'État américain et la CIA cherchent à convaincre les autorités algériennes de livrer Dahoumane à la justice de leur pays.

Le 7 avril 2001, Ahmed Ressam est demeuré impassible dans le box des accusés lorsque les jurés sont revenus de leur salle de délibérations pour annoncer leur décision : coupable. Il était accusé de terrorisme et d'importation d'explosifs aux États-Unis. Il n'avait fallu que dix heures aux jurés pour arriver à cette conclusion pour les neuf accusations portées contre Ressam. Le même jour, un tribunal de Paris le condamnait in absentia à cinq ans de prison pour avoir aidé des terroristes, tout comme Abdel Boumesbeur et Abdellah Ouzghar, deux autres Montréalais liés à la cellule.

Fateh Kamel, lui, écopait huit ans et le bannissement du territoire français à l'expiration de sa peine. Le procureur Marc Trévédic avait été particulièrement incisif sur le rôle de Kamel dans la cellule. « Fateh Kamel est un membre important du GIA [Groupe islamique armé], en lien avec le jihad international, ayant recherché de faux documents pour des actions terroristes visant la France. »

Moktar Haouari, après avoir contesté son extradition vers les États-Unis durant des mois, a finalement décidé de ne plus s'opposer à la mesure. Il est également accusé de terrorisme. Mustapha Labsi, arrêté en Grande-Bretagne, subira éventuellement un procès à Paris.

9

Les motards dans ma vie

Au cours de ma carrière, j'ai fouillé de nombreux dossiers de grands criminels liés à la Mafia ici ou ailleurs dans le monde, ce qui m'a demandé beaucoup de temps et d'efforts. Toutefois, jamais je n'aurais cru, lorsque j'ai commencé à écrire sur les activités des petites bandes de motards actives à la fin des années 60, que ces jeunes bandits de coin de rue deviendraient de très puissants criminels. Dans les faits, c'est petit à petit que je me suis intéressé aux motards, et jamais, au grand jamais, je n'avais imaginé que ce type de travail vraiment spécialisé bouleverserait ma carrière et toute ma vie.

La première fois que j'ai vu un membre des Hells Angels pour de vrai, c'était à l'occasion d'Expo 67, alors que des visiteurs du monde entier se sont amenés à Montréal pour voir la grande attraction qu'était cette exposition chère au maire Jean Drapeau et qui a véritablement mis la ville sur la carte du monde. Des motards de la bande américaine venant de Boston ont eux aussi eu l'idée de venir à Montréal, ce qui leur a fait faire une brève visite imprévue au poste de police numéro 4, rue Ontario. Les policiers de ce secteur le plus grouillant de la ville étaient habitués aux gros bras du boulevard Saint-Laurent et la puissance des motards ne les effrayait pas. La curiosité policière a amené deux agents à interpeller les costauds pour leur demander de les suivre au poste pour une petite enquête. Policiers comme motards semblaient s'amuser lorsque je suis allé voir ce qui se passait au fameux poste de police. L'incident n'a pas eu de suites.

À la même époque, plusieurs jeunes durs de tous les coins de la province commençaient à vouloir imiter les motards américains, dont les exploits étaient rapportés par les médias. Hollywood avait aussi glorifié la bande des Hells Angels, ce qui avait conduit à la création de plusieurs groupes du même genre. Initialement, plusieurs de nos motards étaient trop jeunes ou n'avaient même pas assez d'argent pour se procurer une moto, mais les choses allaient changer radicalement en peu de temps.

À Montréal, dans le secteur du parc Lafontaine, il y avait les Popeyes, qui étaient très actifs. Dans Villeray et Rosemont, il y avait les Devil's Disciples, qui commençaient à donner du fil à retordre aux policiers. Ces deux groupes étaient surtout composés de francophones. Dans l'ouest de la ville, les anglophones n'étaient pas en reste. Les Satan's Choice semblaient plus puissants et plus prospères que leurs amis de l'est de la ville. Installés dans le quartier de Saint-Henri, que les frères Dubois avaient rendu célèbre depuis une génération, les Choices, comme on les appelait aussi dans le secteur, avaient déjà développé des intérêts dans le commerce de la drogue, surtout les drogues chimiques. La bande avait ses propres chimistes amateurs qui avaient vite appris des experts. Ils avaient aussi importé produits et recettes des États-Unis.

Cette production de drogue a bientôt été imitée par les Devil's et les Popeyes, qui sont vite passés maîtres dans l'art de la concoction de ces mixtures chimiques. La marijuana aussi était fort à la mode et les motards commençaient à s'y intéresser. Jusque-là, les motards étaient de petits criminels qui s'adonnaient au cambriolage de résidences et de commerces ainsi qu'au vol de voitures. Ces crimes étaient commis sur une petite échelle et rien ne laissait présager les grosses organisations d'aujourd'hui. La police leur reprochait surtout de faire du tapage, de troubler la paix dans des bars et d'attaquer d'autres jeunes qui n'aimaient pas se faire dicter leur façon de se conduire par les petits groupes de motards.

Petit à petit, le port du dossard des Popeyes a commencé à impressionner les citoyens, mais les policiers les considéraient toujours comme de petites bandes de voyous. Certains groupes de la province s'étaient livrés à des attaques en règle contre de jeunes femmes, et des viols collectifs avaient donné une image peu reluisante des jeunes associés aux bandes. Les Popeyes avaient plusieurs noyaux ou « chapitres » naissants à Trois-Rivières, Sorel, Drummondville, en plus de Hull et de Montréal. Aucun de ces clubs n'avait véritablement de territoire d'opérations exclusif jusqu'au milieu des années 70, alors qu'a débuté la transformation des bandes en organisations plus sérieuses. Les motards commençaient à avoir plus d'argent et étaient de plus en plus craints.

Les Devil's Disciples n'ont pas fait long feu puisque la bande a été divisée par un schisme entre deux des principaux chefs. Les dirigeants de la bande ont été éliminés un à un, tout comme plusieurs subalternes. Ceux qui ont survécu à la tuerie ont mené des carrières solitaires ou en petit groupe dans le domaine des stupéfiants particulièrement. Un quart de siècle plus tard, on a découvert que quelques nostalgiques avaient toujours leur dossard des Devil's Disciples et qu'ils se réunissaient à l'occasion pour des balades. Ils évitaient toutefois de crier sur les toits que leur club était toujours actif. Les policiers les avaient oubliés comme entité collective, même si les plus connus de la bande étaient toujours surveillés à titre individuel.

Les Satan's Choice ont été les premiers à s'associer à l'un des deux grands groupes américains, soit les Outlaws, ce qui a immédiatement fait réagir les Popeyes, qui se sont mis à faire des démarches pour devenir membres des Hells Angels. Cette transformation de nos petites bandes a eu immédiatement un impact sur la quiétude des rues de Montréal. Pour imposer leur nouvelle force, les Hells Angels ont voulu intimider les Outlaws, qui ont réagi. C'est à coups de pistolet que les motards s'interpellaient. Du temps des Popeyes, la guerre avait déjà commencé avec les Devil's Disciples, qui, eux, s'entendaient plutôt bien avec les Satan's Choice. Dès 1978, la police constatait que certains meurtres commis à Montréal étaient dus à la compétition ou à une simple rivalité entre les deux groupes.

À cette époque, j'ai effectué plusieurs visites discrètes aux voisins des motards pour vérifier comment ceux-ci se comportaient dans le quartier où ils avaient installé leurs pénates. Les Hells Angels avaient choisi un petit logement de la rue Saint-Vallier, près de la rue Saint-Zotique, dont l'arrière était muni d'un assez vaste garage et d'une salle à l'étage. L'immeuble a vite été fortifié, les motards y perçant de nouvelles fenêtres pour mieux surveiller la ruelle, d'où pouvaient arriver leurs ennemis et aussi la police.

Les visites des forces de l'ordre étaient en effet assez fréquentes, car les soirées bruyantes étaient courantes dans le coin. Les motards couchaient même en bordure de la ruelle lorsqu'il faisait trop chaud et le bruit des motos pétaradant dans la ruelle était source d'embarras pour les voisins, qui n'osaient pas crier trop fort leur désapprobation. Partout au Québec, les motards avaient mauvaise presse. Ils étaient constamment inculpés pour des bagarres. Ils envahissaient certains établissements pour obtenir des consommations sous la menace. Certaines petites villes avaient même vécu des week-ends entiers sous la menace lors du passage d'une horde de motards. Les Hells Angels étaient les pires du genre.

Mais, bien vite, les motards ont compris que la police ne les laisserait pas s'installer en paix dans le coin. Des descentes successives ont amené les Hells Angels à choisir de nouveaux lieux de rassemblement. C'est ainsi que le groupe s'est installé dans le rang Frenière, près de Saint-Eustache, ainsi que rue Prince, à Sorel. Les Outlaws aussi avaient beaucoup de difficultés avec les policiers, qui ne les lâchaient pas d'une semelle.

En 1979, j'écrivais une longue série d'articles dans *La Presse* où je comparais les motards à la Mafia. Je tirais la conclusion qu'ils étaient plus puissants qu'elle. En fait, ils étaient beaucoup plus meurtriers que les mafiosi, qui, eux, étaient de plus en plus discrets dans leurs activités. La puissance des motards était loin d'être à son paroxysme, comme on le verrait dans les années 90.

C'est à cette époque que les Hells Angels ont accentué l'usage de la dynamite pour assurer leur suprématie sur les autres groupes. Déjà auparavant, en 1976, deux membres des Popeyes avaient été tués alors qu'ils se rendaient déposer une bombe dans le métro pour appuyer des collègues détenus au pénitencier et qui dénonçaient leurs conditions de détention. Celui qui a été choisi plus tard comme président national des Hells Angels canadiens, Robert « Tiny » Richard, avait déjà eu auparavant une expérience malheureuse avec une bombe qui lui avait sauté au visage pendant qu'il la fabriquait. Il avait perdu un œil et était demeuré partiellement handicapé.

*

Vers la fin des années 70, la Commission d'enquête sur le crime organisé (CECO) a fait une timide incursion du côté des motards. La commission, qui avait obtenu de gros succès en s'occupant des dossiers des frères Dubois et de la famille Cotroni, a fait chou blanc contre les motards. Bien sûr, elle a obtenu certains succès en région en faisant parader les chefs et les sous-fifres des bandes de motards d'envergure régionale. Que ce soit à Montmagny ou à Chicoutimi, les policiers ont accueilli la CECO à bras ouverts. Mais, à part quelques arrestations et des audiences spectaculaires, la commission n'a pas mis fin aux activités des bandes. Les commissaires ne se sont pas attaqués aux motards de Montréal, où les trois plus grosses bandes sévissaient, non plus qu'à ceux de Sherbrooke, réunis sous le nom de Gitans.

Ce sont les membres des Hells Angels eux-mêmes qui
ont mis de l'ordre et de l'organisation dans leur groupe. Ils
ont accueilli dans leurs rangs les riches motards de Sherbrooke et ont réorganisé la structure provinciale de contrôle. Plusieurs motards qui se distinguaient dans leur région sont devenus membres en règle des chapitres des
Hells ou de leurs clubs affiliés. Le nombre de clubs a baissé
de façon spectaculaire. Mais les motards ne délaissaient
pas les territoires de distribution de drogue. Ils commencèrent à mettre sur pied un réseau de distribution de haschisch et de cocaïne qui allait leur assurer puissance et ri-
chesse pour au moins les vingt années suivantes.

*

Les Hells ont aussi entrepris vers la même époque le
nettoyage de leurs ennemis. En 1979, un groupe d'anciens
membres des Devil's Disciples qui avaient formé la bande
des Huns, à Laval, ont perdu leur président, abattu par les
deux plus prolifiques tueurs des Hells. J'ai alors obtenu une
photographie du tueur numéro un des Hells, Denis « Curé »
Kennedy. Il avait posé dans un champ avec quatre revolvers
à la ceinture et deux mitraillettes dans les mains, derrière
une vieille mitrailleuse sur pied datant de quelques années.
Après la publication de cette photographie plutôt spectaculaire, Kennedy a accordé une entrevue à un hebdomadaire
dans laquelle il niait être un tueur au service de la bande.
    Le Curé et quelques-uns de ses amis ont décidé de fon-
der un nouveau chapitre des Hells, qui s'appellerait North.
Les autres motards se sont installés à Sorel, mais ont toujours continué à porter le nom de Montréal. La bande des
North, qui s'installa dans un grand garage du boulevard
Arthur-Sauvé, se fit connaître par ses extravagances. Les
motards faisaient continuellement la fête. La consomma-
tion de cocaïne était devenue l'activité première de certains
membres. En 1982, Denis Kennedy et Charles Hachey ont
été victimes d'une purge. Leurs cadavres ont été lancés

dans le fleuve Saint-Laurent, du quai de Lavaltrie. Ils avaient été ligotés dans des sacs de couchage lestés de chaînes et de blocs de béton. « Ils consommaient plus de coke qu'ils n'en vendaient », a dit plus tard un membre de la bande. N'appréciant pas les méthodes de leurs confrères, certains ont quitté le groupe de Laval pour rejoindre leurs amis de Sorel. Cette scission s'est apparemment faite sans trop de heurts. Du moins, rien n'a transpiré si des frictions se sont produites.

Le chapitre North se fit aussi connaître par ses meurtres et son trafic de drogue sur une très grande échelle. La bande était associée à Peter Frank Ryan, dit Doony, le patron du gang de l'Ouest, impliqué dans le trafic international de la drogue sur une échelle rarement vue pour un groupe indépendant du Canada. Le chapitre North faisait les commissions de Ryan, allant même jusqu'à servir de collecteur de dettes auprès des membres des autres chapitres canadiens des Hells. C'en était trop pour les motards, qui commençaient à en avoir marre des gars de Laval, devenus incontrôlables. C'est pourquoi un plan diabolique fut imaginé pour éliminer d'un seul coup tout le groupe de Laval. Pas question d'une mise à la retraite. C'est une purge en règle qui fut planifiée. Lors d'une réunion convoquée à Lennoxville pour prétendument discuter des ambitions des ennemis qu'étaient les Outlaws, tous les membres présents du chapitre de Laval devaient être passés par les armes.

Le samedi 23 mars fut choisi pour la grande boucherie. La liste des gens à abattre comportait une dizaine de noms de membres ou de proches associés. Les autres motards devraient soit se joindre aux gars de Sorel ou quitter l'organisation. Mais les motards lavallois étaient méfiants. Certains des plus vieux membres du groupe étaient très inquiets devant la tournure des événements et décidèrent de ne pas répondre à l'appel des gens de Sorel, qui avaient convoqué tous les membres québécois et même ceux de Halifax au bunker de Lennoxville. Comme seulement trois membres de Laval étaient présents lors du fatidique rendez-vous, les patrons ont remis la fête au lendemain, en insistant auprès des délégués lavallois pour qu'ils transmettent le message à leurs associés.

Le jour du crime, ils furent cinq motards à être tués, emballés et jetés au fleuve Saint-Laurent du quai du traversier qui fait la navette entre Saint-Ignace-de-Loyola et Sorel. Gilles Lachance, surnommé le Nez, fut épargné, car son comportement était irréprochable. Il décida de prendre une retraite honorable. Toutefois, plus tard, il devint délateur et contribua à faire condamner plusieurs des responsables ou des exécutants de la tuerie.

Quelques jours après le carnage, les policiers ont appris la disparition soudaine de Laurent Viau, surnommé l'Anglais, le grand patron du chapitre, de Jean-Guy Geoffrion, dit Brutus, le spécialiste mécanicien du groupe, et de Jean-Pierre Mathieu, dit Matt le Crosseur. Il manquait aussi Michel Mayrand, surnommé Willie, le superviseur du trafic de drogue dans une longue série d'établissements de la Rive-Sud, ainsi que Guy-Louis Adam, surnommé Chop, un membre qui prenait beaucoup de place. Un autre disparu s'est ajouté plus tard à la liste. Il s'agissait de Claude Roy, surnommé Coco, qui avait d'abord été épargné car il était l'un des rares motards de Laval à connaître les cachettes de drogue et d'argent du groupe. Les assassins espéraient récupérer le butin.

Ce n'était pas la première fois que les Hells Angels tuaient certains des leurs, mais l'ampleur du massacre de Lennoxville était sans pareille dans l'histoire des motards ou même dans tout le monde du crime. C'était bel et bien la première fois que tout un chapitre d'une bande de motards était passé par les armes. Régis « Lucky » Asselin et Yves « Apache » Trudeau étaient parmi les sceptiques et ils ont survécu, le premier ayant toujours eu une chance incroyable, l'autre ayant décidé d'aller entreprendre une cure de désintoxication à Oka.

Le contrat de l'assassinat d'Asselin a ensuite été offert à Trudeau, qui, en échange, aurait pu ravoir sa moto, qui avait été confisquée par les Hells Angels, ainsi qu'une somme de quarante-cinq mille dollars qui se trouvait dans le coffre-fort du chapitre North de Laval lorsqu'il a été vidé par les assassins. Asselin a finalement été tué quelques années plus tard par un aspirant motard qui obtint le jour même ses « couleurs », l'emblème officiel et sa carte de membre des Hells Angels. Louis « Melou » Roy est devenu rapidement une des vedettes des Hells Angels canadiens, presque le numéro deux de l'organisation. Malgré son statut, il a été éliminé à son tour, le 22 juin 2000, deux jours avant l'anniversaire de la fondation du chapitre de Trois-Rivières, dont il était le président-fondateur. Ses collègues de la section Nomads estimaient que Melou n'était pas honnête en réduisant le prix de ses kilos de cocaïne. Ses effets personnels et ses actifs ont été partagés entre ses « frères » peu après sa disparition officielle.

Trudeau a eu plus de chance. Une équipe de tueurs a bien été envoyée au centre de désintoxication d'Oka, mais les trois délégués ont jugé qu'il y avait là trop de témoins pour qu'ils exécutent Trudeau. Celui-ci fut arrêté quelques jours plus tard et condamné à un an de prison en avril 1985 pour port d'arme illégal. Deux mois plus tard, alors qu'il purgeait sa peine à Bordeaux, le centre de détention de Montréal, il a contacté la Sûreté du Québec pour s'informer des conséquences de ses aveux s'il se mettait à table.

C'était la première fois qu'un motard de la trempe de Trudeau offrait ainsi de devenir délateur, et le caporal Marcel Lacoste, de la brigade des crimes contre la personne de la Sûreté du Québec, n'en croyait presque pas ses oreilles lors de son entretien avec Trudeau. Depuis des semaines, Lacoste essayait d'obtenir la collaboration de Trudeau. Les policiers savaient que Trudeau était l'un des tueurs les plus prolifiques jamais identifiés au Canada. Son nom avait été accolé à une cinquantaine de meurtres commis au Québec depuis une quinzaine d'années. Il a reconnu plus tard avoir été l'auteur de quarante-trois homicides involontaires et a été condamné à la prison à perpétuité.

Toutefois, il a rapidement été soumis à un régime de détention particulier et s'est vite retrouvé à l'air libre. Certains ont souligné que Trudeau s'en tirait à bon compte pour tous ces crimes, mais, dans les faits, s'il n'avait pas reconnu sa culpabilité, la Couronne aurait été dans l'impossibilité de le faire condamner. La police n'avait jamais pu accumuler suffisamment de preuves pour le traduire en justice. Les déclarations du tueur avaient été faites contre la promesse que ses aveux ne pourraient jamais êtres retenus contre lui.

Trudeau lui-même ne savait pas combien de meurtres il avait commis. Il était prêt à tout reconnaître, mais la police a dû faire appel à moi et à un autre journaliste spécialisé pour que nous sortions de nos archives les dossiers de crimes où il aurait pu être impliqué. Malgré ces divers articles de journaux, Trudeau n'a pas été en mesure d'ajouter d'autres meurtres à sa liste macabre. Il a avoué avoir tué un de ses anciens collègues, Jean-Marc Deniger, surnommé Boston, l'ancien secrétaire des Popeyes, du temps où lui-même était président du groupe. La raison : il voulait absolument récupérer sa rutilante Harley Davidson, même en pactisant avec ceux qui voulaient le tuer. Les Hells voulaient absolument faire éliminer Deniger, qui jurait sur tous les tons vouloir venger la mort d'un de ses copains, victime de la purge. Trudeau avait bel et bien tué Deniger, en l'étranglant. Le corps avait été abandonné rue de Normanville, mais personne n'avait signalé sa présence à la police. C'est Trudeau lui-même qui avait alors téléphoné au *Journal de Montréal* pour aviser les journalistes de la présence d'un corps recouvert d'un sac de couchage dans une voiture garée rue de Normanville.

Bien sûr, je fus le journaliste qui divulgua la collaboration de Trudeau avec la police et la justice.

*

Dans tout ce dossier des Hells Angels et de la tuerie de Lennoxville, j'ai multiplié les exclusivités. Pendant des mois, j'ai écrit l'équivalent de plusieurs livres sur tous les rebondissements de cette enquête policière d'envergure. Avec tous mes articles, on aurait probablement pu produire une encyclopédie du monde tordu des motards. À l'occasion de deux enquêtes du coroner à Joliette et de diverses procédures judiciaires, j'ai été régulièrement en contact avec la grande famille des Hells Angels. Les motards m'avaient accolé le surnom d'Auger les Abeilles, vu mon expérience d'apiculteur. Certains d'entre eux, d'ailleurs, ne s'étaient pas gênés pour me conseiller de retourner à ma vie de fermier et de me contenter de vivre de la récolte du miel. Je constatais régulièrement leur mécontentement devant mes articles et mes nombreuses descriptions de leur façon de vivre, de gagner leur vie et, surtout, de mourir.

En ce temps-là, les membres des Hells Angels parlaient plus aux journalistes que durant ces dernières années. Dès le début de l'enquête sur la tuerie de Lennoxville, six motards de Sherbrooke sont allés visiter leurs amis motards à Paris. Ils disaient qu'ils ne se cachaient pas, qu'ils étaient allés en France pour un voyage de plaisir. J'ai joint par téléphone le local parisien des Hells. Un certain Loulou, pas très bavard, a accepté de répondre brièvement à quelques questions. Je n'ai pas eu beaucoup de succès non plus avec un certain Joël, un autre motard français. Finalement, à force d'insister, j'ai obtenu Georges Beaulieu, dit Bo-Boy, au bout du fil. C'était le président du chapitre de Sherbrooke. Il a été condamné plus tard pour sa participation au massacre car il avait personnellement acheté les sacs de couchage qui avaient servi ensuite à ensevelir les cadavres.

Bo-Boy affirmait sans ambages que la police s'était lancée dans une expédition de pêche. « L'affaire des cadavres, c'est pas fondé, disait-il. C'est bien beau de dire qu'il y a des cadavres, mais où c'est qu'ils sont, tab…? » Il soutenait aussi qu'il ne s'était rien passé dans son local, contrairement aux allégations policières. Même s'il disait ne pas vouloir donner d'entrevue, le motard a néanmoins conversé avec moi une bonne quinzaine de minutes. Il déclara qu'il ne raffolait pas des journaux. « On a assez d'avoir la police sur le dos sans mêler les médias à ça », ajouta-t-il. Il préférait laisser parler les avocats. « Eux, ils savent ce qu'il faut dire ou pas. »

Quelques mois plus tard, alors que les révélations sur les crimes des motards se multipliaient, un autre membre de la bande a accepté de m'accorder une entrevue. Bob était et est toujours un membre en règle des Hells Angels. Il disait vouloir faire connaître l'autre point de vue, celui des motards, alors que depuis des mois c'était la version policière de la tuerie de Lennoxville qui était rapportée quotidiennement par les médias. Bob avait l'allure d'un étudiant à l'époque, et aujourd'hui disons qu'il pourrait facilement passer pour un professeur de cégep. C'est un crack en informatique. En ce temps-là, il cherchait à redorer l'image de son club et de ses amis. « Les Hells Angels sont là pour rester, disait-il. La police ne va pas anéantir le club. » Il croyait que la police cherchait délibérément à donner une mauvaise image et une mauvaise réputation aux motards. « Pour nous autres, disait-il, c'est fini, l'époque des gars graisseux, huileux, qui terrorisent les gens. » Bob affirmait sans sourire que les Hells étaient une simple entreprise commerciale incorporée. Devant mon air sceptique lorsqu'il m'a fourni cette réponse, il a déclaré, toujours sans rire, que les motards faisaient des profits dans la vente de pièces et de motos.

Fondateur du premier groupe québécois à joindre les Hells Angels, le 5 décembre 1977, Bob est aujourd'hui un des rares survivants parmi les fondateurs. Certains de ses confrères ont été assassinés, d'autres sont morts dans des accidents et certains sont décédés de mort naturelle. Plus tard, j'ai croisé Bob alors que je me rendais à une soirée à Place-des-Arts. Accompagné de sa conjointe, il m'a adressé la parole comme à une lointaine connaissance. Je l'ai présenté à ma conjointe et au couple qui nous accompagnait. Après cet échange poli, nous avons poursuivi nos routes. Mon beau-frère ne m'a jamais cru lorsque je lui ai dit, quelques instants plus tard, qu'il venait de serrer la main du secrétaire-trésorier de la compagnie Hells Angels Inc.

J'avais de la chance de travailler pour un quotidien comme *Le Journal de Montréal*, car son format et son style de rédaction convenaient parfaitement à une couverture médiatique du genre de celle que nous faisions des circonstances entourant le décès des motards. Le format tabloïd exige l'utilisation de plusieurs photographies pour accompagner les articles. Il faut dire que les photos des motards, leurs surnoms ainsi que leurs diverses expressions et coutumes nous permettaient d'écrire des pages et des pages, toutes à peu près différentes d'un jour à l'autre.

Certains des motards n'appréciaient pas les articles, alors que d'autres étaient irrités par les photographies. Un jour, le musicien des Hells Angels, Claude Berger, du chapitre de Sherbrooke, m'a interpellé à cause d'un titre qui coiffait l'un de mes articles. La veille, j'avais écrit que ce motard était un professeur de musique au cégep de Sherbrooke et qu'il était aussi troisième trompette au sein de l'Orchestre symphonique de Québec. Il n'était pas du tout content d'avoir fait l'objet d'un article particulier et il n'avait surtout pas aimé le titre : « Fausse note à l'Orchestre symphonique de Québec : un Hells Angels ». J'ai dû lui expliquer que le journaliste pouvait faire des suggestions de titres pour coiffer ses articles, mais que, en fin de compte, c'était toujours le chef de pupitre, celui qui met les articles en pages, qui avait le dernier mot.

J'ai souvent utilisé l'exemple de ce titre pour montrer comment la mise en pages est un élément important qui complète le travail de recherche et de rédaction du journaliste. Il faut aussi mentionner le photographe, dont la tâche est d'illustrer un événement. Ce qui fait la force d'un journal, c'est sûrement la somme des qualités de tous les artisans. Dans le cas des titres, l'humour est un outil efficace, même si les sujets ne l'apprécient pas.

Dans l'enquête sur la tuerie de Lennoxville, les policiers ont obtenu beaucoup de succès car la Sûreté du Québec enquêtait déjà fort activement sur les motards qui affectaient toutes les régions de la province par leurs activités. La SQ avait mis sur pied l'opération Haro pour contrer les bandes. Dès les jours suivant la tuerie, les détectives découvraient le pot aux roses. Après des mois d'enquête, les Hells Angels étaient au tapis. La plupart des têtes d'affiche ont été condamnées à des peines de prison, de plusieurs années ou à perpétuité. Les policiers se sont félicités de leurs succès. Plusieurs cependant ont cru que les Hells Angels étaient démolis, anéantis. Ils se sont magistralement trompés, car en peu de temps la bande s'est réorganisée en tenant compte de toutes les leçons de l'affaire de Lennoxville. La nouvelle génération des Hells Angels n'a pas tardé à se manifester.

Les étoiles montantes de la bande venaient de plusieurs régions du Québec comme de l'est de Montréal. Quelques nouveaux venus provenaient d'un club ami des Hells basé à Pointe-aux-Trembles, dans l'est de Montréal : les SS. L'un des dirigeants du groupe était Maurice Boucher, que ses amis surnommaient alors la Vieille. Un autre s'appelait Normand Hamel, dit Biff. Ces personnages avaient beaucoup d'amis dans leur groupe, dont les frères Salvatore et Giovanni Cazetta, qui deviendraient les fondateurs des Rock Machine. Les deux frères ont décidé de ne pas se joindre aux Hells à l'époque car ils voulaient demeurer indépendants et poursuivre leurs commerces divers. C'est pourquoi leur groupe n'a jamais été une bande de motards, bien qu'il ait tout du fonctionnement d'une telle association. Il ne manquait que les initiales MC, pour Motorcycle Club, pour que les Rock Machine soient une bande officielle.

C'est moi qui ai dévoilé l'existence de cette bande de motards qui n'en était pas une, le 25 juillet 1992. Le groupe des onze copains fondateurs avait choisi un ancien local déjà occupé par une autre bande de motards pour s'installer dans l'est de Montréal, près du pont Jacques-Cartier. En 1993, alors que des frictions commençaient à se faire sentir au sein des trafiquants de drogue, deux des leaders des Rock Machine ont accepté de me rencontrer dans leur bunker. Renaud Jomphe et Gilles Lambert voulaient préciser qu'eux et leur bande d'amis n'avaient pas l'ambition de former un club de motards, qu'ils n'étaient pas en train de s'approprier des territoires... « Il n'y a pas de guerre de motards », disaient-ils. Ce n'est qu'un an plus tard que la bagarre a commencé, malgré les déclarations de paix des Rock Machine. Leurs ennemis avaient pris les devants.

En août 1995, Renaud Jomphe, qui était devenu le président du groupe, m'a accordé une entrevue deux jours après l'explosion de la bombe qui a coûté la vie au jeune Daniel Desrochers. Jomphe a insisté pour que je rapporte fidèlement ses propos. Il a signalé dès le début de notre conversation qu'il n'utiliserait jamais le nom d'une bande de motards rivale. Il n'a jamais prononcé les mots « Hells Angels » durant toute l'heure où nous avons discuté de la situation criminelle au Québec. Jomphe avait un message à transmettre : « Nous ne tuons pas des enfants, nous. » Il insistait sur le fait que son groupe n'avait rien provoqué.

Dès le début de la guerre, en 1994, il était évident que les anciens amis étaient devenus de féroces ennemis, ce qui a provoqué le début d'une longue série d'attentats. Cette guerre a fait près de cent soixante victimes, dont une vingtaine de personnes complètement étrangères aux activités illicites des motards. Ils se sont crus invincibles, autorisés à éliminer la concurrence. Ils ont cru qu'ils pourraient tenir tête aux autorités politiques, judiciaires et policières. Ils ont intimidé des policiers et s'en sont pris aussi à des gardiens de prison et à des journalistes. Robert Savard, l'usurier proche de Maurice Boucher, a même publié avec l'ex-policier Gaétan Rivest, également devenu usurier entre autres activités, un journal visant à dénoncer la police. C'est dans ce journal, ce pamphlet plutôt, que Savard a voulu m'intimider en publiant la photographie de ma résidence. Ce qu'il ignorait, c'est que je n'habitais plus à cet endroit au moment de la publication. Savard a cherché à plusieurs reprises à me faire peur. Ce costaud que je rencontrais fréquemment lors de mes déplacements en ville n'aimait pas du tout mon style de reportage ni le fait que je visais constamment ses amis et collègues de travail. Il a été abattu de plusieurs balles dans la tête alors qu'il prenait son petit-déjeuner à Montréal-Nord en avril 2000. Même s'il était loin de figurer sur la liste des personnes sur qui je vais pleurer en apprenant leur mort, je trouve que Savard a eu une certaine chance de mourir de la sorte. Il n'a sûrement pas eu le temps de comprendre qu'il allait mourir, tellement les tueurs ont agi avec rapidité. Malgré tout, j'ai eu une pensée pour ses proches, sa femme et son enfant, qui, eux, perdaient un être important.

*

Depuis 1995, il y a eu au Québec et au Canada une escalade dans l'opinion publique en ce qui concerne les motards, et les bandits en général. Lorsque le jeune Daniel Desrochers, onze ans, a été tué par les débris d'une bombe des Hells Angels, les corps policiers ont regroupé leurs forces. Ils ont mis fin à leur mesquine guerre de drapeaux pour unir leurs efforts dans une brigade spéciale baptisée Carcajou, cet animal qui peut devenir fort agressif si on l'attaque. Ils ont alors effectué des centaines d'arrestations, démantelé plusieurs réseaux, récolté plusieurs délateurs, mais ils n'ont jamais pu accuser les responsables de la bombe qui a tué le petit Desrochers.

Les Hells Angels avaient placé une bombe dans une jeep pour éliminer un ennemi qui avait été impliqué dans un complot pour éliminer Maurice « Mom » Boucher, un des principaux personnages de la guerre des motards, et que l'on commençait alors à surnommer le chef guerrier des Hells. Ce que les agresseurs ignoraient, c'est que la jeep dans laquelle ils avaient mis l'engin n'était pas celle de Normand « Bull » Tremblay, mais appartenait plutôt à Marc Dubé, un de ses amis, également trafiquant de drogue. La veille de l'explosion, les deux copains avaient échangé les roues de leurs véhicules, qui étaient en tous points identiques.

J'ai interrogé trois motards, dont le président des Rock Machine,
Renaud Jomphe, lors de funérailles qui ont eu lieu à Verdun,
en octobre 1995.
(Photo : Yvan Tremblay, *Le Journal de Montréal.*)

Une partie des membres des Hells Angels
qui assistaient aux funérailles d'un des leurs
à Trois-Rivières, en juin 1997.
(Photo: Yvan Tremblay, *Le Journal de Montréal*.)

Une partie des membres du chapitre de Montréal
des Hells Angels au milieu des années 90.

Une photographie inédite du motard Maurice Boucher,
prise dans le local des Rockers, rue Gilford, à Montréal.

Plusieurs anciens membres des Hells Angels portaient le cercueil
d'un de leurs « frères » inhumé en 2000.
(Photo : Yvan Tremblay, *Le Journal de Montréal*.)

La bombe qui a tué le petit Desrochers avait été déclenchée à distance mais les responsables du geste étaient tout près puisqu'ils avaient activé cet engin par un appel au téléavertisseur relié à la charge de dynamite. Un délateur a expliqué plus tard aux policiers que la bombe avait été fabriquée dans son garage, dans le quartier de Rosemont. Il a raconté comment un retraité, son fils et d'autres individus avaient assemblé en sa présence les diverses composantes de la bombe. Trois membres de l'organisation des Hells Angels, disait-il, étaient liés à l'attentat. Un seul survit aujourd'hui. Il n'a jamais été arrêté.

Quant aux deux autres meurtriers, ce sont leurs propres associés qui ont exercé sur eux le bras de la justice. C'est dans des sacs de couchage lestés de chaînes et de blocs de béton que Donald Magnussen et son patron, Scott Steinert, ont été retrouvés morts en bordure du fleuve Saint-Laurent. Tous deux avaient été battus à mort. Ce n'est pas en guise de punition pour la mort du jeune Daniel Desrochers que les Hells Angels avaient éliminé leurs frères, mais plutôt parce que le duo avait été mêlé au meurtre d'un bandit invité par les Hells Angels à Halifax, en Nouvelle-Écosse. Magnussen avait réglé un vieux compte avec le visiteur et Steinert ne l'avait pas empêché de tuer l'ami de la bande.

Parce que le délateur a cessé de collaborer avec la justice, le dossier des assassins du petit Desrochers n'a jamais été porté devant un juge. Le 27 mars 1997, après la parution d'articles reliant les Hells Angels au meurtre du jeune Desrochers, le chapitre Nomads des Hells décidait de publier un communiqué. Dans toute ma carrière journalistique, c'était la première fois que je voyais la bande émettre un document expliquant sa position. Les Hells niaient toute participation d'un de leurs membres à l'explosion qui avait coûté la vie au jeune Daniel Desrochers et dénonçaient du même coup ce qu'ils considéraient comme une campagne de désinformation policière. Sans gêne, les motards disaient déplorer la complaisance des médias « dans cette sinistre opération de salissage de notre groupe ». Le communiqué démontrait aussi l'arrogance et l'assurance des motards de cette bande devant la justice. L'auteur anonyme du document, écrit sur du papier officiel du groupe, invitait la police à porter des accusations contre le membre soupçonné. « Il aura droit à un véritable procès plutôt qu'à un lynchage médiatique. » Mais c'est la conclusion du texte qui étonne le plus : « Son innocence sera légalement établie. »

La mort du petit Desrochers a modifié ma façon de travailler. Comme citoyen, je n'arrivais pas à admettre que des criminels puissent être assez insouciants de la vie des autres pour risquer de tuer des innocents et même des enfants. Il ne faut pas être un grand génie pour comprendre que l'explosion d'une bombe puissante peut faire des ravages importants dans un quartier populeux. Une belle journée d'été ensoleillée amène aussi dans la rue plusieurs enfants et adultes qui ne se doutent absolument pas du danger qui les guette.

À la suite de cette mort d'un enfant innocent, je suis devenu encore plus intéressé à découvrir les dessous de cette fameuse guerre de motards. J'ai multiplié les reportages sur les principaux acteurs de cette guerre, ce qui en retour m'a mis sur la sellette. C'est cette série d'articles échelonnés sur plusieurs années qui a scellé mon sort en septembre 2000. J'étais devenu trop encombrant pour les seigneurs de cette guerre, une guerre due au fait que certains motards se croyaient les meneurs du monde. Ils s'imaginaient qu'ils pouvaient tout faire à leur guise.

Malgré tout le battage médiatique qui eut lieu à la suite du décès du jeune Desrochers, les Hells Angels n'ont pas cessé leurs activités. Ils ont entrepris une campagne d'intimidation des policiers et des autorités, campagne sans pareille dans le passé. Le meurtre de deux gardiens de prison et la tentative de meurtre sur un troisième en 1997 ont fait beaucoup de bruit durant des mois. Les motards voulaient, d'après les témoignages entendus au procès de Maurice Boucher, s'assurer de la loyauté de leurs tueurs. Comment, pensait-on, un criminel faisant face à vingt-cinq ans de prison pouvait-il faire un marché avec la justice et témoigner ensuite contre ses patrons?

Mais, après l'acquittement de Maurice Boucher et depuis qu'il est devenu un personnage public, le nom des gardiens de prison a été vite oublié du grand public. Durant toute cette nouvelle guerre des motards, j'ai été encore une fois au premier plan de la couverture médiatique. Tous les bandits sont parmi les fidèles lecteurs du *Journal de Montréal*, ce qui nous a valu plusieurs appels téléphoniques et aussi des menaces. J'ai fait plusieurs reportages sur la bande des Rockers, installée durant des années à Rosemont. Cette filiale locale des Hells Angels fréquentait certains établissements commerciaux fréquentés aussi par les employés du *Journal de Montréal*. J'ai donc eu plusieurs rencontres fortuites avec ces motards. Parmi ceux que je retrouvais souvent sur mon chemin, il y avait André Tousignant, un des piliers des Rockers. Il était très proche des hauts dirigeants des Hells, ce qui ne l'a pas empêché d'être tué à son tour par des membres de l'organisation.

Dès le début de la guerre des gangs, Tousignant, surnommé Toots, était en quelque sorte le porte-parole des motards. Il a accordé quelques entrevues et se disait «vendeur de *peanuts*» pour gagner sa vie. Il expliquait le plus sérieusement du monde qu'une bande de motards était un groupe d'amis qui se réunissaient à l'occasion dans leur local pour avoir la paix. «On s'éloigne de nos femmes et de nos enfants pour jouer aux cartes.» Il n'a pas expliqué toutefois pourquoi il leur fallait un système de surveillance sophistiqué, des fenêtres et des portes blindées ainsi qu'un service de gardiens armés pour assurer la protection de leur bâtisse, visitée souvent par la police. Leurs ennemis y avaient même placé quelques bombes.

Identifié plus tard comme un des assassins des gardiens de prison, Tousignant a été retrouvé mort, le corps partiellement brûlé. Son supposé complice dans un meurtre, Paul Fontaine, dit Fon-fon, est toujours recherché pour être accusé du crime. Certains le disent mort, mais ses amis assurent qu'il est toujours bien vivant, ce que croient certains policiers spécialisés.

Le bunker de la bande, rue Gilford, a finalement été fermé par la Ville de Montréal, qui a utilisé pour ce faire toute la réglementation municipale possible. Mais il a fallu l'acharnement du conseiller municipal Robert Côté pour en arriver là. Côté est un ancien officier supérieur de la police de la Communauté urbaine de Montréal. Il a surtout été connu comme désamorceur de bombes à l'époque du Front de libération du Québec.

Auparavant, le 21 mars 1995, j'avais divulgué que le gouvernement fédéral avait financé les motards pour l'achat de leur bunker. La Banque fédérale de développement (BFD) avait consenti un prêt sur hypothèque aux Rockers pour l'achat de l'immeuble. La banque est chargée par Ottawa d'aider au financement des moyennes et petites entreprises. Dans le passé, la banque avait déjà financé des bars de danseuses nues...

C'est encore moi qui ai dévoilé la création du chapitre Nomads des Hells Angels. Ce groupe réunissait neuf des principales têtes d'affiche de la bande. Devenus plus agressifs, ces motards étaient la cible des enquêtes policières sur la plupart des crimes majeurs imputés aux Hells Angels. Ce sont eux qu'on accusait de tous les crimes. Ce sont eux qui étaient les chefs de la guerre menée contre les Rock Machine et contre l'Alliance, un regroupement de trafiquants de drogue de divers milieux que les Hells voulaient éliminer de la circulation.

La colère des motards concernant les articles que j'écrivais augmentait à chaque nouvelle révélation. Mais jamais personne ne m'a fait de menaces ni transmis de message de violence. Plus la guerre s'intensifiait, plus les crimes imputés aux Hells Angels devenaient graves et ignobles. C'est ainsi que des individus sans grande importance ont été liquidés au printemps 2000. Certains ont été tués simplement parce qu'ils étaient parents avec des ennemis inscrits sur une liste noire.

À mon retour de vacances, à l'été, j'ai entrepris de fouiller les dossiers de différents meurtres afin de voir ce qui se passait véritablement dans la guerre des motards. Depuis des mois, les Rock Machine étaient devenus des Bandidos, la troisième plus importante bande du monde, tandis que les Hells Angels organisaient leur entrée en Ontario, où les nouveaux Bandidos avaient déjà réussi à s'implanter en force. Les Hells Angels étaient en furie lorsque j'ai écrit que leurs ennemis avaient été plus rapides qu'eux dans leur expansion en Ontario.

Le 12 septembre, *Le Journal de Montréal* publiait le résultat de mon enquête, où je faisais en quelque sorte le point sur les derniers événements violents impliquant des motards et des mafiosi. Ces deux pages, intitulées « Pagaille chez les caïds », seraient mes dernières pour un bon moment.

J'ignorais alors que des membres de l'organisation des Hells Angels cherchaient des renseignements très personnels sur moi, sur mon automobile et sur les lieux que je fréquentais. J'ignorais surtout que des tueurs étaient à mes trousses. J'ignorais qu'ils m'épiaient et qu'ils n'attendaient que le moment propice pour m'abattre.

Les prochaines heures de ma vie seraient très mouvementées.

10

Une journée de perdue

Imaginez que vous êtes en plein sommeil, un sommeil extrêmement profond, et que soudain vous entendez des voix, des voix inconnues. C'est ce qui m'est arrivé sur mon lit d'hôpital. Il y avait là un médecin qui me demandait si je savais où j'étais, quel jour nous étions. Quelles questions ! Je savais bien que j'étais à l'hôpital. Nous étions le mercredi, j'avais été victime de plusieurs coups de feu ce matin-là et je me réveillais après une opération qui, de toute évidence, s'était bien déroulée. Mais j'étais dans l'erreur. Nous n'étions pas le mercredi soir, comme je le croyais, mais plutôt le jeudi, le lendemain. J'avais perdu une journée.

Petit à petit, j'ai ouvert les yeux et j'ai reconnu mes proches, tout souriants. J'ai fait un sourire timide à ma fille. Guylaine m'a répondu par un gros « Je t'aime ». Évidemment, je revenais de loin, de très loin. C'était un peu comme dans un rêve. Après les vérifications d'usage pour s'assurer que j'avais bel et bien repris contact avec la réalité, le médecin m'a dit que les interventions chirurgicales avaient réussi. Il a alors corrigé mon erreur. Nous n'étions pas le mercredi mais plutôt le lendemain.

C'est là que j'ai commencé à prendre conscience de la gravité de mes blessures. C'est aussi à ce moment que j'ai commencé à apprendre, petit à petit, tout ce qui m'était arrivé depuis trente-six heures, trente-six heures que je n'avais absolument pas vécues. J'avais survécu aux balles et les médecins avaient fait un travail miraculeux. J'étais vivant! Autant je n'avais jamais cru ma fin proche lorsque le tueur m'avait pris pour cible, autant maintenant je commençais à réaliser le miracle qui m'avait fait survivre à cet attentat.

C'était bon de voir ceux que j'aime autour du lit. Ils étaient tout sourire. Mais je n'avais pas tellement d'énergie et je me suis rendormi. En plein sommeil, j'ai entendu des bruits et je me suis réveillé encore pour découvrir une infirmière au pied de mon lit. J'ai appris que j'étais très agité depuis les deux opérations et que je réagissais aux paroles de mes proches à mon chevet.

Je me suis alors aperçu que j'étais dans une grande salle remplie d'appareils médicaux de toutes sortes. Il y avait un va-et-vient considérable. J'avais la gorge obstruée par un gros tube qui m'agaçait. L'infirmière m'a fait remarquer que ma respiration n'avait pas encore repris son cours normal et que le tube pourrait être enlevé rapidement si je faisais ma part en respirant de façon profonde. Il ne fallait surtout pas me donner deux fois ce genre de conseil. Il me semble que le tube a disparu une heure plus tard.

Dans cette nuit mouvementée, j'ai réalisé que j'étais maintenant dans la salle des soins intensifs, attenante au bloc opératoire. Un laboratoire sophistiqué, une usine à sauver des vies. Je suis tenté de dire qu'on y pratique vraiment la résurrection. Huit patients m'entouraient, tous dans un état extrêmement sérieux, des gens à l'article de la mort et que le personnel médical tentait calmement de ramener à la vie. Les alentours étaient hautement surveillés par des policiers, qui étaient là pour ma protection. On n'avait pas inscrit mon nom dans les registres officiels, par mesure de prudence. Même le dossier médical ne faisait pas référence à mon identité. J'étais officiellement anonyme, même si tout le personnel, les autres patients conscients et les visiteurs savaient très bien qui j'étais.

Ce n'est qu'au matin que j'ai réalisé pleinement ce qui se passait autour de moi. Au milieu de la nuit, l'infirmière prénommée Johanne avait retiré de ma gorge le gros tube relié à l'appareil facilitant la respiration. Le médecin qui est venu me visiter m'a brièvement raconté ce que l'équipe médicale avait accompli depuis deux jours. J'avais été touché par six balles et il avait fallu deux opérations majeures pour réparer le tout. La première intervention, d'une durée de trois heures, avait permis de retirer une balle qui avait transpercé le côlon. Ayant maîtrisé une hémorragie, l'équipe médicale avait décidé de continuer l'intervention le lendemain. On m'avait endormi et aussi paralysé pour vingt-quatre heures afin de procéder, le jour suivant, à la recherche d'un autre projectile qu'on voyait sur les radios mais qui était impossible à localiser près des intestins.

Une autre balle inquiétait beaucoup les médecins. Elle était logée tout près de la quatrième vertèbre lombaire, appuyée sur le nerf rachidien. Des radios et un scan, le premier jour, avaient montré qu'il était extrêmement risqué de la retirer. Pour compliquer les choses, cette vertèbre était fracturée. C'est la raison qui avait poussé les chirurgiens à attendre le deuxième jour. Ils avaient aussi conclu qu'il fallait laisser les autres projectiles là où ils se trouvaient. L'un d'eux avait fracturé une autre vertèbre, la septième cervicale. J'avais été immobilisé par un gros collet car les spécialistes craignaient là aussi une paralysie.

Quelques jours plus tard, j'ai vu une radiographie de mon nouveau dos, amélioré de quatre pièces de métal. En plus de la balle, en deux morceaux, près de la colonne, il y en a une près de la hanche gauche et une autre à l'omoplate droite. Un médecin m'a expliqué qu'extraire ces projectiles était trop dangereux. Le corps humain peut vivre avec toutes sortes de pièces ajoutées. Il semble qu'une enveloppe musculaire se développe pour enrober le corps étranger, qui, même s'il s'agit de plomb, ne risque pas de causer d'ennuis plus tard. « Si les balles se déplacent, il sera toujours temps de s'en occuper. Pour le moment, c'est plus sage de ne rien faire. » Ce médecin semble s'y connaître et je lui fais confiance. Le même jour, les lecteurs du *Journal de*

Montréal ont appris eux aussi, en lisant un article de ma consœur Michelle Coudé-Lord, les risques courus lors de l'extraction de projectiles d'armes à feu et les inconvénients de vivre avec des balles dans le corps.

Je me demandais avec inquiétude si ces projectiles déclencheraient les détecteurs de métaux utilisés dans les aéroports. Le médecin a ri et m'a dit qu'à sa connaissance je n'aurais pas de difficulté à franchir les mesures de sécurité.

Durant tout ce temps, Michèle, mon amie, qui venait de passer quarante-huit heures atroces dans les couloirs et dans la section des soins intensifs, était à mon chevet. Elle écoutait, parlait peu. Mais, après le départ du médecin, elle m'a raconté tout ce qui s'était passé en ville depuis l'attentat. Journaliste depuis longtemps, je savais que la nouvelle avait fait du bruit, mais je n'aurais jamais cru qu'un tel attentat pouvait soulever autant le public. Les motards espéraient me réduire au silence, mais c'est tout le contraire qui s'était produit. J'ai même appris qu'une marche aurait lieu en milieu de journée pour dénoncer l'attentat, un geste d'intimidation inacceptable, disaient en chœur journalistes et éditorialistes.

En entendant cela, j'ai immédiatement eu l'idée de me faire photographier sur mon lit d'hôpital afin de montrer à tous que j'allais bien et, surtout, que j'allais m'en tirer. J'ai fait demander à Pierre McCann d'apporter son appareil photo. Pierre est mon meilleur ami. Pendant plus de trente ans, nous avons travaillé, voyagé, pêché et bricolé ensemble. Nos familles ont évolué ensemble depuis notre rencontre à la salle de rédaction de *La Presse* en 1968. Travaillant souvent en équipe, nous avons notamment suivi des bandits et couvert toutes les grosses manifestations publiques de l'époque.

Depuis deux jours, Pierre vivait lui aussi dans les couloirs du service des urgences avec Michèle, ma fille Guylaine et mon jeune frère Alain, qui représentait le reste de la famille, les autres étant regroupés autour d'Armande, ma mère, en attente de nouvelles. Tous avaient beaucoup de difficulté à croire ce que disaient les spécialistes, à savoir que j'allais bien m'en tirer. Après avoir paru très inquiets

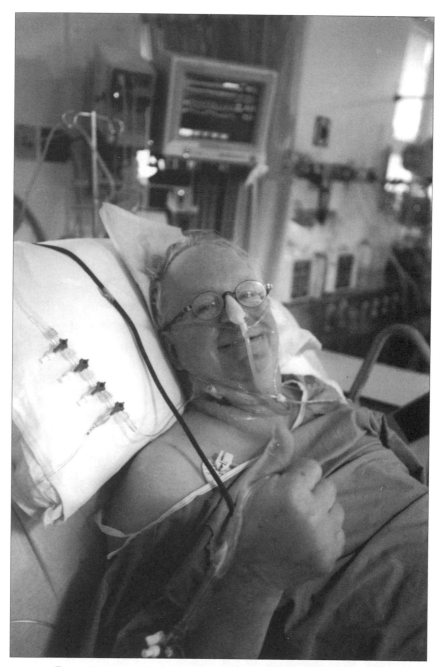

Deux jours après l'attentat, je voulais faire savoir à tous
que je me remettais de mes blessures.
(Photo : Pierre McCann, *La Presse.*)

durant les premières heures de mon hospitalisation, les médecins se sont montrés plus optimistes dès le deuxième jour, après la deuxième grosse intervention chirurgicale.

Au jour trois de cette mésaventure, mon ami McCann est arrivé dans la salle des soins intensifs et a constaté lui aussi que mon état s'améliorait. Depuis le début, le réflexe journalistique étant ce qu'il est, Pierre avait toujours eu ses appareils photo à proximité. On ne sait jamais quand une occasion peut se présenter.

Pierre a souri lorsque je lui ai proposé de me photographier. « Tu n'as pas perdu tes réflexes de reporter », m'a-t-il dit tout en commençant déjà à planifier la prise des clichés. Il a demandé à l'infirmière présente au milieu de la pièce s'il y avait des inconvénients à ce qu'il prenne des photos, sans utiliser le flash. La réponse négative ne nous a pas surpris. Car, si la direction des institutions hospitalières est habituellement fort allergique aux journalistes et aux photographes de presse, le personnel, lui, est habitué de voir les familles des patients prendre des photos en souvenir.

Il n'a fallu que quelques secondes pour prendre une vingtaine de photos, qui, même si elles étaient quasiment semblables, seraient utilisées par plusieurs médias. Le but était de fournir une photo au *Journal de Montréal*, mon employeur, à *La Presse*, son employeur, et aussi à la Presse canadienne, l'agence qui alimente en textes et en photos les médias du pays.

Pierre a eu tout un succès lorsqu'il est arrivé sur les lieux de la marche, qui se tenait un peu plus tard, avenue du Mont-Royal, et qu'il a fourni enfin aux amis et aux collègues la preuve photographique de l'amélioration de mon état. Bien qu'encore très faible et relié à toutes sortes d'appareils, c'est au moment de cette séance de photos que j'ai vraiment compris la chance que j'avais eue. Comment le tueur avait-il pu manquer son coup alors qu'il était si proche de moi ? Son arme avait-elle mal fonctionné ? Pourquoi avait-il quitté les lieux du crime sans finir le travail qu'on lui avait commandé ? Ces questions commencèrent à me trotter dans la tête. Je savais que j'avais eu la chance de ma vie, mais je ne réalisais pas encore l'ampleur de cette chance. J'avais déjà vu des gens mourir en s'étouffant, d'autres recevoir une seule balle et en mourir.

Souffrant physiquement et étant sous l'effet de la morphine et d'autres médicaments, j'ai oublié beaucoup de choses qui se sont produites dans les premières journées de ma convalescence. Un incident, en ce matin agréable pour moi et mes proches, m'a ramené sur terre. J'étais intrigué par une radiographie pulmonaire affichée près de la porte de la salle des soins intensifs. En plus des poumons, on pouvait voir une ligne pratiquement droite qui était tracée au haut des organes. Vérification faite, il s'agissait bel et bien d'une radiographie de mes poumons, avec la trace d'une balle d'un côté à l'autre du dos.

Soudain, j'ai aperçu le directeur de la police de la Communauté urbaine de Montréal, Michel Sarrazin, l'un de ses adjoints immédiats, Robert Montanaro, et l'officier Normand Couillard qui quittaient la salle pratiquement sur la pointe des pieds. J'ai demandé alors à un policier en train de se laver les mains d'aller dire au trio de gradés que j'aimerais leur parler. Tous trois revinrent, tout surpris de me voir. Ils croyaient que j'avais été transféré dans un autre hôpital. Après avoir constaté que j'allais relativement bien, M. Sarrazin m'a expliqué qu'ils étaient venus au chevet d'un des leurs, hospitalisé depuis plusieurs semaines à la suite d'un grave accident de travail. L'état de santé de l'agent ne s'était jamais amélioré et sa mort n'était plus qu'une question de temps. La moto du policier Alain Matte était entrée en collision avec une automobile alors qu'il répondait à un appel d'urgence.

Un peu plus tard, j'ai vu la femme du policier et sa famille venir se recueillir une dernière fois auprès de lui. Puis les médecins et les infirmiers se sont affairés auprès des appareils auxquels il était relié. L'aumônier des policiers et des pompiers, le jésuite Champlain Barrette, est venu lui administrer les derniers sacrements. M'apercevant lors de sa sortie, l'aumônier s'est arrêté pour me réconforter. Il m'a annoncé lui aussi la tenue de la marche de solidarité, et parlé de l'indignation de bon nombre de gens qui désapprouvaient les gestes des criminels. « Plusieurs disaient que la guerre des motards ne les concernait pas, m'a-t-il dit, mais maintenant ils constatent leur erreur. »

Je n'ai pas eu que le seul réconfort de la religion en ces moments difficiles. Moi qui n'ai mis les pieds dans des amphithéâtres sportifs qu'une dizaine de fois dans toute ma vie, j'ai eu droit à une visite amicale du médecin officiel du club des Canadiens de la Ligue nationale de hockey. Il m'a annoncé que, la veille même, mon nom et des souhaits de prompt rétablissement avaient été affichés sur le grand tableau du centre Molson.

Il y a dans la vie d'un journal, comme dans celle de tout genre d'entreprise, des journées mémorables. Celle du 15 septembre 2000 en fut une pour les employés du quotidien fondé par Pierre Péladeau en 1964. La marche de solidarité regroupait des employés et des cadres de tous les départements du journal, ainsi que de l'imprimerie, tous unis pour soutenir un collègue devenu symbole de la liberté de la presse. André Dalcourt, un des chefs de pupitre les plus anciens du quotidien, me disait, en me rendant visite peu après : « C'est un grand jour pour le journal. Je regrette que tu n'aies pas été présent. » Moi aussi.

Les manifestants, plus d'un millier, circulaient derrière deux grandes banderoles. Sur la première, on lisait : « La liberté de presse est un droit inaliénable. » Elle était tenue à un bout par Martin Leclerc, président du syndicat des journalistes, photographes et employés de bureau, et à l'autre par Dany Doucet, directeur de l'information. Étaient aussi présents comme porte-étendards Gilles Gougeon, de Radio-Canada, Hélène Pichette, présidente de la Fédération professionnelle des journalistes du Québec, Marc Laviolette, président de la Confédération des syndicats nationaux (CSN), et Pascale Perreault, une collègue et ancienne présidente de notre syndicat. Enfin, il y avait Jean-Pierre Charbonneau, mon ancien élève, collègue et compétiteur devenu

Avec mon ami Pierre McCann, en 1998.
(Photo : Jacques Bourdon, *Le Journal de Montréal.*)

Des milliers de personnes ont participé à la marche qui a eu lieu dans
l'avenue du Mont-Royal, deux jours après l'attentat du 13 septembre.
(Photo : Jacques Bourdon, *Le Journal de Montréal.*)

député du Parti québécois et ensuite président de l'Assemblée nationale du Québec. Jean-Pierre a lui-même été victime d'un attentat, le 1er mai 1973.

Un jour où il se trouvait dans la salle de rédaction du quotidien *Le Devoir*, alors installé rue du Saint-Sacrement, dans le Vieux-Montréal, Jean-Pierre a été la cible d'un envoyé de la Mafia. « C'est toi, Charbonneau ? » a demandé l'inconnu. Après une réponse affirmative, l'homme a sorti une arme et fait feu. Jean-Pierre a été atteint d'une balle à l'avant-bras. De toute évidence, le tireur visait la tête du journaliste, qui, en se protégeant et en se jetant par terre, a fait rater le coup.

Un autre ancien journaliste, qui pratiquait le métier à temps partiel, se trouvait discrètement à l'arrière du groupe de manifestants. Robert Monastesse était un pigiste qui faisait, à l'occasion, des articles en collaboration spéciale pour *La Presse*. Il parlait lui aussi des motards, surtout des Rock Machine, les ennemis des Hells Angels. En février 1995, un inconnu s'est présenté à sa porte, à Laval, et a fait feu, l'atteignant aux jambes. Les policiers ne savaient trop quoi penser de cet attentat inhabituel et l'enquête n'a jamais abouti. Plus tard, les spécialistes de la lutte policière contre les motards ont inclus cet attentat dans la série de gestes d'intimidation imputés aux bandes de motards criminalisées. Robert Monastesse n'a jamais plus écrit. Il n'avait pas comme moi, lors de l'attentat, la chance de travailler pour un quotidien établi et de posséder un solide réseau de contacts et d'amis dans tous les milieux. Il travaillait quasiment en solitaire, tandis que j'ai la chance de faire partie d'une grosse équipe associée à un solide empire de presse.

L'autre banderole, « Non à l'intimidation », était portée par le photographe André Viau, le journaliste Michel Marsolais et le chef de pupitre Jean-Marie Bertrand. Je n'ai pas pu entendre le magistral discours qu'a fait Paule Beaugrand-Champagne dans le terrain de stationnement du *Journal de Montréal*, sur les lieux mêmes où j'avais été victime d'une tentative de meurtre un peu plus de quarante-huit heures plus tôt. Durant ce discours, m'a-t-on rapporté plus tard, mon ami McCann se tenait debout à l'endroit exact où j'avais été attaqué.

J'ai lu plus tard le compte rendu du discours de Mme Beaugrand-Champagne dans le journal. Ma patronne avait dit que ce n'était pas seulement pour un journaliste qu'on avait marché mais « pour toute la population innocente qui est menacée par des gens qui voudraient prendre le contrôle de notre société ». Elle avait aussi affirmé ceci : « Notre devoir est d'informer la population pour lui permettre d'avoir les moyens nécessaires pour faire les pressions auprès des gouvernements pour obtenir les changements de loi nécessaires, pour que les groupes criminalisés se retrouvent là où ils devraient être, derrière les barreaux. » Paule avait ensuite fait le lien avec tous ces faits divers qu'on lit chaque matin en oubliant souvent que ces événements touchent aussi des familles, des personnes innocentes. Elle avait conclu en soulignant que j'avais toujours cherché à rapporter des faits, que je n'avais jamais oublié les personnes touchées par les drames. En cherchant à expliquer les choses, avait affirmé ma patronne, je m'étais mis en danger. Elle avait rappelé aussi que je faisais ce métier avec passion. Le président du Conseil de presse du Québec, Michel Roy, quant à lui, avait dit qu'une attaque contre un journaliste en était une contre toute la profession.

Lorsque j'ai vu les photos de la manifestation, j'ai pu voir mon ami McCann qui avait un visage radieux et paraissait soulagé de la tournure des choses. Pierre en était à son deuxième grand malheur en moins d'un an. Le 31 octobre 1999, nous avions perdu un couple d'amis communs : Jeannine Bourdages et Claude Masson. Partis en voyage en Égypte, ils étaient passagers du vol 990 d'EgyptAir qui a plongé dans l'Atlantique au large de Nantucket, une île du Massachusetts, avec ses deux cent dix-sept passagers.

Durant presque quarante ans, Pierre et Claude avaient été des amis. J'étais devenu un copain de Claude alors que nous étions tous deux de jeunes journalistes à *Métro-Express*, un quotidien fondé à Montréal lors d'une des trois grandes grèves de *La Presse*, en 1964. Malgré le fait que Pierre et moi étions syndiqués et Claude, éditeur adjoint de *La Presse*, donc le numéro deux après le patron, Roger-D. Landry, nous nous entendions très bien. Durant des années, nos trois familles ont partagé des week-ends de loisirs, de camping et de bricolage. Des soupers mémorables où, entre concurrents, nous nous taquinions constamment. Des repas où, le vin aidant, nous nous amusions à critiquer nos amis et adversaires. Mais le temps n'a fait qu'améliorer notre amitié.

Le lendemain de la marche, mon collègue Bertrand Raymond écrivait ce texte dans sa chronique régulière des pages sportives du *Journal de Montréal*.

LES OLYMPIQUES D'UN CONFRÈRE

La marche est une discipline olympique

Aux jeux de Barcelone, la presse du Québec avait vibré au rythme de l'exploit du sympathique Guillaume Leblanc, médaillé d'argent dans l'épreuve de vingt kilomètres.

Il avait beaucoup souffert, Guillaume, sous une chaleur amplifiée par l'humidité, pour offrir au Canada sa première médaille olympique en quatre-vingts ans à la marche. Il avait souffert physiquement et, dans un sens, moralement, car, chez lui, à Rimouski, dans l'attente de son deuxième enfant, sa Manon était au bord des contractions devant son téléviseur.

Notre marche d'hier dans l'avenue du Mont-Royal n'était pas olympienne. C'était un simple exercice physique échelonné sur une vingtaine de coins de rue. Rien pour essouffler des journalistes habitués de peiner bien assis devant leurs ordinateurs.

C'était un rendez-vous avec la solidarité. Nous marchions par amitié pour un homme courageux, un humble confrère du métier qui, transformé en passoire par un truand, joue en ce moment ses Olympiques à lui.

L'exploit d'une vie

Je me souviens du titre qui avait coiffé la une du *Journal de Montréal* après la médaille d'argent durement arrachée par Leblanc. «L'exploit d'une vie», avait clamé l'athlète. Pour Michel Auger, l'exploit d'une vie, c'est justement de s'accrocher à la sienne.

La marche olympique chez les hommes est divisée en deux épreuves: le vingt et le cinquante kilomètres. Hier matin, quand Auger a pu parler à sa femme pour la première fois et qu'il a appris à quel point on s'est inquiété pour lui depuis la fusillade, il a eu le réflexe d'un gars de métier. Il a demandé à ce que son vieux *chum*, le photographe Pierre McCann, le prenne en photo pour qu'on sache que ses agresseurs ne l'ont pas couché pour le compte.

Pour ce seul geste, il a gagné l'or au vingt kilomètres. La prochaine course, qui le mènera vers un rétablissement complet, prendra la forme d'une épreuve d'endurance.

La ferveur ranimée

Un jour, il racontera peut-être à son petit-fils, maintenant âgé de trois ans, et à sa petite-fille, qui naîtra dans un mois, qu'il a survécu à la pire des agressions, une attaque barbare qui a obligé tout le Québec à brandir avec une ferveur toute particulière le drapeau de la démocratie.

Quand on discute de la liberté de la presse, la démocratie prend souvent la forme d'un simple cliché. On en parle comme d'une chose acquise qu'il est inutile de protéger ou de défendre.

On ne la croit pas menacée jusqu'au jour où un confrère incorruptible, qui se croyait protégé par sa carte de presse, se fait faucher par une rafale de balles.

Nous avons marché par un temps gris et frais pour la défense du droit à l'information et pour signifier notre appui moral à Michel Auger, comme l'ont fait ceux qui ont transformé son bureau en une touchante plate-bande de fleurs multicolores.

C'est bien que la température soit un brin maussade. Ce n'était pas une partie de plaisir. C'était un moment de réflexion sur ce métier qu'on aime tant et qui s'accompagne parfois d'une certaine dose de risques.

Ç'aurait été presque indécent qu'il fasse beau quand l'ami qui nous a inspiré ce rassemblement panse ses plaies dans une chambre un peu triste. Chambre qui a repris vie, si je peux m'exprimer ainsi, depuis qu'il lui est possible de s'exprimer. Vous avez vu ce sourire narquois sur la photo qui orne cette page. C'est exactement ça, Michel Auger.

Le médaillé à la une

C'est ce sourire qu'il affichait au quotidien dans cette salle. Impossible de deviner les menaces qui le tenaillaient et qui l'avaient fait grisonner avant l'âge.

Pendant que le défilé s'éteignait dans le terrain de stationnement qui a failli recevoir ses derniers battements de cœur, ma consœur Michelle Coudé-Lord est celle qui a le mieux résumé le genre de présence qu'Auger exerce parmi nous: «Une joyeuse mémère qu'on aime et avec laquelle on a le goût de prendre un café.»

S'il a eu la force de jeter un coup d'œil sur le petit écran hier, Michel Auger s'est sans doute senti apprécié.

J'aurais aimé qu'il puisse voir les gens saluer de la main, à leurs fenêtres et sur les balcons, durant cette marche respectueuse.

Comme un Olympien auteur du fait d'armes de la journée, il a droit à la première page.

Auger est grand-papa, mais il ne fera jamais du journalisme pépère. Médaillé d'or du cran aux Olympiques du journalisme.

*

On trouve le temps long quand on est allongé sur un lit d'hôpital, même si tout va bien et que tous les espoirs sont permis. J'apprenais peu à peu ce qui s'était passé durant la période où j'avais été inconscient. Les médecins et tout le personnel étaient aux petits soins avec moi. Bien vite aussi je découvris que mon désir d'anonymat était loin d'être réalisé.

Dès que j'ai été conscient, on m'a fait asseoir, avec grande difficulté, dans une chaise près de mon lit de l'unité des soins intensifs. Puis, après trois jours d'hospitalisation, on m'a transféré dans une chambre régulière. Je n'étais pas fort sur mes jambes lorsque j'ai fait mes premiers pas vers les toilettes. La première fois que je suis sorti de ma chambre pour une balade dans le corridor avec un sac de soluté sur une patère mobile, les visiteurs et les patients des chambres voisines me saluaient comme si j'étais une de leurs connaissances. Il faut dire que ma chambre, située au bout du couloir, ne passait pas inaperçue avec constamment deux policiers à la porte en plus du personnel embauché spécialement par *Le Journal de Montréal* pour assurer la sécurité de mes proches.

Dès que j'ai été en mesure de répondre aux questions, les enquêteurs et leurs supérieurs sont venus me voir. Je ne leur ai pas été d'un grand secours, vu mon incapacité à reconnaître mon agresseur. J'avais pourtant essayé de me rappeler le visage de celui qui avait voulu me tuer. Je n'arrivais pas à me souvenir de cette figure. Je n'arrivais pas non plus à me souvenir d'aucun événement particulier ni d'aucun véhicule suspect que j'avais pu apercevoir le matin de l'attentat.

J'étais aussi surpris de découvrir que je n'avais aucun sentiment d'agressivité envers le tueur ou ses complices, ni même envers ceux qui, je m'en doutais bien, leur avaient commandé cet assassinat. Je me suis souvent demandé si d'autres personnes que les motards auraient pu m'en vouloir au point de décider de me tuer.

La vie s'écoule lentement dans une chambre d'hôpital où l'on reçoit des soins pratiquement à chaque demi-heure dans le jour et presque à toutes les heures durant la nuit. Chaque matin ramène l'équipe médicale au grand complet, qui vient faire son inspection quotidienne. C'étaient surtout le docteur Tarek Razek et son collègue Patrick Charlebois qui me posaient des questions. Ils étaient constamment entourés d'une équipe d'internes qui, de toute évidence, étaient en quête d'un maximum de renseignements sur mon cas. C'est à partir de ce moment que j'ai commencé à réaliser que mon cas était, sinon unique, plutôt rare.

Certains visiteurs me parlaient du miracle de ma survie. Un de mes patrons commença à me qualifier de « légende vivante ». Il suggérait même, à la blague, que mon dossier soit soumis au *Livre des records Guinness.* Il n'est pas courant qu'un journaliste survive à une rafale de balles, qu'il ait encore quatre projectiles dans le corps et qu'il garde le sourire.

J'ai reçu des centaines de messages de sympathie et les policiers vérifiaient attentivement tous les paquets ou cadeaux qui arrivaient à ma chambre. Comme les détails de mon adresse temporaire n'étaient pas connus, c'est au quartier général de la police que certains cadeaux, dont un immense panier de fruits et autres délices, ont été adressés. Pour la bouteille de vin, il n'y a pas eu de problème, mais tous les fruits ont été inspectés par… l'escouade technique, à la recherche d'engins explosifs ou autres gadgets du genre. Malgré tout, certains fruits ont pu être consommés.

11

Deux semaines de réflexion

Cloué sur un lit d'hôpital, on a beaucoup de temps pour réfléchir. J'ai passé deux semaines et un jour dans cet hôpital. J'y ai subi trois interventions chirurgicales, car il a fallu m'opérer à nouveau pour refaire la longue cicatrice au ventre due aux réparations internes et à l'extraction de deux projectiles. Chaque jour, les infirmières pansaient mes plaies et me gavaient d'antibiotiques. En plus de mes malheurs, les médecins ont craint que j'aie attrapé un virus dans l'air ambiant de l'établissement. J'ai donc eu beaucoup de temps pour penser et repenser aux circonstances de l'attentat, aux mesures de sécurité que je prenais et, enfin, à ce que je ferais le jour de ma sortie de cette fameuse chambre avec vue merveilleuse sur la ville de Montréal.

Le Centre hospitalier de l'université McGill, en effet, est situé à flanc de montagne, à mi-chemin du sommet du mont Royal, et, de ma chambre, je voyais le fleuve Saint-Laurent, les montagnes de la Rive-Sud et un peu de la campagne. C'est ainsi que mes rêves de construction d'une cabane en bois, une petite cabane à sucre, m'ont amené à penser à ma retraite. Ce projet que je caressais pour mes vieux jours pourrait se concrétiser bientôt. Je rêvais de cette construction pour y emmener mon petit-fils Nicolas, trois ans, et sa petite sœur Amélie, qui allait naître dans moins d'un mois si tout allait bien.

J'ai revu les bons moments de ma carrière, ainsi que les autres. J'avais eu une vie professionnelle bien remplie. Je croyais avoir réalisé la plupart de mes ambitions, du moins celles qui m'étaient accessibles. C'est pourquoi l'idée d'une retraite commençait à faire son chemin. Après cet attentat, qui pourrait me reprocher de vouloir quitter ce métier ? Inquiété surtout par les auteurs de l'attentat, qui devaient sûrement regretter d'avoir raté leur coup, je craignais un retour au travail, à la même vie qu'avant.

Je commençais aussi à découvrir les effets cachés de cet attentat. Des budgets supplémentaires étaient alloués aux forces policières, des lois que plusieurs jugeaient inutiles étaient en préparation. Des dossiers qui traînaient dans certains ministères étaient ramenés au premier plan. On me disait même que des juges avaient modifié leur attitude vis-à-vis des dossiers de certains criminels. Les motards des bandes criminalisées allaient sûrement regretter d'avoir attaqué un journaliste.

Le 13 septembre 2000, des criminels avaient voulu me réduire au silence et avaient brièvement réussi. Mais mes patrons et mes collègues du *Journal de Montréal* avaient compris qu'il ne fallait pas plier devant l'intimidation. Les dossiers sur les motards avaient été au premier plan depuis. Les autres médias avaient aussi parlé plus que jamais des activités criminelles des bandits. L'expansion de la bande des Hells Angels en Ontario y avait aussi fait augmenter la campagne d'information sur les motards et leur trafic de drogue.

L'attentat dont j'ai été victime a soulevé l'indignation non seulement de mes collègues journalistes de tout le pays, mais aussi des policiers et des politiciens. Même que le recours à des moyens plus radicaux pour lutter contre les bandes de motards criminalisées est devenu un enjeu de la campagne électorale canadienne de l'automne 2000. Tandis que le Bloc québécois martelait constamment sa position pour le renforcement des mesures de la lutte contre les gangs et le crime organisé, les députés du Parti libéral du Canada, au pouvoir, semblaient croire que tout allait pour le mieux dans le meilleur des mondes. Ce n'est qu'après avoir été reportés au pouvoir que les libéraux ont rajusté le tir et proposé des mesures plus sévères pour la poursuite des criminels organisés.

La mort du jeune propriétaire d'un bar de Terrebonne, au nord de Montréal, a aussi apporté de nouveaux arguments à ceux qui croyaient nos lois trop laxistes. Francis Laforest avait refusé l'accès de son établissement à des revendeurs de drogue de la grande famille des Hells Angels. On l'a assailli à coups de batte de base-ball. Il en est mort. Ce décès a amené mon patron, Serge Labrosse, à écrire un texte percutant dans les pages du *Journal de Montréal*. Qui irait marcher dans la rue pour Francis Laforest? Lorsque j'ai su qu'une marche s'organisait pour dénoncer cet odieux acte de violence, j'ai décidé d'y participer. J'étais alors constamment encadré par deux gaillards, qui sont venus aussi participer à la marche de solidarité. Nous étions plus de deux mille dans les rues, habituellement tranquilles, de la municipalité en ce beau samedi d'octobre.

La banderole dénonçant l'intimidation qui avait servi deux jours après mon attentat, dans la marche vers les locaux du *Journal de Montréal*, était ressortie. Cette fois, avec mes collègues et mes patrons, j'étais là, pour marcher avec la famille et les amis de Francis Laforest. Lorsque je suis allé offrir mes condoléances à la famille Laforest, j'étais un peu gêné. Je me sentais mal à l'aise en montant les marches du salon mortuaire. Comment allaient-ils me recevoir, moi qui, cinq semaines plus tôt, avais été abattu d'une rafale de balles et m'en étais tiré miraculeusement? Leur fils n'avait pas eu ma chance. Il reposait là, sous les yeux de ses proches en pleurs. Mais autant la mère que le père du jeune homme m'ont dit leur appréciation de la présence de tous ces citoyens ordinaires, de ces politiciens et de ces journalistes venus manifester contre cette violence absurde.

*

Depuis plus de trente ans, je reçois régulièrement des menaces de toutes sortes. On m'a promis de me faire la peau, de réduire la longueur de mes jambes, de faire exploser mon véhicule, de détruire ma résidence, mais jusqu'au 13 septembre 2000 rien de tout cela ne s'était produit. Il y a quelques années, le garagiste chez qui j'étais allé faire réparer une crevaison a eu soudain une exclamation de surprise lorsqu'il a trouvé un projectile d'arme à feu dans un pneu. J'ai toujours conservé cette balle parmi mes souvenirs et une expertise récente a confirmé ce que j'avais cru à l'époque : le projectile n'avait pas été tiré par une arme à feu. Mais une telle découverte laisse perplexe lorsque l'on exerce le métier de journaliste et que l'on dénonce sans cesse les gros caïds.

Certains d'entre eux ne me portaient pas dans leur cœur. J'étais presque toujours présent lorsque Frank Cotroni s'est fait arrêter pour de grosses affaires de trafic de stupéfiants au Canada comme aux États-Unis. Cotroni et son bras droit de l'époque m'avaient fait des commentaires sur la longueur de mes jambes. J'étais un tout jeune journaliste et, comme les bureaux de *La Presse*, où je travaillais alors, étaient situés à deux pas du Palais de Justice, j'ai dû changer de côté de rue à plusieurs reprises. Cotroni était au sommet de sa puissance lorsqu'il a été envoyé en procès à New York, mais sa position de lieutenant dans la famille montréalaise de la Mafia, dirigée alors par son frère aîné, Vincent, ne lui a pas permis d'éviter la prison.

En mars 1996, en pleine guerre des motards, j'ai été avisé par les dirigeants de la brigade Carcajou que des criminels cherchaient sérieusement des informations confidentielles à mon sujet. La menace était à ce point sérieuse que les officiers de police me demandèrent de quitter immédiatement mon domicile et de passer le week-end à l'hôtel. Le lundi, j'ai rencontré deux officiers supérieurs, l'un de la police de la CUM et l'autre de la Sûreté du Québec, qui m'ont mis au fait du danger. Un certain chef des Hells

Angels trouvait que sa photographie était publiée un peu trop souvent dans les pages du *Journal de Montréal*.

Après avoir passé la semaine à me balader d'un hôtel à un autre, j'ai pu reprendre une vie normale. Entre-temps, les policiers avaient fait une razzia chez les motards et réglé du même coup deux cas d'intimidation de journaliste. Car, en plus de s'occuper de ma vie privée, les motards avaient menacé mon collègue Gaétan Girouard, alors reporter au réseau TVA. Gaétan, qui s'est suicidé par la suite, avait lui aussi été pris en grippe par les motards, qui avaient même tenté de l'expulser de Sorel lors des funérailles d'un des leurs.

J'avais toujours cru que les bandits pouvaient s'en prendre à mon automobile, mais je n'avais jamais pensé que ma vie pût réellement être en danger. Je me contentais de prendre certaines précautions en quittant le bureau ou des endroits publics lorsque je venais de publier un article susceptible de créer des remous. Je n'avais pas peur non plus lorsque Maurice Boucher ou ses amis, tel Robert Savard, assassiné récemment, me lançaient des messages verbaux plutôt clairs. Mais l'attentat démontrait bien que j'avais eu tort. À la fin de mon hospitalisation et durant la dizaine de jours que j'ai passés ensuite dans un autre endroit sous bonne protection, les idées s'entrechoquaient dans ma tête. Comment allais-je entreprendre ma nouvelle vie ? J'avais promis à ma famille que jamais plus mon travail ne leur ferait vivre un tel stress.

J'ai pris contact avec plusieurs connaissances et amis de tous les milieux. Cette recherche d'informations m'a permis de découvrir que ceux qui avaient attenté à ma vie regretteraient amèrement leur geste. Tout le milieu criminel était en furie. Pourquoi provoquer un tel débat public, une telle offensive des forces de l'ordre et de la justice ? Les criminels intelligents évitent ce genre d'affrontement.

Un criminel emprisonné pour une série de crimes, dont des meurtres particulièrement odieux, m'a transmis son indignation. « C'est écœurant, ce qu'ils t'ont fait », m'a-t-il dit en demandant aussi s'il pouvait « aider ». Je lui ai simplement demandé de communiquer avec les policiers responsables de l'enquête s'il savait quelque chose qui pourrait faire identifier et condamner les tueurs.

D'autres informateurs et des gens ordinaires, des lecteurs, ont aussi apporté leur aide en me téléphonant ou encore en transmettant à la police des détails, des renseignements, dont certains se sont avérés fort précieux.

C'était dans ce contexte que j'envisageais une retraite. Mais, bien vite, j'ai changé d'idée. Je crois, et cette opinion est partagée par plusieurs, que, l'attentat ayant raté, le dossier est maintenant clos pour les criminels.

J'ai décidé d'éviter temporairement un certain type de reportage afin de ne pas me trouver en conflit d'intérêts ni de provoquer inutilement ceux qui ont cherché à me tuer.

*

J'étais arrivé à l'hôpital par la porte du service des urgences et c'est par la porte de la morgue que j'en suis sorti. Bien vivant évidemment. Pour des raisons de sécurité, l'équipe chargée de m'escorter avait choisi cette sortie discrète. Pour les premiers moments de mon retour à la vie normale, j'ai décidé d'aller saluer mes collègues du journal, en une visite-surprise.

J'avais cru que je pourrais retourner discrètement sur le terrain de stationnement où j'ai été abattu, pour ensuite entrer dans la salle de rédaction par la petite porte arrière, sans bruit, sans éclat. Les choses ne se sont pas passées de la façon dont je les avais imaginées. Les mesures de sécurité étaient très fortes lorsque nous sommes arrivés aux bureaux du journal et il n'était pas question pour l'escorte de passer ailleurs que par la porte principale, où mes patrons m'attendaient. Quelques personnes seulement avaient été avisées de ma visite. Mais très vite on m'a entouré et embrassé. Comme j'étais encore faible, on m'a apporté un siège, et c'est au milieu d'un grand cercle d'amis et de collègues que j'ai compris à quel point tout ce monde avait eu peur pour moi. Durant deux semaines, toute l'équipe du journal, pas seulement mes collègues de la salle de rédaction mais tous les employés de l'immeuble, n'avait eu qu'un sujet de conversation : ma santé et la grande chance que j'avais eue.

Ils ont commencé à me poser des questions personnelles. Ils voulaient tout savoir. Ils me disaient leur joie de me retrouver. Je découvrais aussi que j'étais devenu une vedette de l'actualité. Un journaliste de TVA, Jean-François Guérin, était déjà à la porte pour solliciter une entrevue. Il a compris mon désir de tranquillité et a accepté ma décision de ne pas accorder d'entrevue personnelle.

J'ai ensuite passé dix jours dans un hôtel, entouré de mesures de sécurité. C'est là que j'ai commencé à me rendre compte que ma vie avait changé. C'était à l'époque du décès de l'ancien Premier ministre Pierre Elliott Trudeau. Seul dans une chambre d'hôtel, on a amplement le temps de réfléchir. C'est une émission de télévision qui m'a permis de subir mon premier test pour savoir si je garderais des séquelles psychologiques de l'attentat. Je regardais un vieux film de gangsters lorsqu'un individu caché dans une garde-robe a entrouvert la porte pour avancer sa main qui portait un pistolet muni d'un silencieux, une arme du même type que celle utilisée pour tenter de me tuer quinze jours auparavant. Mon premier réflexe a été de changer de chaîne. Mais, en une seconde, je me suis ravisé. J'ai entendu les coups de feu, vu jaillir le sang de la victime. Je me suis surpris à n'éprouver aucune sensation de frayeur.

J'allais ainsi découvrir que j'étais pratiquement immunisé contre la peur. Quelques jours plus tard, alors que j'étais dans les bureaux de la brigade des homicides, j'ai eu l'occasion de tester encore une fois mon état mental face à l'événement du 13 septembre. Je me remémorais à haute voix les moments qui avaient suivi l'attentat, avec les deux enquêteurs principaux qui travaillaient sur mon dossier. Lorsque j'ai déclaré que je n'étais plus tellement certain de ce que j'avais dit à la préposée du 911 quand j'avais lancé mon SOS, Guy Bessette m'a offert ce deuxième test. Après avoir regardé son partenaire Michel Whissel dans les yeux, il s'est retourné vers moi et m'a dit: «Il n'y a rien de plus simple que de réécouter l'enregistrement de cet appel, si tu le veux. J'ai la cassette dans le dossier.» J'ai aussitôt acquiescé à cette offre. J'avais déjà songé à demander à entendre cet enregistrement, mais comme je n'étais pas certain de ma réaction, j'avais tout simplement retardé cette requête.

Les deux enquêteurs avaient installé leurs quartiers dans une salle de conférences puisqu'ils avaient près d'une quinzaine de caisses de documents, de rapports divers, accumulés depuis l'ouverture du dossier. Les murs de la salle étaient tapissés de photos de la scène du crime, de vues aériennes, de cartes topographiques. Il y avait aussi les deux pages d'articles sur les criminels qui avaient été publiées la veille de l'attentat, en plus de la fameuse photographie prise aux soins intensifs. Les policiers avaient aussi placé sur le mur une photo de moi à Paris en compagnie de trois gendarmes à la porte de l'hôtel des Invalides. Je leur avais donné ce souvenir en les narguant. «J'espère que même pendant mes absences de Montréal vous continuez à travailler sérieusement», leur avais-je dit.

Bessette avait de la difficulté à localiser la fameuse bande enregistrée, ce qui m'a donné le temps de réfléchir encore car je ne savais plus si je voulais réellement entendre cette conversation. Malgré tout, j'avais un peu peur de ma réaction. Quelle serait-elle? Avec son air narquois habituel, Bessette m'a demandé si j'étais prêt, si je voulais toujours écouter la bande. Je lui ai dit oui sans laisser paraître mes appréhensions. Il a appuyé sur le bouton mais c'était la mauvaise cassette qui était dans l'appareil.

Au deuxième essai, c'était le bon enregistrement.

Enregistrement pour l'appel # 000913-022
lié à l'événement 38-000913-019

SPCUM : Police CUM 236.

911 : Oui, bonjour d'Urgences-Santé… avec la police.

SPCUM : Oui, bonjour.

A : Écoutez, j'ai été tiré.

SPCUM : Où ça ?

A : Au *Journal de Montréal.*

SPCUM : À quelle adresse ?

A : 4545, Frontenac.

SPCUM : 4545, Frontenac.

A : Dans le terrain de stationnement sud.

SPCUM : O.K. Restez en ligne avec moi, monsieur, je vous envoie de l'aide, l'ambulance et les pompiers.

A : Pas pour parler, là.

SPCUM : Stationnement ?

A : Sud.

SPCUM : Sud. Qui vous a tiré ?

A : Je le sais pas, un homme armé qui est parti par les *shops* Angus.

SPCUM : O.K. Par les *shops* Angus.

A : (Respir.)

SPCUM : Avez-vous vu le monsieur ?

A : Écoutez, écoutez, madame, j'ai rien vu.

SPCUM : Vous avez rien vu.

A : J'ai vu un gars avec une arme pis tout ça, pis je le sais même pas si je saigne. J'ai mal pis c'est tout.

SPCUM : O.K. L'ambulance, la police est en route. Avez-vous vu un homme de race blanche ou noire ?

A : Je pense qu'il est de race blanche.

SPCUM : Peut-être blanc. Habillé foncé ?

A : Foncé avec une casquette.

SPCUM : Armé de fusil ?

A : Non. Un revolver ou… euh… un revolver.

SPCUM : Vous travaillez pour la presse, vous ?

A : Je suis journaliste, madame. Arrêtez de me parler, là.

SPCUM : Votre nom.

A : Michel Auger.

SPCUM : Monsieur Auger.

A : C'est moi qui m'occupe du dossier des motards au journal.

SPCUM : D'accord, monsieur Auger. Les policiers et l'ambulance sont en route. Vous êtes dans le stationnement ?

A : Oui.

SPCUM : D'accord. Est-ce qu'il y a quelqu'un avec vous qui vous aide ?

A : Il y a personne. Il y a personne qui m'a vu.

SPCUM : O.K. Est-ce que c'est un gros stationnement ?

A : Oui.

SPCUM : O.K. Votre numéro ?

A : Mon auto est juste dans l'entrée.

SPCUM : Quel genre de véhicule ?

A : La porte… Un Subaru. La porte est ouverte.

SPCUM : Près du véhicule Subaru quelle couleur ?

A : Brun.

SPCUM : Brun. Votre numéro de téléphone cellulaire ?

Après avoir fourni le numéro demandé, j'avais tout bonnement mis fin à la conversation. J'avais autre chose à faire…

Pendant que se déroulait l'enregistrement, j'avais le cœur qui palpitait en entendant ma voix. Sur la cassette, j'avais le souffle un peu court et j'avais l'air un peu fatigué, contrairement au souvenir imprégné dans ma mémoire. Je croyais avoir eu une voix calme et claire, ma voix habituelle. La jeune femme posait ses questions, qui se précisaient dans mes souvenirs. Au moment de l'écoute, je n'éprouvais aucune peur, aucun stress. Après, j'étais heureux d'avoir écouté cette bande et, surtout, soulagé quant à ma réaction.

Après ma sortie de l'hôpital, mes patrons ont fait appel au psychologue Jacques Lamarre, qui s'occupe du programme d'aide aux employés. Tous mes amis et mes collègues, et, bien sûr, mes proches, s'inquiétaient de mes réactions psychologiques. Ils voyaient bien que, physiquement, j'étais sur la bonne voie, mais ils avaient des craintes quant à ma capacité de reprendre une vie normale. Je répétais souvent que je n'avais aucune peur et que je reprendrais ma vie comme avant, avec, bien sûr, quelques ajustements. Plusieurs me conseillaient de prendre mon temps, d'y aller doucement. On s'efforçait de m'encourager.

Moi qui avais eu le temps d'analyser mes réflexes, je croyais être sûr de n'avoir aucun malaise profondément ancré en moi, aucune pensée que j'aurais voulu me cacher à moi-même. C'est pour vérifier si j'étais réellement honnête face à moi-même que j'ai accepté de faire cet exercice qui, de toute façon, me rassurerait personnellement et tous mes proches également.

C'est la psychologue Ginette Soucy qui s'est occupée de moi. Cette femme connaissait déjà plusieurs employés du journal, avec qui elle était en contact pour des cours de pré-retraite. C'est aussi elle qui, le jour de l'attentat, avait rencontré certains employés, individuellement ou en petit groupe, pour les aider à passer au travers d'une journée si terrible pour tous.

Il semble qu'il soit plutôt rare qu'une personne vive ce genre d'événement sans en garder des séquelles. J'étais apparemment ce cas rare. Je peux aujourd'hui vivre ma vie sans avoir peur de sortir ou de travailler.

Mme Soucy m'a bien prévenu toutefois qu'un jour cette tranquillité pourrait être rompue. Un coup de feu, un geste bien ordinaire dans un parc de stationnement ou encore le fait de voir certaines scènes qui me rappelleraient les circonstances de l'attentat pourraient me troubler. Il ne faudrait pas me surprendre si jamais l'instant fatidique de l'attentat venait à nouveau me hanter. Mais la psychologue se fit aussi rassurante. Dès notre première rencontre, elle avait constaté que je m'étais posé toutes les bonnes questions sur mes sentiments, sur ce que j'avais vécu après l'attentat.

12

Des témoignages émouvants

Ce qui m'a surpris le plus lorsque j'ai recommencé à fréquenter les lieux publics, c'est la réaction des gens, du monde ordinaire. Pour ma toute première sortie, je suis allé dans un restaurant de la rue Duluth partager le lunch avec mes trois patrons, Serge Labrosse, Dany Doucet et Paule Beaugrand-Champagne. Dès que j'eus mis le pied en bordure de la rue, une camionnette s'est arrêtée et le conducteur, le livreur d'un fleuriste, s'est dit surpris de me voir en si bonne forme et m'a souhaité la meilleure des chances. Nous avions choisi *Le Jardin de Panos*, la brochetterie à la mode, qui serait, d'après les gens du quartier, la toute première du genre au Québec. Là aussi, le patron m'a reconnu, et nous avons eu droit à un lunch gratuit, en plus du sourire aimable de la patronne.

C'est ce jour-là que Dany Doucet m'a offert un emploi de cadre que j'ai immédiatement décliné. « J'ai été tiré dans le dos, mais je ne suis pas tombé sur la tête ! » lui ai-je dit. Blagueur, Dany feignait de me vouloir comme adjoint pour s'occuper des malades. « Ça serait très gênant de ne pas se présenter au travail pour un petit rhume. Imagine, tu es déjà sur pied. Une véritable "légende vivante". » Depuis ce jour, il m'aborde toujours avec cette expression.

Les commentaires agréables du public n'ont jamais cessé. Un seul des messages dont j'ai eu connaissance était injurieux. Il s'agissait d'un appel d'un homme qui disait que mes patrons avaient tout inventé pour faire mousser le journal et que j'étais une ordure d'avoir consenti à jouer le jeu… Pour le reste, la plupart des gens me saluaient en souriant. Certains m'abordaient pour me féliciter, d'autres voulaient simplement me serrer la main. Beaucoup de gens louaient mon courage et dénonçaient la violence inutile des criminels.

Le 2 novembre, je fus invité à l'Assemblée nationale, à Québec, où les parlementaires voulaient m'honorer. Tour à tour, le Premier ministre, Lucien Bouchard, le chef de l'opposition, Jean Charest, et le chef de l'Action démocratique, Mario Dumont, ont vanté mes mérites. Je ne me souviens pas de beaucoup d'occasions où cette grande assemblée a montré une si belle unanimité. J'étais gêné d'écouter toutes ces louanges sur mon travail et mes qualités personnelles. C'était un peu comme d'entendre les éloges qui sont prononcés lors d'un enterrement.

M. Bouchard a souligné mon courage et mon « refus du silence ». « Le 13 septembre dernier, l'actualité nous a brutalement rappelé que nous n'étions à l'abri de rien », a-t-il dit. M. Charest, pour sa part, a dit saluer « un héros qui a eu le courage de dire des choses, de les écrire et de les dénoncer ». Mario Dumont a prôné la défense des grands principes démocratiques. « Il faut, a-t-il dit, que des mesures extraordinaires soient prises à chaque fois que toute forme de liberté d'expression est menacée. » Plus tôt, en privé, M. Charest m'avait dit que j'avais l'étoffe d'un politicien. Il faisait ce commentaire après m'avoir vu répondre plutôt évasivement à certaines questions de mes propres collègues du domaine politique qui assistaient à la remise de la médaille de l'Assemblée nationale.

En réponse à une question d'un des nombreux journalistes présents, j'ai, bien involontairement, fait s'esclaffer tout le monde. Après que ses collègues m'eurent bombardé de questions concernant l'attentat, ma réaction d'alors et mes projets de carrière, un reporter m'a demandé si j'avais un conseil à donner aux jeunes journalistes qui seraient tentés

Avec le Premier ministre Lucien Bouchard, en novembre 2000.

Deux journalistes ayant survécu à des attentats ont été réunis
lorsque Jean-Pierre Charbonneau m'a remis la médaille de
l'Assemblée nationale, en novembre 2000.

de faire une carrière comme la mienne. Ma réponse, sur un ton humoristique, comportait quelques conseils généraux et je terminais en disant qu'il ne fallait jamais se laisser abattre. Je me suis aussitôt excusé du jeu de mots. Le soir même, dans tous les bulletins télévisés rapportant l'événement, c'est ce passage de ma déclaration qui était mis en évidence.

Cette cérémonie fut tout un événement dans ma vie. En présence de toute ma famille, c'est mon ami Jean-Pierre Charbonneau, devenu président de l'Assemblée nationale, qui m'a remis la fameuse médaille. Jean-Pierre est le seul élève que j'aie jamais eu dans cette carrière de trente-sept ans de journalisme. Il a été stagiaire à *La Presse* en 1970 et a alors passé plusieurs mois à mes côtés. Peu après, il est devenu mon compétiteur comme journaliste au *Devoir*. Il ne s'est pas gêné pour utiliser alors les trucs du métier que je lui avais appris. La compétition a été vive durant quelques années, mais nous sommes toujours demeurés bons amis. En 1976, durant seulement quelques mois, nous avons encore travaillé ensemble à *La Presse*. Mais il a préféré la politique et il était de l'équipe du Parti québécois portée au pouvoir en novembre 1976.

Cette remise de médaille a aussi rappelé que nous avions tous deux subi le même genre d'attentat à cause de notre travail de journalistes. C'est un mafioso qui a tenté de tuer Jean-Pierre dans la salle de rédaction du *Devoir*, le 1er mai 1973.

L'attentat contre ma personne a ravivé de bien mauvais souvenirs chez mon ami Jean-Pierre. Il est venu me visiter à deux reprises à l'hôpital, même alors que j'étais aux soins intensifs. Animé d'une grande colère envers ces criminels qui se permettaient d'utiliser une telle violence, il revivait une mauvaise époque de sa vie. Il savait, lui, ce que j'aurais à surmonter pour reprendre mes activités, car il avait vécu la même chose alors qu'il n'avait que vingt-trois ans.

Cette cérémonie, qui avait lieu dans un petit salon de l'Assemblée nationale, a failli mal tourner. Tandis que nous

nous réjouissions, un verre de vin à la main, Armande, ma mère, a subi un malaise. Mais, heureusement, il ne s'agissait que d'une faiblesse due à la chaleur et aussi à la joie de voir que ses cinq enfants pouvaient encore tous être ensemble pour un événement heureux.

Enfin, autre fausse note, plusieurs chroniqueurs parlementaires qui assistaient à la rencontre privée avec le Premier ministre auraient bien aimé entendre notre conversation. M. Bouchard me posait des questions sur mon état de santé et les circonstances de l'attentat. C'est ce moment que l'attachée de presse de M. Bouchard a choisi pour mettre fin à la séance de photographie.

Le Premier ministre s'était montré heureux de voir Amélie, ma petite-fille d'à peine deux semaines. Lui qui allait démissionner deux mois plus tard faisait remarquer que la présence de ses propres enfants lui manquait. Cette rencontre avec M. Bouchard s'est terminée par une photo pour la postérité. Toute la famille, avec M. Bouchard, le président Charbonneau et le député de Nicolet, Michel Morin, un parent par alliance, affichait un grand sourire. Heureusement que mon patron, Serge Labrosse, est très grand, puisque, discret, il s'était placé à l'arrière du groupe. On ne lui voit que le haut du visage.

Quelques jours plus tard, je recevais une lettre manuscrite de M. Bernard Landry, qui allait bientôt remplacer M. Bouchard. Il m'écrivait ceci : « Maintenant que le flot des messages et des honneurs, si grandement mérités, que vous avez reçus doit commencer à décroître, je veux y ajouter le mien pour vous dire mon admiration pour le courage et la compétence que vous déployez dans l'exercice de votre métier. Il y a dans le journalisme le meilleur et le pire et on dirait que depuis quelques années le pire a tendance à marquer des points. Il est clair que vous incarnez le meilleur. Votre métier est tellement fondamental pour la démocratie et la liberté que je veux vous remercier et vous féliciter de ce que vous faites pour nous. »

*

Le métier de journaliste est un métier passablement dangereux dans plusieurs pays. L'Association mondiale des journaux rapportait récemment que cinquante-trois journalistes et autres professionnels des médias avaient été tués dans le monde durant l'année 2000. Nous pouvons nous consoler, nous, du métier, car ce nombre était en baisse par rapport à l'année précédente, où soixante et onze collègues avaient été tués sur la planète. C'est en Colombie et en Russie que le métier est le plus dangereux.

Quand, jeune journaliste, je faisais mes premiers pas dans la salle de rédaction du quotidien *Le Nouvelliste*, 4e Rue, à Shawinigan, je n'aurais jamais imaginé qu'un jour je deviendrais un symbole de la défense de la liberté d'expression dans le monde. Le 23 novembre, exactement deux mois après l'attentat, l'Association canadienne des journalistes pour la liberté d'expression (CJFE) me remettait le prix Tara Singh Hayer pour marquer mon « importante contribution au renforcement et à la défense du principe de la liberté d'expression au Canada ».

Ce prix avait été décerné l'année précédente à la famille du journaliste Tara Singh Hayer, assassiné à Vancouver en novembre 1998. L'éditeur de l'*Indo-Canadian Times* a été tué dix ans après un premier attentat qui l'avait rendu paralytique. À l'automne 2000, la Gendarmerie royale du Canada a porté des accusations contre un individu concernant l'attaque dont avait été victime M. Hayer en 1988. Le même individu est également accusé de complot pour faire exploser l'avion d'Air India qui a plongé dans l'Atlantique au large de l'Irlande en 1985, tuant les trois cent vingt-neuf personnes à son bord.

Le comité qui m'avait choisi comme récipiendaire du prix voulait souligner le fait que mon travail de journaliste était le plus difficile et le plus dangereux au Canada et que je n'avais pas seulement écrit un important article mais suivi le dossier d'une manière approfondie durant plusieurs années. Jan Wong, reporter du *Globe and Mail* de Toronto, membre du comité, soulignait notamment : « Même dans une démocratie comme le Canada, il y a des limites à la liberté de la presse et nous dépendons de journalistes comme Auger pour dépasser ces limites. »

Le même soir, devant quelque six cents personnalités des médias et de la politique canadienne, le CJFE remettait aussi ses prix internationaux. Un journaliste iranien et une jeune Colombienne étaient honorés. Akbar Ganji est un journaliste emprisonné à Téhéran pour avoir dénoncé par ses enquêtes l'implication du gouvernement iranien dans les opérations des escadrons de la mort dans ce pays. En plus de mettre des journalistes en détention, le gouvernement iranien a fermé trente publications et procédé à l'arrestation de vingt autres journalistes opposés au régime intégriste. Gangi est le plus connu et le plus volubile des contestataires.

L'autre récipiendaire, présente à mes côtés lors du gala, était Jineth Bedoya Lima, une journaliste de vingt-sept ans à l'emploi du quotidien *El Espectador* de Bogota. En mai 2000, Mme Bedoya, qui suit les activités des militaires, a été enlevée, battue et agressée sexuellement alors qu'elle faisait son travail à la suite d'une émeute dans une prison. Après seulement quelques mois de répit, la jeune femme était de retour à son poste et avait repris la couverture de la guerre civile qui ravage son pays, en s'opposant à toute forme de censure.

La vie des journalistes de Colombie est loin d'être reposante. En une décennie, quarante-quatre journalistes ont été tués et trente-trois autres ont été enlevés. Le journal *El Espectador* est souvent pris à partie pour ses reportages agressifs sur les événements de la guerre civile, le trafic de la drogue et la manière dont le gouvernement s'occupe de ces problèmes. En 1986, l'éditeur du journal a été assassiné par les trafiquants, et trois ans plus tard la salle de rédaction a été détruite par une puissante bombe déposée par le cartel de Medellín.

Après la cérémonie de Toronto, j'ai pris l'avion pour Edmonton afin d'assister à deux rencontres, l'une avec les patrons et mes collègues du *Edmonton Sun*, et l'autre avec les membres de l'Association canadienne des journalistes. C'est là que j'ai appris qu'un reporter de Radio-Canada, Eldred Savoie, voulait à tout prix me parler. Il avait laissé un numéro de téléphone pour que je le joigne à Paris.

À cause du décalage horaire de huit heures, j'ai dû me réveiller en pleine nuit ce dimanche. Au téléphone, Eldred Savoie m'a alors appris que l'Union internationale des journalistes et de la presse de langue française (UIJPLF) avait mis mon nom sur la liste des journalistes candidats au Prix de la libre expression, que l'organisme s'apprêtait à décerner. « Peux-tu être à Paris demain ? » m'a demandé Savoie. C'était physiquement impossible. C'est le mardi soir que j'ai quitté Montréal après la confirmation officielle du secrétaire général international de l'UIJPLF, M. Georges Gros. J'ai passé une cinquantaine d'heures à Paris, un record. Je croyais détenir un autre record puisque j'y avais séjourné trois jours en 1978.

En annonçant la remise du Prix de la libre expression, M. Gros déclarait ceci : « La condition dans laquelle M. Auger exerce son métier montre bien qu'il n'y a pas qu'en situation de guerre que les journalistes font preuve de courage et de ténacité, mais également dans nos milieux urbains, où les journalistes engagés sont sujets à l'intimidation. » Ce prix est une distinction « pour avoir, dans un environnement difficile, maintenu contre vents et marées l'indépendance de sa ou de ses publications, malgré les pressions ou les atteintes à ses installations ou à sa personne ». Le prix m'a été remis par le secrétaire de la Francophonie, M. Boutros Boutros Ghali, l'ancien secrétaire général de l'ONU.

Cette fin d'année 2000 allait m'apporter encore d'autres surprises, dont celle de me retrouver sur la liste des personnalités ayant marqué l'année écoulée. Chaque fin d'année, la Presse canadienne, l'agence qui permet l'échange de photos et d'articles entre les divers médias du pays, organise un

C'est l'ancien secrétaire général de l'ONU, Boutros Boutros Ghali,
qui m'a remis le Prix de la libre expression lors du congrès
de l'Union internationale des journalistes et de la presse
de langue française, à Paris, en novembre 2000.

Avec des gendarmes devant l'hôtel des Invalides, à Paris,
le jour de la remise du Prix de la libre expression.

sondage parmi ses sociétaires afin de dresser la liste des événements et des personnalités qui ont défrayé la chronique. Quelques politiciens se retrouvent constamment en haut de la liste, mais pour l'an 2000 c'est le décès de l'ex-Premier ministre Pierre Elliott Trudeau qui a fait la quasi-unanimité, obtenant soixante-quinze votes. Jean Chrétien en a eu vingt-cinq. Maurice Richard, l'étoile de plusieurs générations d'amateurs de hockey, décédé durant l'année, obtenait trois votes, autant que moi… Je n'en crois pas encore mes yeux ni mes oreilles. Justin Trudeau, qui avait bouleversé des milliers de personnes lors des funérailles de son père, a obtenu trois votes et demi. La grande romancière Margaret Atwood a obtenu deux votes, et Izzy Asper, le magnat de la presse, a obtenu une seule voix.

Pour conclure cette année 2000, j'ai été surpris de me voir sollicité pour une entrevue par Katherine Ashenburg, du quotidien torontois *The Globe and Mail*. « Mon patron, m'a-t-elle dit, vient de franchir le milieu de sa vie et veut savoir tout ce que les autres personnes qui sont rendues là dans leur vie ont en tête pour le reste de leurs jours. » Son reportage, publié le tout dernier jour de l'année, présentait les idées de six « Canadiens éminents ». La journaliste avait recueilli les pensées de la comédienne Mary Walsh, qui apportait une note humoristique au reportage, et du financier et collectionneur d'art Bruce Bailey, de Toronto, qui décrivait sa passion pour la cuisine et son désir de faire reconnaître internationalement les artistes canadiens. Pam Barrett, chef du Nouveau Parti démocratique de l'Alberta, faisait aussi partie de la courte liste des personnes à qui l'on avait demandé une opinion et des idées. Elle s'était retrouvée à l'article de la mort à la suite d'une réaction allergique survenue lors d'une visite banale chez son dentiste. Elle s'était mise à écrire son autobiographie spirituelle, disait-elle. Avaient aussi contribué à ce reportage l'écrivain Alberto Manguel et l'animatrice de radio Shelagh Rogers.

Quant à moi, j'y soulignais l'importance qu'avait eue dans ma vie récente la mort de mes amis Jeannine

Bourdages et Claude Masson, disparus dans l'écrasement du Boeing d'EgyptAir en 1999. Je parlais aussi de mon projet de retraite : construire une petite cabane à sucre pour m'amuser avec mes parents et amis et surtout mes petits-enfants. Une cabane traditionnelle, mais loin des grosses installations que l'on connaît aujourd'hui. Une cabane sans électricité, au fond du petit bois que je possède depuis vingt ans. Elle sera construite avec mes propres arbres, que je vais commencer à abattre pour ensuite les transformer en madriers et en planches.

Ce rêve de cabane au fond des bois, je le caresse depuis des années. Puisque les paroles s'envolent et que les écrits demeurent si peu longtemps dans la mémoire des gens, je rêve d'un petit bois aménagé, nettoyé, avec des sentiers paisibles et une petite cabane rustique. Ce sera là une œuvre visible, une réalisation concrète.

*

C'est en janvier 2001, moins de quatre mois après l'attentat, que j'ai repris le travail quotidien. J'ai recommencé à effectuer des entrevues et à suivre certains dossiers d'enquête qui me tenaient particulièrement à cœur. Un de ces dossiers dont j'entendais parler depuis des mois concernait une enquête d'envergure visant plusieurs individus soupçonnés d'avoir été mêlés de près à l'attentat. J'avais très hâte de découvrir les secrets des policiers. Je savais qu'il s'agissait d'une enquête d'une ampleur jamais vue au Québec.

Le premier article que j'ai écrit après m'être remis au boulot se voulait d'abord un petit texte de remerciement à mes collègues du journal et aux gens de tous les milieux qui m'avaient adressé des messages d'encouragement. C'est en parlant avec mon patron Dany Doucet que j'ai compris que je pouvais obtenir un peu plus d'espace. Dans un quotidien, l'espace rédactionnel est souvent limité, vu l'abondance des nouvelles. Nous sommes souvent contraints de ne pas dépasser une certaine longueur dans nos articles, mais, comme le disaient les vieux journalistes, c'est plus difficile de rapporter un événement de façon concise que de faire un long papier.

Ce jour-là, au retour de la période des fêtes, les nouvelles arrivaient très lentement et le patron, à mesure que la journée avançait, me disait qu'il pouvait m'accorder de l'espace, beaucoup d'espace. Cela m'a permis d'écrire une pleine page pour raconter ce qui m'était arrivé et, surtout, dire pourquoi je reprenais le travail. J'avais toujours ce besoin d'écrire, expliquais-je, de fouiller les dossiers chauds et de découvrir ce qui se passait véritablement dans la ville. J'étais trop jeune pour la retraite et je ne pouvais envisager d'entreprendre une nouvelle carrière. Je ne connais que le journalisme.

Ma nouvelle notoriété m'a amené à être sollicité pour rencontrer des victimes d'actes criminels. J'ai aussi été sollicité pour prononcer des conférences sur divers aspects du crime organisé devant des groupes de journalistes, de policiers et d'avocats. J'ai été invité à participer à une conférence à Brazzaville, au Congo, mais je n'ai pu m'y rendre.

Ma mésaventure m'a conduit dans divers coins du Canada et des États-Unis que je n'avais pas pensé que je visiterais un jour. J'ai même été invité à donner une conférence lors du congrès annuel de l'Association des médecins psychiatres du Québec. J'avais toujours cru possible de devoir consulter un psychiatre un de ces jours, mais de là à penser que quelques centaines de spécialistes de la psychiatrie pourraient avoir besoin de moi…

J'ai aussi été approché pour faire de la publicité au sujet de certaines maladies affectant les hommes, comme les problèmes de dysfonction érectile. J'ai été flatté mais je ne pouvais accepter ces offres, le métier de journaliste devant rester loin de celui de publicitaire.

Un jour, ma collègue Monique Girard-Solomita m'a appris qu'on avait fait allusion à l'attentat dans *Virginie*, le téléroman de Fabienne Larouche présenté par Radio-Canada. Un personnage, donnant un conseil à un autre qui, journaliste culturel, rêvait de faire du journalisme d'enquête, y disait : « Attention, tu vois bien que c'est dangereux. Regarde ce qui est arrivé à Michel Auger. » « Le jour où l'on parle de toi dans un téléroman est important », de dire ma collègue Suzanne Gauthier, ex-chroniqueuse de télévision au *Journal de Montréal*.

Un autre signe de cette nouvelle popularité fut l'invitation qu'on m'a faite de présenter un prix lors du gala Métro-Star, qui honore les vedettes de la télévision les plus populaires auprès du grand public. J'ai accepté avec joie de présenter le trophée de l'animateur de bulletin de nouvelles le plus apprécié du public. C'est Jean-Luc Mongrain qui avait été choisi, au détriment de Stéphane Bureau, Pierre Bruneau et Simon Durivage.

Un autre prix prestigieux m'a été attribué le 3 mai 2001 à Toronto. Cette fois, c'est le Concours canadien de journalisme qui avait choisi de souligner mon « apport exceptionnel au journalisme ». Le Conseil des gouverneurs avait créé ce prix spécial et j'en étais le premier récipiendaire. Cette distinction ne sera accordée que dans des cas exceptionnels, a-t-on indiqué lors de la remise du prix.

J'étais particulièrement ému de voir se lever quelque cinq cents de mes confrères lors de la cérémonie de remise du prix. Une rare ovation pour un confrère. Une ovation qui n'en finissait pas.

Sur la plaque dorée, il est inscrit que ce prix était remis pour la première fois « à Michel Auger pour journalisme exemplaire. Sans égard à sa sécurité personnelle, Michel Auger a fait preuve de conviction, de courage et d'héroïsme en informant les lecteurs du *Journal de Montréal* du développement des activités des bandes de motards criminels au Québec ».

*

Le jour même de l'attentat, l'agence de voyages que j'avais contactée pour un séjour au Mexique avait acheté mes billets. J'étais tellement sûr d'effectuer ce voyage que j'avais refusé d'adhérer à la traditionnelle offre d'assurance en cas d'annulation. J'ai donc passé un mois, fin janvier à fin février, à parcourir la campagne mexicaine avant de revenir au travail pour de vrai.

Le mois suivant, j'étais fort actif en tant que premier journaliste à dévoiler en détail les secrets de l'opération Printemps 2001, visant les motards de la famille des Hells Angels. Le 29 mars, j'étais fier de mon journal car nous étions le média à rapporter de la façon la plus détaillée les premières révélations exclusives découlant de cette opération majeure qui avait conduit quarante-deux motards en prison pour répondre collectivement de deux cent treize meurtres. Une enquête d'une envergure jamais vue au Canada. J'avais écrit cinq textes, dont l'un racontait en détail comment les policiers avaient réussi à enregistrer huit « messes » de motards, ces rencontres où les décisions sont prises par les dirigeants de la bande.

Il faudra attendre encore des mois pour savoir si les policiers ont eu raison de se dire fiers de leur enquête. Une preuve ne devient telle que lorsqu'elle est présentée devant un jury qui, lui, doit décider de la culpabilité ou de l'innocence des accusés.

Dès la semaine qui a suivi de près l'arrestation de plus de cent trente-cinq motards et trafiquants de drogue, le Parlement fédéral était saisi d'une série d'amendements visant à renforcer le code criminel dans ses dispositions à l'égard du crime organisé. Le projet de loi a été critiqué parce qu'il n'irait pas assez loin, aux dires des policiers, et parce qu'il serait abusif, aux dires de certains défenseurs des libertés civiles. Mais plusieurs criminels viennent de comprendre la portée des dispositions antigangs du code criminel. Plusieurs citoyens qui se disent respectueux des lois mais qui jusqu'ici fermaient les yeux en faisant des affaires dites honnêtes avec des gens qui se sont enrichis par le crime commencent à craindre les nouvelles législations. Le blanchiment d'argent est aussi un crime qui est couvert par les articles du code sur le gangstérisme.

Depuis mon retour au travail, on me pose souvent des questions sur mon état de santé. Certains journalistes croyaient que j'avais survécu à l'attentat parce que je portais un gilet pare-balles. Je ris encore de cette question car, si j'avais effectivement porté un tel vêtement protecteur, j'aurais probablement évité de longues souffrances. J'ai six trous dans le dos pour démontrer que je ne portais qu'une chemise de coton bien ordinaire en ce fatidique jour de septembre.

13

Un motard devenu une célébrité

Lors de l'attentat du 13 septembre 2000, le nom des Hells Angels est revenu bien vite à l'esprit de plusieurs personnes qui étaient au courant des activités des motards. Depuis le début de l'été, le chapitre Nomads des Hells Angels du Québec, le chapitre le plus en vue des Hells Angels de tout le Canada, défrayait la chronique par ses déclarations et son opération de charme auprès du grand public.

D'habitude, les criminels se font très discrets sur leurs activités, mais, depuis plusieurs mois, le motard le plus connu du Québec, Maurice Boucher, multipliait les gestes qui allaient le différencier des autres personnages du milieu. Depuis son acquittement en Cour supérieure de l'accusation de meurtre sur la personne de deux gardiens de prison et, surtout, sa sortie triomphale du Palais de Justice de Montréal, Boucher était vu partout. Il occupait une grande place et semblait apprécier son nouveau rôle de vedette de l'actualité. Il a été aperçu à une soirée de boxe télévisée. Lorsqu'il se présentait dans un Palais de Justice, il crânait devant les caméras. Bref, il était devenu une célébrité qui aimait son nouveau statut social.

Lorsqu'un de ses amis du chapitre Nomads s'est marié, Maurice Boucher était maître de cérémonie. La chanteuse Ginette Reno et l'auteur-compositeur-interprète Jean-Pierre Ferland ont été photographiés alors qu'ils donnaient un tour de chant pour les têtes dirigeantes de la bande de motards la plus active du Canada. Des journalistes de l'hebdomadaire *Allô-Police* avaient été invités à assister aux noces pour diffuser ensuite une série de photos orchestrées par les motards.

Le marié était nul autre que René Charlebois, surnommé Baloune, un dur qui a fait sa marque rapidement et qui a gravi les divers échelons requis pour atteindre le sommet de la hiérarchie de la bande. Charlebois était l'un des membres de la « Table des neuf », l'organisme qui, d'après la police, prend toutes les décisions majeures chez les motards.

Un autre membre de la Table des neuf, Normand Robitaille, était présent aux noces. Il y était accompagné de son épouse, une avocate membre du barreau du Québec, qui faisait fonction de demoiselle d'honneur de la jeune mariée. Lorsqu'il s'est retrouvé emprisonné avec quarante-deux de ses confrères de bande, le 28 mars 2001, Robitaille a soutenu en cour qu'il n'était pas en mesure de se défendre des accusations de meurtre portées contre lui car il n'avait pas pu trouver d'avocat.

Boucher, d'après les documents transmis aux motards accusés de meurtre, est aussi considéré comme un des dirigeants de la Table des neuf.

Ce sont les membres de cette fameuse Table des neuf que la police accuse maintenant d'être les patrons, les commandants de la guerre qui fait rage depuis 1995 entre les Hells Angels et leurs ennemis les Rock Machine, devenus Bandidos. Au début des hostilités, les ennemis des Hells Angels étaient des trafiquants de drogue divers regroupés au sein de l'Alliance, un groupe réuni autour des Rock Machine, l'autre groupe important du Québec.

Après la diffusion des photos du mariage, qui ont été accueillies avec beaucoup de scepticisme par plusieurs acteurs de la scène publique québécoise, Maurice Boucher a récidivé dans son opération de relations publiques en faisant parvenir à *Allô-Police* une photographie de lui en compagnie de l'ex-Premier ministre Robert Bourassa. Déjà, depuis des mois, les motards cherchaient à faire publier cette photo. *Le Journal de Montréal*, entre autres, avait décidé de ne pas utiliser ce cliché. M. Bourassa, de passage dans un petit restaurant de la région de Sorel, avait simplement accepté de poser avec un citoyen. Ce n'est que beaucoup plus tard que Maurice Boucher a obtenu la notoriété qu'il connaît actuellement.

À la fin de l'été 2000, depuis des mois, les policiers de la brigade Carcajou suivaient, enregistraient et établissaient une série de faits qui allaient leur permettre de constituer un dossier d'une importance jamais vue contre les dirigeants des motards. Les policiers savaient alors que les Hells Angels avaient dressé une liste noire de leurs ennemis. Plusieurs individus dont les noms étaient inscrits sur cette liste ont été successivement assassinés. Tous avaient un élément en commun : ils étaient des ennemis ou des adversaires des Hells. Certains étaient des trafiquants de drogue, d'autres pas.

Les Hells Angels avaient aussi dressé une autre liste de personnes à abattre. Cette liste ultrasecrète comportait les noms de plusieurs personnalités qui n'avaient rien à voir directement avec la guerre des motards. Mon nom était apparemment le premier inscrit sur cette liste. Le nom de la journaliste Jocelyne Cazin, qui jusqu'à cette année était animatrice de la populaire émission *JE* du réseau TVA, se trouvait aussi sur cette liste, de même que celui de Jacques Duchesneau, l'ancien directeur de la police de la Communauté urbaine de Montréal. Les motards avaient aussi mis sur leur liste d'épicerie le nom d'au moins un ministre, celui de la Sécurité publique du Québec, Serge Ménard.

Même si, après l'attentat du 13 septembre, les projets d'assassinat visant des personnalités connues ont été écartés, l'élimination des ennemis de la bande a repris après une accalmie de plusieurs semaines. C'est devant le tollé soulevé par cette tentative de meurtre contre un journaliste que les choses se sont précipitées. Les Hells Angels se retrouvaient en bien mauvaise position dans le milieu criminel. Certains parrains de la Mafia ont alors transmis des ordres. La paix devait obligatoirement être acquise.

C'est ainsi que, le 26 septembre, les chefs des deux bandes de motards rivales, les Hells Angels et les Rock Machine, se réunissaient dans une salle du Palais de Justice de Québec pour entreprendre des pourparlers de paix. Maurice Boucher et Fred Faucher n'avaient pas eu de peine à trouver le chemin du Palais de Justice, des avocats les y ayant accompagnés.

Le 8 octobre suivant, la paix était signée et officialisée par une série de photographies publiées plus tard par l'hebdomadaire *Allô-Police*. Les ennemis devenaient des amis. C'est ainsi que des journalistes pourraient se retrouver comme témoins aux procès pour meurtre des Hells Angels. La Couronne est intéressée à prouver que des individus qui se font photographier ont le pouvoir d'arrêter par une simple poignée de main et des accolades une série de plus de cent soixante meurtres.

En décembre, les Hells Angels célébraient en grande pompe leur expansion en Ontario par suite des manœuvres des Bandidos, qui eux aussi avaient envahi à haute vitesse le territoire ontarien. Ces expansions ont toutefois ravivé les tensions entre les deux groupes. Les Hells ont aussi repris les hostilités en éliminant certains amis des Bandidos au Québec et ont même tenté d'abattre le nouveau président des Bandidos, Alain Brunette, en le pourchassant à vive allure sur l'autoroute des Laurentides. Brunette n'a été que blessé par des balles.

Deux jours après cet attentat, les policiers de la brigade Carcajou interceptaient tous les participants de la réunion hebdomadaire de la Table des neuf. Sur les lieux, les détectives ont découvert des photographies de plusieurs membres des Bandidos qui étaient visés par de nouveaux complots de meurtre. À leur grande surprise, ils ont aussi trouvé des téléavertisseurs copiés sur les appareils appartenant aux ennemis des Hells. C'est ainsi que les conspirateurs pouvaient obtenir en même temps que leurs destinataires de véritables copies des informations reçues par les téléavertisseurs de leurs ennemis. Des copies, des clones des téléavertisseurs des policiers chargés d'enquêter sur les motards ont aussi été trouvés en possession de membres de l'organisation des Hells Angels.

C'est après le mois de mars 2001, à la suite du déclenchement de l'opération Printemps 2001, que plusieurs informations sur les dessous de cette triste guerre ont été obtenues par les enquêteurs de la brigade Carcajou. Ces enquêteurs ont aussi appris comment certains motards s'imaginaient qu'ils formaient une classe à part dans notre société.

Deux délateurs qui ont commencé à déballer leur sac au printemps ont confirmé aux policiers de la brigade Carcajou que l'organisation des Hells Angels était liée à l'attentat du 13 septembre 2000. Stéphane Faucher, dit le Blond, et Serge Boutin ont fait de nombreuses révélations. C'est l'un d'eux qui a dévoilé que, dans les heures qui ont suivi l'attentat, des ordres étaient parvenus aux Rockers, les exécutants des Hells Angels, afin qu'ils cessent immédiatement toute action liée à l'exécution des commandes visant les autres personnes inscrites sur les listes de gens à abattre. C'est un vieux membre des Rockers surnommé la Pluche, Normand Bélanger, qui a fait connaître les ordres de la Table des neuf, ont rapporté aux policiers les motards délateurs.

Boutin a aussi dévoilé aux enquêteurs toutes les circonstances de la participation de René Charlebois, le nouveau marié, au meurtre d'un informateur de police, Claude De Serres, qui portait sur lui un microphone-espion lorsqu'il a été abattu non loin de Notre-Dame-de-la-Merci, dans Lanaudière. Tous ces faits sont contenus dans les documents qui ont été transmis ou qui vont être transmis, en vertu de la loi, aux accusés dans les procès pour meurtre et pour gangstérisme qui devraient s'instruire dans quelques mois. Cette divulgation de la preuve apporte avec elle beaucoup de sujets de discussion chez les motards. La lecture des rapports de police, des transcriptions de conversations piégées par l'écoute électronique ainsi que des rapports des informateurs ont amené certains des accusés à se poser plusieurs questions sur la loyauté de quelques-uns de leurs collègues.

Au moins un des dirigeants de la Table des neuf aurait tiré plus de profits que les autres du partage des revenus des entreprises de la bande, ce qui aurait choqué au plus haut point ses amis. La suspicion ferait son œuvre au point que les policiers s'attendent toujours à ce qu'un ou plusieurs des dirigeants de la bande qui sont accusés de meurtre commencent à considérer ce qui pourrait leur arriver s'ils se mettaient eux aussi à vider leur sac.

Les manœuvres policières ont fait un tort immense à l'organisation des Hells Angels, surtout avec la saisie de plusieurs millions de dollars en argent comptant. Aussi le tort fait à l'organisation ne sera-t-il véritablement connu que d'ici quelques mois, alors que seront divulguées les informations sur les transferts d'argent sale vers des paradis fiscaux.

Des entreprises commerciales qui auraient fermé les yeux sur la provenance de certains fonds vont se retrouver dans l'embarras. Les diverses enquêtes policières ont permis d'apprendre que des motards avaient imaginé un stratagème pour blanchir leur argent provenant de la vente de la drogue : ils achetaient de très gros véhicules automobiles qu'ils revendaient aux États-Unis.

Plusieurs concessionnaires d'automobiles du Québec sont actuellement dans l'embarras vis-à-vis de leur fournisseur car ils auraient agi de façon irrégulière. Les concessionnaires n'ont pas le droit de vendre des véhicules aux États-Unis, mais les motards contournaient cette difficulté en utilisant des gens ordinaires pour acheter de gros véhicules tout équipés. C'est ainsi que des prestataires d'aide sociale ou des gens sans fortune ont payé comptant des véhicules valant entre cinquante mille et soixante mille dollars, sans problème. Maintenant que le pot aux roses est découvert, un manufacturier notamment a rappelé à l'ordre un de ses distributeurs, installé sur la rive sud de Montréal.

Un des motards détenus depuis la razzia du printemps a déjà déclaré qu'il avait ainsi vendu pour quarante millions de dollars de véhicules outre-frontière, de quoi rendre jaloux plusieurs honnêtes commerçants.

Bien que certains biens puissent être confisqués facilement, d'autres vont sûrement échapper au long bras de la justice. En effet, comment la police pourrait-elle saisir les implants mammaires que des motards ont offerts à leurs amies danseuses aux seins nus ? Bien que ces opérations chirurgicales aient été payées avec de l'argent provenant de la vente de la drogue, ce silicone est difficilement saisissable en vertu de la loi...

14

Une enquête fort active

Quelques jours après ma sortie des soins intensifs, les enquêteurs de la brigade des homicides se sont informés si j'étais en mesure de les recevoir. Comme ils étaient à la recherche de mes agresseurs, il est évident que j'avais des choses à leur dire. « D'habitude, m'a dit Guy Bessette, nos victimes ne sont pas trop jasantes... » Il était clair que lui et son collègue Michel Whissel avaient fait leur travail. Depuis l'attentat, ils avaient recueilli plus d'une centaine d'informations provenant du public, du milieu policier et aussi, évidemment, de plusieurs informateurs.

Mes visiteurs voulaient savoir si j'avais effectué des transactions depuis quelques mois dans un bureau de la Société d'assurance automobile du Québec. Je leur ai dit que j'avais renouvelé mon permis de conduire et que pour ce faire je m'étais rendu à l'un des bureaux de la SAAQ mais que je n'avais effectué aucune autre transaction. Ils m'ont alors demandé si j'avais fait affaire avec un bureau situé rue Ontario, pas tellement loin de mon lieu de travail. Encore une réponse négative. J'ai appris par leurs questions que des renseignements personnels sur mon dossier avaient été obtenus par une employée de ce bureau.

Les détectives m'ont fait savoir qu'ils devaient poursuivre leurs recherches car il semblait que plusieurs autres personnes qui comme moi avaient été blessées ou tuées par des armes à feu ou autrement avaient vu leur dossier personnel examiné par la même personne.

Plus tard, j'apprendrais que des gens liés aux Hells Angels payaient deux cents dollars pour obtenir des informations provenant des dossiers confidentiels de la SAAQ.

Les policiers n'étaient pas trop bavards au sujet de leur enquête, mais j'apprenais qu'ils avaient des informations de première main concernant des gens liés au monde de l'automobile et d'autres liés à des activités de prêts usuraires pour le compte des Hells. J'avais justement parlé de ce monde des usuriers dans mon dernier reportage, paru la veille de l'attentat. Il ne s'agissait peut-être pas d'une coïncidence. De fil en aiguille, les détectives se sont mis à vérifier à fond la piste de la SAAQ. Plus tard, eux et moi avons été surpris de voir un député de l'Opposition officielle à Québec dévoiler l'existence de la taupe qui s'était intéressée à moi.

Il fallut plusieurs mois de recherches dans les dossiers informatiques de la SAAQ pour vérifier toutes les pistes possibles et imaginables avant que des accusations ne soient portées contre la préposée aux renseignements soupçonnée d'avoir examiné mon dossier. C'est un lourd dossier que les enquêteurs ont compilé au fil des mois, à la demande de Me Randall Richmond, de la section des poursuites sur le crime organisé du ministère de la Justice. C'est cet avocat méticuleux qui est chargé de tout le dossier de l'attentat perpétré contre moi. Le procureur a demandé des vérifications qui ont nécessité des heures et des heures de recherches dans les dossiers de la Société d'assurance automobile du Québec. Ces recherches ont permis de découvrir que les gens du crime organisé avaient réussi à obtenir tout ce qu'ils voulaient dans les fichiers confidentiels de la SAAQ. Les policiers, qui jusque-là croyaient que leurs propres informations confidentielles, tout comme celles des fonctionnaires et des juges, étaient à l'abri des regards indiscrets, ont déchanté. Les criminels pouvaient tout obtenir sur simple demande et pour une poignée de dollars.

Les enquêteurs Jean-François Martin, Michel Whissel et Guy Bessette
sont chargés d'élucider l'attentat perpétré contre moi.

Ce sont surtout des ennemis des Hells Angels qui ont vu leur dossier personnel examiné par les motards. Sur une trentaine de dossiers, tous les individus visés étaient des membres des Rock Machine, qui sont devenus officiellement des Bandidos en l'an 2000, et des revendeurs de drogue associés au groupe Dark Circle ou simplement des petits trafiquants indépendants que l'on voulait éliminer.

Un des individus visés par ces recherches d'informations était Serge Bruneau, un opposant à l'expansion des Hells. Les tueurs partis à sa recherche ont alors commis toute une bévue. Le 26 août 1999, un homme s'est présenté au commerce de Bruneau, à Saint-Léonard, et a demandé à l'individu qui s'y trouvait s'il se prénommait Serge. Obtenant une réponse positive, l'intrus a sorti une arme et abattu celui qui venait de répondre. Il n'a fallu que quelques instants aux policiers arrivés sur la scène de ce meurtre pour comprendre la méprise. La victime était Serge Hervieux, un homme qui n'avait rien à voir avec la guerre des motards. Il gagnait honnêtement sa vie dans ce commerce de location de voitures et de camions. Celui que les motards voulaient tuer était son patron, qui portait le même prénom.

Les Hells Angels ont aussi obtenu dans les dossiers de la SAAQ des renseignements utiles sur celui qui allait devenir leur principal opposant, Alain Brunette, le nouveau président des Bandidos. Avec les adresses de Brunette, obtenues de la SAAQ, les tueurs des Hells se sont mis en chasse. Comme ils n'arrivaient pas à retrouver Brunette, c'est son beau-frère qui a écopé. Gilles Lesage a été enlevé alors qu'il s'en allait à un rendez-vous dans un restaurant de Saint-Léonard. Les policiers ont découvert que Lesage avait été battu avant d'être tué, ce qui a amené les enquêteurs à croire que la victime avait été interrogée afin d'obtenir des renseignements.

C'est le 13 février 2001 que Brunette a été rejoint par ses tueurs. Il sortait d'une résidence de Sainte-Anne-des-Lacs, dans les Laurentides, lorsqu'il s'est aperçu qu'il était suivi par des ennemis. Il s'est mis à rouler à vive allure sur l'autoroute des Laurentides pour échapper aux volées de balles. Son automobile a été percée par plusieurs projectiles, mais lui s'en est tiré avec une balle à l'abdomen. C'est parce qu'il a fait demi-tour en pleine circulation et roulé à contresens sur la voie rapide qu'il est encore en vie. Il a ainsi roulé à haute vitesse sur une distance de près d'un kilomètre. Son passager n'a pas été touché par les balles.

Les membres des Dark Circle, un gang indépendant qui a résisté à l'expansion des Hells Angels, ont été l'objet de recherches intensives par les assassins. Plusieurs de ces personnages ont été assassinés depuis 1995 pour avoir voulu tuer des membres des Hells. Mais un des gars de la bande a toujours joui d'une chance incroyable. Jean-Jacques Roy a été victime de deux tentatives de meurtre. En novembre 1998, c'est la police qui lui a sauvé la vie en arrêtant deux associés des Hells qui avaient tout préparé pour le tuer. Roy, comme toujours, n'a rien voulu dire à la police. Il a même refusé de témoigner contre ses agresseurs en puissance, ce qui lui a valu une amende de deux mille cinq cents dollars pour outrage au tribunal.

Un autre membre des Dark Circle a vu son dossier consulté à la SAAQ. Il s'agit de Salvatore Brunetti. Il n'a jamais été rejoint par les tueurs, mais il a réglé ses problèmes avec les Hells Angels en joignant leurs rangs. Ce changement de camp ne lui pas été bénéfique puisqu'en mars 2001, lors de la gigantesque razzia policière contre les Hells Angels, Brunetti a été victime de la loi antigang. Il s'est retrouvé incarcéré pour le meurtre de treize personnes, dont plusieurs de ses anciens associés, avec quarante et un autres membres et dirigeants des Hells Angels.

Au total, les taupes de la SAAQ ont fouillé les dossiers de trois individus qui ont été par la suite assassinés et de six personnes qui ont été blessées par balle lors de tentatives de meurtre. Trois autres personnes dont le dossier a été examiné ont également été assassinées, mais il n'a pas été établi si ce sont des renseignements confidentiels qui ont servi à les retrouver.

Le 30 mai 2001, Ginette Martineau, quarante-neuf ans, que la police avait identifiée comme étant la taupe, était arrêtée. Cette femme travaillait pour un bureau affilié à la SAAQ, rue Ontario. Son conjoint, Raymond Turgeon, cinquante ans, était également arrêté. C'est lui qui aurait transmis les détails des dossiers requis par les membres des Rockers, le bras armé des Hells Angels opérant surtout à Montréal. Le couple est accusé de cinquante chefs d'usage illégal d'un ordinateur et d'abus de confiance. Ils sont passibles de dix ans de prison.

*

C'est dès les premières heures de l'enquête que le sergent détective Bessette avait découvert la piste de la SAAQ, mais une autre piste s'est ouverte peu après lorsque les pièces à conviction trouvées sur la scène du crime ont été reçues au Laboratoire de sciences judiciaires et de médecine légale, rue Parthenais. Il n'a fallu que quelques heures pour confirmer que deux des projectiles retirés de mon corps par les chirurgiens avaient bel et bien été tirés par l'arme trouvée peu après l'attentat. C'est l'expert en balistique qui a reconnu le pistolet comme étant en tous points semblable à des armes qu'il avait examinées deux ans auparavant. C'est ainsi que la police a été mise sur la piste de Michel Vézina, un résidant de Saint-Charles-sur-Richelieu.

Vézina est un perfectionniste. Il fabrique lui-même certaines pièces pour améliorer les armes qu'il construit. C'est ce qui a permis de l'identifier positivement comme étant le fabricant de certaines armes soumises pour expertise. C'est un amoureux des armes à feu, un artisan habile et reconnu dans le milieu criminel pour ses produits efficaces. Il a consacré sa vie aux armes à feu.

Les deux enquêteurs, lors de leur première visite à l'hôpital, m'ont parlé d'un individu du nom de Michel Vézina. Ils voulaient savoir si je connaissais cet homme. J'ai cherché dans ma mémoire, mais ce nom ne me disait rien. D'après

Michel Vézina, l'armurier accusé d'avoir fabriqué
l'arme utilisée pour l'attentat.

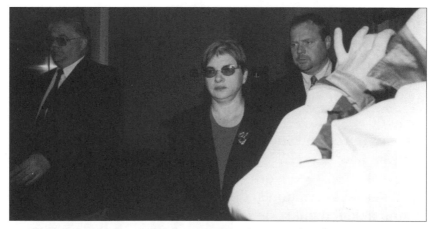

Ginette Martineau a été accusée d'avoir fouillé illégalement mon
dossier à la Société d'assurance automobile du Québec (SAAQ).

Guy Bessette, j'avais déjà écrit sur ce personnage. Un coup de fil aux archives du journal m'a confirmé que j'avais bel et bien fait deux papiers sur lui en avril 1998. Lorsque j'ai relu les textes publiés, ma mémoire a été vite rafraîchie. Je me souvenais du personnage car c'était alors lui l'armurier des Hells Angels. J'avais écrit que Vézina était le principal fournisseur en mitraillettes, pistolets et silencieux utilisés par certains des tueurs impliqués dans la guerre entre bandes rivales depuis plusieurs années.

La mitraillette Cobray, dont les pièces étaient achetées aux États-Unis, était assemblée ici. Les silencieux étaient de fabrication domestique, mais de grande qualité, avaient expliqué les armuriers de la Gendarmerie royale du Canada. C'est en se lançant sur la piste d'un réseau de faux-monnayeurs que les gendarmes avaient bifurqué sur le réseau des armuriers.

Vézina vendait alors trois mille cinq cents dollars une mitraillette équipée d'un silencieux. Il offrait aussi en vente pour deux mille cinq cents dollars des pistolets Ruger Mark II de calibre 22, également munis de silencieux. C'est l'arme de prédilection de plusieurs assassins. Les projectiles sont plus petits que ceux des grosses mitraillettes, mais, à cause de leur vélocité élevée, les balles peuvent faire beaucoup de dommages à l'intérieur du corps de la victime. Généralement, ce type d'arme ne pardonne pas. Depuis le début des années 90, au moins vingt meurtres et onze tentatives de meurtre ont été commis avec des armes semblables au Québec. L'armurier Vézina a déjà lui-même goûté aux effets de l'une de ses armes. Voulant réparer une mitraillette défectueuse, il s'est accidentellement tiré une rafale de balles dans la main.

La GRC a découvert Vézina par pur hasard en enquêtant sur des criminels de Laval. C'est un informateur, connu uniquement sous son numéro de code, le C-3409, qui a fourni suffisamment d'informations pour amener le gendarme Michel Lareau, de la GRC, à se lancer aux trousses de Vézina.

Lorsqu'il a été arrêté, le 1er avril 1998, j'étais présent avec mon collègue Pablo Durant quand les détenus ont été conduits aux cellules de la GRC à Westmount. Tandis que Pablo essayait de photographier Vézina, je lui ai posé deux questions, mais l'individu n'a rien dit. Il était plutôt occupé à se cacher le visage.

Après avoir nié sa culpabilité, Vézina a décidé d'avouer tous ses crimes. Il a été condamné à trente-quatre mois de prison. Il en avait purgé dix-huit lorsqu'il a été remis en liberté. C'est après cette libération qu'il se serait remis à la fabrication des armes. C'est une passion pour Vézina que de fabriquer des pièces manquantes et de procéder à l'assemblage de pistolets, revolvers et mitraillettes.

Lors de son arrestation de 1998, les enquêteurs ont découvert qu'il voyageait souvent en Europe. Il aurait effectué une quinzaine de voyages ces dernières années dans la région de Toulouse et de Marseille, en France, pour des raisons inconnues. La police considérait Vézina comme un fournisseur attitré des Hells Angels, ici comme en Europe. Toutefois, il n'a jamais été inculpé pour un trafic d'armes à l'extérieur du pays.

J'ai revu Vézina une fois. C'était lors de son enquête préliminaire au Palais de Justice de Saint-Hyacinthe. J'avais été convoqué comme témoin devant le juge Gérard Girouard, de la Cour du Québec, qui devait décider si la preuve présentée par le procureur de la Couronne était suffisante pour justifier un procès. À titre de victime d'une arme à feu, on m'a fait brièvement décrire ce qui m'était arrivé le 13 septembre lorsque j'avais été grièvement blessé dans le parc de stationnement du *Journal de Montréal*. On m'a interrogé sur mon état de santé et sur les séquelles que je pouvais encore avoir à la suite de cette tentative de meurtre. Durant les quelques instants où mon regard a pu croiser celui de Vézina, j'ai cru percevoir une certaine gêne chez lui, comme s'il voulait s'excuser de ce qui m'était arrivé.

Il doit subir un procès à l'automne 2001, à moins qu'il ne reconnaisse sa culpabilité d'ici là. Dès la fin de l'enquête préliminaire, le procureur a annoncé à Me Loris Cavalliere, qui s'occupe des intérêts de Vézina, qu'une peine d'au moins huit ans de prison serait réclamée contre l'armurier. Une peine difficile à admettre pour tout accusé.

*

Alors même que j'étais hospitalisé, les policiers et mes employeurs ont commencé à discuter de la possibilité d'offrir une forte récompense en vue de délier les langues. Dans ce genre d'affaire, il y a toujours des gens qui connaissent les suspects, qui ont appris des informations d'importance sur l'identité des criminels, sur leurs mobiles ou sur leurs associés. Devant une récompense, plusieurs choisissent de dévoiler leurs secrets. La direction du *Journal de Montréal* a mis cinquante mille dollars à la disposition des enquêteurs, qui ont aussi obtenu vingt-cinq mille dollars de la part de l'organisme Jeunesse au Soleil. Un généreux donateur de cette organisation charitable met souvent de grosses sommes d'argent à la disposition des policiers pour chercher à élucider des affaires complexes.

Toutefois, dans mon cas, cette offre de récompense n'a pas donné de résultats immédiats, du moins pas à ma connaissance. Mais, malgré tout, les détectives ont eu accès à certains secrets du milieu criminel grâce à un de leurs informateurs. Dès le début de l'enquête, ce personnage inconnu a fait des révélations qui, à première vue, paraissaient tout à fait farfelues. Les enquêteurs et leurs patrons classent toutes les informations reçues selon un code qui indique la valeur des renseignements fournis. C'est ainsi que l'opinion d'une tireuse de cartes sera étudiée après les informations fournies par des informateurs reconnus ou des policiers d'expérience. Donc, dès les premiers jours suivant la tentative de meurtre, ce sont presque tous les policiers de la brigade des homicides qui ont été mis sur la piste du tireur et de ses complices et commanditaires.

Il a fallu quelques jours aux sergents Bessette et Whissel pour reprendre les informations fournies par le bavard informateur. Évidemment, d'après ce qu'il disait, l'homme était bien placé dans son milieu. Il connaissait plusieurs personnages importants. Mais ce qu'il racontait était tellement peu probable que les détectives ont décidé de lui faire passer le test du détecteur de mensonge pour en avoir le cœur net. Un peu à la surprise de plusieurs, le volubile témoin disait la vérité. Il a identifié par un nom le tireur qui a fait feu à sept reprises dans ma direction et qui m'a touché six fois. Guy Bessette avait de la difficulté à croire ce qui arrivait. L'enquête prenait une toute nouvelle tournure.

Le suspect a été pris en filature, mais la preuve de sa participation à l'attentat dont j'ai été victime est loin d'être acquise. Malgré des mois d'enquête, elle demeure difficile à obtenir. Toutefois, grâce à cette première identification positive, les détectives ont pu chercher parmi les relations de cet individu la trace de ses complices. L'étude des communications du suspect a permis d'identifier au moins trois de ses associés dans le complot dirigé contre moi.

Grâce à leur patience ainsi qu'à l'utilisation de ressources techniques et informatiques, les enquêteurs ont réussi à découvrir des preuves de la présence de tous les suspects dans les environs du terrain de stationnement du *Journal de Montréal* le matin de l'attentat, de même que durant les jours précédents. Ils ont aussi pu établir que, vingt-trois minutes après l'attentat, le tireur s'est retrouvé dans un restaurant de la rue Sainte-Catherine, près de l'avenue Papineau, où des motards de la section Nomads des Hells Angels se trouvaient déjà sous surveillance policière. Maurice Boucher était au nombre des clients du restaurant *Club Sandwich* que surveillait une équipe spéciale de la brigade Carcajou.

Une heure plus tard, tout l'état-major du groupe Nomads se dirigeait vers un autre restaurant fort connu du centre-ville, pour une fête. Les Hells Angels avaient fait ouvrir spécialement pour eux le fameux *Latini*, le grand resto italien situé à l'intersection de la rue Jeanne-Mance et du boulevard René-Lévesque. Les policiers en faction ont observé le va-et-vient des motards ainsi que les précautions prises par les dirigeants de la bande pour ne pas être importunés. Ce sont des employés des motards qui ouvraient la porte du restaurant pour y laisser entrer seulement les invités.

Ce jour-là, les Nomads tenaient leur « messe » hebdomadaire, la réunion du club où les décisions, petites ou grandes, sont prises par le groupe. Les policiers n'ont apparemment pas pu savoir ce qui se discutait au sein de la bande. Les motards, pour éviter de se faire surprendre par les microphones des policiers, se chuchotent constamment à l'oreille. À moins d'avoir pu faire modifier par un policier-technicien un appareil auditif servant à contrer la surdité, il n'est pas possible de savoir ce que l'un dit à l'autre.

En guise de conclusion

Au début de l'été 2001, les policiers avaient épuisé plusieurs des pistes qu'ils avaient suivies pour tenter d'arrêter la dizaine de personnes liées directement à l'attentat du 13 septembre 2000. Obtenir des informations et identifier des suspects est l'étape la plus facile d'une enquête policière. C'est l'obtention des preuves qui se révèle la partie la plus ardue. Le commandant André Bouchard, de la division des crimes majeurs de la police de la Communauté urbaine de Montréal, répète souvent qu'il ne manque que peu de preuves pour faire inculper tous ceux qui ont comploté pour me tuer. Il a dévoilé que la preuve technique avait déjà permis d'établir le profil génétique d'un des conspirateurs. « Le tueur est identifié », a-t-il dit.

Quant à moi, j'ai repris ma vie normale, convaincu que les responsables de l'attentat, ayant raté leur coup, ne recommenceront pas. Certaines informations obtenues laissent croire qu'ils ont compris que leur geste était de toute façon inutile et qu'un journaliste de moins ne changerait rien à la couverture de la guerre des motards. Ils ont compris que l'attentat raté avait amené les politiciens à voter des lois plus sévères et les policiers à suivre de plus près leurs activités illicites.

Je suis encore plus convaincu que les armes à feu constituent un danger pour la société. Les chasseurs peuvent bien avoir droit à leurs armes, mais il faut absolument rendre plus difficiles la possession et l'usage des armes de poing, des armes automatiques ou semi-automatiques.

Durant mon séjour dans la campagne mexicaine en janvier dernier, je me suis surpris à sursauter en entendant des coups de feu dans le village où je me trouvais. C'étaient des bruits sourds tout à fait semblables à ceux qu'a faits l'arme du tireur qui m'a pris pour cible dans le parking du *Journal de Montréal*. C'est à peu près le seul moment depuis des mois où le souvenir de l'attentat s'est ravivé en moi. Autrement, lorsque j'y pense, c'est comme un mauvais moment de passé.

J'ai aussi eu le temps de penser souvent à mes sentiments envers les conspirateurs et envers le tireur. J'ai beau chercher loin au fond de moi-même, je n'arrive pas à découvrir la trace d'un sentiment de vengeance. Je crois bien qu'un jour ou l'autre les policiers vont réussir à les arrêter. Il arrive souvent qu'un nouvel informateur ou un délateur dévoile, plusieurs mois après un crime, des informations utiles à la police pour conduire des criminels devant un juge. C'est probablement ce qui va se produire dans l'enquête sur l'attentat dont j'ai été victime. Aussi, il est fort possible que les coupables soient arrêtés pour d'autres crimes. Ces conspirateurs sont tous des bandits très actifs dans leur domaine. Déjà, plusieurs des individus soupçonnés d'avoir participé à la commande, à la préparation ou à l'exécution du complot visant à me tuer ont été arrêtés pour d'autres offenses.

Quant au tireur, j'ai bien vu son visage lorsque les policiers m'ont montré une bande vidéo tournée par une caméra de surveillance, mais ce visage d'un jeune homme capté dans un parc de stationnement n'a réveillé aucun souvenir. Je n'ai, non plus, fait aucun cauchemar après avoir visionné cette vidéocassette. J'avais été convoqué aux bureaux de la brigade des homicides lorsque les policiers m'ont demandé de regarder une bande vidéo. Sans qu'ils m'aient rien dit sur le but de cet exercice, j'ai immédiatement compris que l'individu qui apparaissait sur l'écran était celui qui s'était approché à moins de deux mètres de moi pour chercher à m'abattre, le 13 septembre 2000. Mais

En pleine forme et de retour au travail, en janvier 2001,
à peine quatre mois après l'attentat.
(Photo : Gilles Lafrance, *Le Journal de Montréal*.)

Avec mes deux petits-enfants, Amélie,
née un mois après l'attentat, et Nicolas.

la vue de ce visage n'a suscité aucun souvenir du jour de l'attentat. Une deuxième vidéocassette de surveillance ne m'a pas permis non plus d'identifier d'autres personnes qui sont inscrites sur la liste des suspects.

Je croyais que la vue du visage du tireur provoquerait des émotions chez moi, mais je suis constamment demeuré de glace face à l'attentat. Jamais je n'ai éprouvé de peur non plus.

J'imagine que je suis un peu comme ma mère qui, en 1993, à l'âge de soixante et onze ans, s'est tirée avec de graves blessures d'un accident d'automobile où plusieurs personnes l'avaient pratiquement déclarée morte, et qui a ensuite repris une vie normale.

Plusieurs ont vanté mon courage, ma force de caractère, et souligné ma détermination. On m'a félicité pour l'exemple que je peux donner à plusieurs personnes dans le malheur.

Mais moi, je ne sais vraiment pas pourquoi j'ai été épargné lors de cette tentative de meurtre. Pourquoi les balles qui sont passées à des centimètres, que dis-je, des millimètres d'organes vitaux ne m'ont-elles pas laissé paralysé ou mort?

Peut-être que j'ai encore des choses à accomplir sur cette terre.

Remerciements

C'est en pensant souvent à mes amis Jeannine Bourdages et Claude Masson, décédés en octobre 1999 dans l'écrasement du vol 990 d'EgyptAir, que j'ai écrit ce livre. Pourquoi sont-ils morts et suis-je encore vivant ? Qui décide de ce destin ?

Il m'est impossible de remercier ici toutes les personnes qui m'ont aidé dans ma vie personnelle et dans ma carrière. Je devrais aussi remercier toutes les personnes inconnues qui m'ont encouragé ou félicité depuis l'attentat. Il m'est impossible aussi de nommer toutes les personnes qui m'ont mis sur la piste de nouvelles importantes. Je leur dis donc un merci général et sincère.

Mais je dois mentionner plusieurs personnes qui ont grandement contribué tout au long de ma vie à me faire devenir ce que je suis maintenant.

Ma fille Guylaine, son mari, Carl Bourcier, et leurs enfants, Nicolas et Amélie, ainsi que ma mère, Armande, qui regrette toujours le décès de mon père, Armand. Merci à mes frères et sœurs, mon beau-frère et mes belles-sœurs, Gaston Auger et Suzanne Roy, Ginette Auger et Guy Labelle, Lorraine Auger, Alain Auger et Ginette Beaulieu.

Merci à Muriel Rousseau, à sa mère, Hermance, et au reste de sa grande famille, qui m'ont épaulé durant une grande partie de ma vie. Un merci particulier à Madeleine et Jacques Langevin.

Merci aussi à Michèle Godbout, qui a vécu des moments difficiles à cause de moi. Merci également à Hélène et Francine Vézina.

Merci à Pierre McCann, à sa femme, Nicole, et à leurs enfants, Bernard, Sophie, William, et à Mark Pugsley, pour leur amitié indéfectible.

Un merci tout particulier à Bruno et Philippe Masson ainsi qu'à Marie-Josée Mathieu. Un merci sincère à Jean-Paul et Mireille Bourdages ainsi qu'à Jean-Sébastien.

Je dois remercier chaleureusement Odile Blais, qui m'a accordé sa confiance. Merci à Geneviève Lefèvre, à Xavier et Stéphane Tousignant.

Du côté professionnel, il me faut souligner la contribution exceptionnelle de collègues de mes débuts et de mon actuelle carrière. Merci à Jacques Ebacher, Raymond Drouin, Marcel Lamarche, François Béliveau, François Trépanier. Merci à Rodolphe Morissette, le meilleur chroniqueur judiciaire que je connaisse et une importante source d'inspiration pour donner au public des informations d'une grande qualité.

Merci à l'ensemble de l'équipe de photographes du *Journal de Montréal*: Chantal Poirier, Raynald Leblanc, Alain Décarie, Gilles Renaud, Ronald Saint-Denis, Yves Fabe, Normand Pichette, André Viau, Pablo Durant, Gilles Lafrance, Albert Vincent, Alfred Lanctôt, Pierre-Yvon Pelletier, Luc Bélisle, André Bonin, Raymond Bouchard, Jacques Bourdon, Normand Jolicœur, Luc Laforce, William Lapointe, Claude Rivest, Pierre Vidricaire et Yvan Tremblay.

Je dois aussi remercier spécialement deux équipes de filles qui travaillent toujours dans l'ombre mais qui sont des alliées importantes pour un journaliste: les techniciennes des archives et les téléphonistes. Merci à Lucie Sansregret, Sylvie Mayer, Céline Raymond, Monique Houle, Aline Dupuis et Catherine Martel. Merci également à Sylvie Audet, Isabelle Gauthier, Sophie Gingras, Geneviève Tremblay, Diane Lachance et Isabelle Saint-Denis.

Enfin, merci à tous mes collègues et patrons de la rédaction du *Journal de Montréal*. Merci aussi à tous les employés du journal qui préparent ou complètent le travail du journaliste, qu'ils soient vendeurs de publicité ou de petites annonces, au personnel de l'administration, à ceux qui s'occupent de la machinerie ou des immeubles, comme à toute l'équipe qui imprime et distribue ce journal trois cent soixante-deux jours par année.

Je ne serai jamais trop reconnaissant envers les gens d'Urgences-Santé et de l'équipe médicale du Centre hospitalier de l'université McGill, dirigée par le chirurgien David Evans.

Ce livre n'aurait jamais été ce qu'il est sans les efforts de Pierre Turgeon, d'Hélène Noël et de Louis Royer, des éditions Trait d'union.

Un dernier merci à mes collègues journalistes de Montréal et de Toronto, qui sont à la fois des amis et des compétiteurs: James Dubro, Peter Edwards, Peter Moon, Adrian Humpreys, Antonio Nicaso, Lee Lamothe, Jack Boland, Rob Lamberti, Marcel Laroche et André Cédilot.

Index

Table

Cet ouvrage
composé en caractères Century corps 12
a été achevé d'imprimer
sur les presses de l'imprimerie Gauvin
à Hull
le vingt-sept août deux mille un
pour le compte des ÉDITIONS TRAIT D'UNION.

Imprimé au Québec